新探案

大眞相

作者：柯南·道爾（Arthur Conan Doyle , 1859～1930）

處處留心皆學問——
福爾摩斯的冷靜智慧

顏世錫

福爾摩斯探案是許多人年輕時代裡鮮明的記憶，也是我早年喜愛閱讀的故事，世界書局在七十年前第一次把它引入中國白話文的世界，如今又重新編修出版。閻初總經理託我爲這套書作序，她是我多年好友，也是我從江兆申老師習字時的小師妹，因此便慨然應允。

故事書中懸疑緊湊的情節，現在讀來仍舊津津有味；但我從事警政工作幾十年來，早已在犯罪的刀光血影中走過千百回，也經歷了各式大小案件，如今重讀此書，感覺最值得玩味的，是福爾摩斯的冷靜、智慧和勇氣。他敏銳的觀察力和縝密的推理分析實是破案的重要關鍵。當然，隨著時代的進步，各種鑑識科技應運而生，爲偵辦工作提供了更多更好的輔助，但這位神探的博學多聞、細心耐心、追求眞理、堅持原則的特質，應該是這套書背後所傳達的重要意涵。這不僅是犯罪偵查人員必須具備的要件，引申到現代生活中，也是一般大衆應該加強的思維。

近年來，治安問題始終是大家關切的焦點，犯罪手法的翻新和犯罪年齡的下降給社會帶來了空前的挑戰。今日，打擊犯罪要靠警民合作，不要妄想仰賴一、二位超人神探，而是要靠許多福爾摩斯的配合——人人都應留意自己周遭的人事物，遇有狀況，冷靜分析，並熱心負起改善治安的責任。青少年朋友更要不盲從、不衝動、多用眼、用腦、用手去開啓自己正確的路。其實，福爾摩斯風靡世界一百年，始終在各個時代裡蟬聯青少年心中的英雄，他永遠光鮮的外表、永遠零亂的書桌、他獨特的衣帽煙斗、千變萬化的喬裝掩飾、冷靜聰明的頭腦、鍥而不捨的作風、濟弱扶傾但尊重法理的俠義精神，不也正符合我們這個時代年輕朋友最「酷」的選擇嗎？與其盲目崇拜偶像，不如冷靜分析什麼是自己該堅持的主張，才不致迷失徬徨。

我想，福爾摩斯雖然是在柯南・道爾筆下塑造的人物，但能跨越時空、歷久彌新，是因爲他以最有趣引人的手法，在許多人的生活中引起共鳴：我們都有探索黑暗與未知的好奇，也都有找出眞相、伸張正義的嚮往；我們都希望具備超人智慧，能先知先覺地解決難題，也都希望在零亂紛擾的疑團中抽絲剝繭地理出邏輯。就在事實與想像裡、在假設與證據間、在科學理論與小說創作下，你我心中都有福爾摩斯的影子！喜見世界書局再一次把他帶進讀者的世界，也希望讀者把他的冷靜、智慧與勇氣帶進自己周遭的世界。

一九九七年十二月二十五日

出版緣起　當福爾摩斯重現世界

閻初

一八四一年，美國，愛倫．坡發表《莫爾格街謀殺案》，偵探小說這個名詞第一次出現。當時，在東方，列強的炮火早已轟開了中國的大門，他們正用鴉片對這個民族進行集體謀殺。林則徐等人企圖緝兇歸案，但終告失敗。

一八八七年，英國，一位身材削瘦、披著斗蓬、叨著煙斗的神探誕生了。當時，正值光緒十三年，慈禧歸政德宗，其實東方也很需要一位智多星，能幫著皇帝懲惡捉奸、撥亂反治。

接著，甲午戰爭、戊戌變法後，晚清的翻譯小說便紛紛出現，一九〇二年，最早的一篇文言福爾摩斯刊登在梁啓超編的《新民叢報》和《新小說》上。

民國十六年，上海，世界書局出版《福爾摩斯探案大全集》，由「中國偵探泰斗」程小青和嚴獨鶴、包天笑等人以白話文翻譯。從此，這位西方的神探便正式進駐龍蛇混雜的十里洋場，而他的傳奇經歷，也快速地傳遍中國各地，成爲家喻户曉的人物。

譯者程小青先生自幼喪父，原本在鐘錶店裡當學徒，工作之餘便到夜校補習英文。他寫作時認眞嚴謹，講究專業精神，除了大量閱讀西方偵探小說外，還特別透過函授，修習美國警官學校的犯罪心理學和偵探應用技術等課程。據聞，每當他開始構思小說情節時，常常跑到杳無人煙之處，苦思冥想，直到倦鳥歸巢，他才返家命筆。透過他的譯筆，福爾摩斯成爲風靡大衆的一個有情、有理、有趣的偶像。

東方古老沈重的社會裡，永遠流傳著包青天、施不全的奇聞軼事，他們是神仙下凡，是老天爺賞給小老百姓的難得恩賜；但洋人筆下的福爾摩斯，卻是科學的、智慧的凡人，他靠冷靜謀略使眞相大白、讓沈冤昭雪、叫惡人伏法，舉凡聰明博學者皆可爲之。福爾摩斯的受歡迎、被認同實也反映了當時社會的背景：問天聽天的封建已被打破，科學民主正是主流，西潮洶湧、人心激盪，而苦難仍是一個接著一個地降臨在小老百姓身上，於是，人們期盼一個合邏輯的救難英雄——福爾摩斯正適合；人們也渴望脫離無解的現實，進入另一個善惡分明、凡事找得到答案的文明世界——偵探小說正是這樣一個非神化的理性空間。

當時的社會背景也符合現在的情境，只是，物慾更橫流、道德更淪喪、犯罪更猖狂！

一九九七年，福爾摩斯重現世界，距離他第一次在我們的白話文世界裡出現恰巧七十年，古人說：「七十而從心所欲，不逾矩。」所以，我們在忠於原著並尊重譯者的原則下，將百餘萬字重新順讀潤飾，並修改程小青先生的上海方言、文白夾雜和人名地名的翻譯，以便更符合現代閱讀習慣。我們相信新的口語、新的包裝，將帶給福爾摩斯新生的體魄，再加上他歷久彌新、雋永沈潛的智慧與勇氣，必更能遊刃有餘地展開工作。然而，現代犯罪花樣的翻新、犯罪組織的龐大，豈可靠一個神探解決，所以，世界書局徵召各方好漢，一起來做他智勇雙全的好幫手。

偵探小說向來不被新文學正視，它只是個生活消遣品，但它確實能反應出某些社會意義。百餘年來，我們中國人從那個問天祭天謝天的封建中走過來，掙著敲打出這個民有民治民享的雛局，但目前的自由和法治眼看正在消失，於是在亂相威逼下，人們方才醒悟到在民主社會中，天子可以推翻，但天道不可悖離，個人的小惡、眾人的姑息，必將鑄成大錯，不可收拾。今日我們撥亂反治，也不能只翹首青天，還是要從每個小人物的細心、關心和警覺心做起。這套「化了妝的社會科學教科書」，或許能啓發我們一些敏銳觀察、分析判斷和沈穩處事的能力。畢竟，花繁柳密處撥得開，方見手段；風狂雨驟時立得定，才是腳跟。我們愛這花花世界，總要在變通與原則之間，找出自己安身立命的方法。

福爾摩斯短篇探案

新探案

目錄

處處留心皆學問——顏世錫 一

出版緣起 三

病偵探(The Dying Detective) 一

紅圈黨(The Red Circle) 二一

魔鬼之足(The Devil`s Foot) 四二

潛艇圖(The Bruce-Partington Plans) 六七

石橋女屍(The Problem of Thor Bridge) 九三

可怕的紙包(The Cardboard Box) 一二五

吸血婦(The Sussex Vampire) 一四八

專制魔王(Wisteria Lodge) 一六九

網中魚(The Maqarin Stone) 二〇三

郡主的失蹤(The Disappearance of Lady Frances Carfax) 二二六

怪教授(The Greeping Man)　二五二

爲祖國(His Last Bow)　二七八

同姓案(The Three Garridebs)　二九七

墜溷護花錄(The Illustrious Client)　三一六

白臉兵士(The Blanched Soldier)　三四三

三角屋(The Three Gables)　三六六

獅鬣(The Lion's Mane)　三八六

幕面客(The Veiled Lodger)　四〇八

老屋中的秘密(The Shoscombe Old Place)　四二二

棋國手的故事(The Retired Colourman)　四四三

附錄一　真實與虛幻之間——柯南・道爾與福爾摩斯　四六一

附錄二　柯南・道爾年譜　四六八

參考書目　四七一

病偵探（原名 The Dying Detective）

哈德遜太太是福爾摩斯的女房東，她長期飽受福爾摩斯的牽累。不僅二樓一天到晚被行跡詭異的人侵擾，並且她這位房客狂亂乖常的舉動更讓人受不了。他生性不好潔，又常常在深夜裡彈奏樂器，有時在屋子裡試練手槍，或做化學實驗，讓周圍充滿了危險與暴戾之氣。他可算是倫敦城中最惡劣的房客了。

值得一提的是，福爾摩斯卻非常大方，和他同住的這幾年，算算他所出的租金簡直可以買下這個屋子了。福爾摩斯行為雖然詭異，這位房東太太卻也不敢太計較。並且還很喜歡他，因為福爾摩斯對女士太太們都是非常彬彬有禮，雖然他不大信任女流之輩，但是還是非常有紳士風度。在我結婚的第二年初，那位房東太太忽然到我這裡來，她把我友的病狀告訴我，我知道她很關心我友，所以很留神地聽她說話。

她道：「華生醫生！恐怕他是不行了。他這三天病情惡化得很快，我不知道他能不能活過今晚？我要幫他請醫生，他又不准。今天早上，我見他兩邊顴骨凸出，睜著兩隻大眼睛瞧我。我一見這個怪狀，忍不住向他道：『福爾摩斯先生！不管你答不答應，我現在一定要幫你請個醫生來。』他道：『那麼，你幫我請華生醫生來吧。』所以我就火速到這裡來，請先生去診視他。不然，只怕要來不及了。」

聽她說好友病得如此重，我便取了外衣、帽子急忙和她同去，待路上再詳細問她。

她道：「先生，我也只大略知道。聽說他起初在路瑟立司辦理一件案子，每日在河畔的一個陋巷中偵察，後來便得了這個病回來。星期三下午他就無法起床了，到現在還不能下床走動，並且有三天沒有進食了。」

「天啊！你怎麼不早些幫他請醫生？」

「先生！他不許我請醫生！他一向固執專制你是知道的。我怎麼敢違背他？但現在的狀況卻那麼危險，只怕他不久於人世了。」

一會兒工夫，我便瞧見我友了。那時正是十一月，霧氣四籠，僅有微微的光照進這昏暗的房間。我瞧我友在床上，仰著枯瘦憔悴的臉，我的心不禁涼了一截。他的兩眼睜得圓圓的，好似發了高燒，兩頰紅紅的，嘴唇黝黑，兩隻枯瘦的手臂在被上抽搐著，聲音也是嘶啞顫抖不能成語。我剛進去的時候他還僵臥著，後來才漸漸地瞧見我，兩眼無神好似不認識我。他便道：「華生！我不幸之日到了。唉！我的命運不佳。」他說話的時候聲音很低，但態度還從容。

「我親愛的老友啊！」我邊說邊要趨前。我友忽高聲呼道：「走！走！你快走！華生！你要是敢過來，我立刻攆你出去。」我道：「這是什麼意思？」「沒有什麼意思！我不要你過來，你難道還沒聽清楚嗎？」

我暗想這位房東太太的話不錯，我友近來愈加執拗了。可是一瞧他那種衰憊的樣子，我心裡更覺得惻然。便說道：「我很想幫助你，別無他意。」他道：「眞的嗎？你聽我的話就是幫助我了。」「福爾摩斯，我那有不聽你的話？」這時他好像氣消了。

「你沒有生我的氣吧？」我的朋友說時不

停地喘著。

瞧他可憐的模樣，我早沒有生他的氣了。

我友這時又以嘶啞的聲音說道：「華生，我叫你別靠近我，全是爲你好。」「爲我好嗎？」「你知道我所害的是什麼病嗎？老實告訴你吧，這是蘇門答臘的苦力症！這病荷蘭人比英國人熟悉得多。但是他們到現在還沒有治療的方法，不過有一點可以斷定，這是一種很可怕的傳染病，犯了這種病，死的居多。」我友說話時像是很燥熱，兩手頻頻舞動，揮手教我不要走近他。

「華生！你要是碰到我便會被我傳染，你站遠一點吧。」

「天啊！福爾摩斯！你以爲我這時還會有什麼顧慮嗎？就是素不相識的人我也不忍坐視，何況是老友？」

我這時正要再往前近。他馬上又怒目嚇止我道：「你靜靜地站在那裡，我才要和你講話。要不然，就請你走出我這個屋子！」

平常的日子我折服他特殊的才能，他有所命令，我心中雖不甚瞭解，也會服從。但這是我的專業，我是一個醫生，不能聽從病人。病房以外他做主，病房以內可是我要做主了。

我說：「老友！我想你病地失卻了本性，本來病人就好似小孩子一般，我現在就把你當小孩子對待。我不管你心中願意不願意，我一定要診治你的病。」

這時我友一雙怒目，灼灼地瞧我道：「若要請醫生，也要請一位信任的人。」「那麼，你不信任我嗎？」「從友誼上講起來，我很信任你。但事實就是事實，不能迫人信任。華生！我想你還是一個尋常的醫生，經驗既有限，學識也不足。我現在說這話，心中很覺抱歉，但這是你逼我的。」

我聽他這樣說，受了很大的打擊，說道：「福爾摩斯！你說這幾句話，足見你的思緒紛亂已極。你既不信任我，我也不敢自薦，我去幫你請傑斯．伯米格勳爵，或請潘羅司．菲休來；再不然，另請倫敦最著名的良醫來也無不可。無論如何，你一定要接受醫生的治療。你若以爲我只會站在這裡目視你垂危束手無策，那你未免太不知道你的朋友的個性了。」

我友那時候歎了口氣道：「華生，我很感謝你的好意。你容許我批評你在醫學上的缺點嗎？我且問你！你知道達巴奴里的熱症嗎？你知道臺灣的黑死病嗎？」我道：「這兩種病我倒不知道。」

我的朋友又說：「華生！在東方諸國還有無數奇疾，和無數不可解的病理，我們都不知道。」

福爾摩斯每發一語，便作一停頓，好似要振奮他虛弱的氣力似的。他又接著說道：「近來因偵查案情常常接觸與醫學相關的資料，所以那些疑難雜症，我也有點知道。就因爲我研究得太投入，結果自己就害了這病了。唉！華生！只怕你也救不了我。」

「我自己或者力有不及，我卻認得恩思屈理醫生。這位先生是治熱帶諸症的權威，此刻恰在倫敦。福爾摩斯，你就是不許，我也決定去請他。」

說這話時，我便毅然向門口走去。

這一次我的震驚卻是從來所未有的。我見他——一個垂危的人，像老虎一樣一躍而起，直衝到房門那邊；只聽見戛然一響，他把門鎖了。然後跟蹌地回到床上，躺下不動。因爲一時過分用力，所以氣喘不已。

他說：「華生啊！你不至於用強力來奪我的鑰匙吧？請你暫時留在這裡，稍安勿躁。我知道你是一片好意，現在讓我休息一下，此刻正好是四點鐘，到六點鐘的時候，我便放你出去。」我友說這話時，一面又喘息不已。我道：「福爾摩斯，你簡直是瘋了。」「華生，不過這兩個小時罷了，我已經答應你六點鐘走。稍作逗留，你心裡不至於不快吧？」「既然你不許我走，我也沒有法子。」

「華生！我很感謝你的關心。這被褥我自己能料理，無須你幫忙。你只須遠遠站著，不要亂動就是了。華生！你要請醫生爲我診視，我也很願意，只是這醫生要聽我自擇，不要你推薦。」「請吩咐。」

「好！你到了我屋子以來，只有這一句話最順耳。感謝你的體諒，這裡有許多書，你可以自由閱讀。我已經覺得很疲勞了，很想略爲休息。唉！我不知假使一個電池傳電到一個不良導體的器具中，會有怎樣的感覺。華生！你現在且別說話，到了六點鐘的時候，我再告訴你。」

誰知尚未到那時候，他又教我吃了一驚，和剛才鎖門阻止我的情形相同。起初我站在那裡，注視他所睡的床，只見他用被子矇著頭，好像已經睡著了，我也沒有心緒瞧他房間裡的書，便這樣慢慢地在室中踱來踱去。我瞧見他房間四壁所掛的畫都是著名罪人的照片。走著走著，便到了火爐架前，架上亂七八糟的放著煙斗、煙袋、注射器、鉛筆、小刀、手槍、子彈，及其他零碎東西，縱橫零亂，好像是秋林落葉一般。其中還有一個黑白相間製作精緻的象牙小盒子，盒蓋似乎已被打開。我才剛取在手裡正要展玩，猛聽見我友失聲的喊叫。

他的喊聲尖銳，簡直可以傳到街上。我聽了，不由得肌膚爲之冰冷，毛髮直豎。回頭只見我友一張抽搐的臉，和發狂嚇人的眼睛正對著我。我這時癡坐不敢動，那個盒子仍在我的手中。

我友大喊道：「華生！快放了！快放了！快放下這盒子！」我只好仍舊將這盒子放在火爐架上。我友才放心仰著頭倚在枕上，舒了一口氣，似如釋重負一般。後來他緩緩向我說道：「華生！我生平最恨人家擅動我的東西，你應知道的。這件事，是違背了我意，使我再也不能忍耐了，你是一位醫生，你難道要把你的病友，逼入瘋人院去嗎？你且先坐了，讓我好好休息一下。」

這件突如其來的事，使我心中很不快樂。我瞧著我友無因的惱怒，而且出語暴厲，與他平日的溫文儒雅相去甚遠。在這個上頭，就可以瞧得出他的心緒已無倫次。一個人的心，多麼寶貴？他竟病到失了心，怎不令人痛惜？我想到這裡，很爲我友悲傷，只能盼望六點鐘趕快到，那時就可以出去爲他請醫生。我友那時也和我一樣時刻注意地看著時鐘。還沒到六點鐘，他又呈現那種興奮的狀態了。

他道：「華生！你的錢袋裡還有零錢嗎？」「有的。」「有銀幣沒有？」「有很多。」「半個克郎的還有多少？」「共有五個。」「華生！這太不幸了，數目太少了。你且把這錢放在你的錶袋裡。其餘的錢，就放在左邊的褲袋中。這樣，左右的重量才平均。」

我聽了他這奇怪的話，愈加覺得他已經失了心，在胡言亂語。他說完後，呈現顫抖的狀態，然後發出一種似顫抖似咳嗽的聲音。停了一會兒，他又說道：「華生！你現在可以開這個煤氣燈！但不要開得太明亮，請你謹慎一些。這樣就好了。華生！謝謝你！百葉窗無須放下，所有書札及文件等，請你幫我放在附近的桌上，好讓我方便拿到，勞你幫忙，我心中很感激。火爐上的雜物，也可以和書札文件擱在一起。好，華生，這樣很合我意。架上有一個糖箝，請你用箝子夾那一個象牙小盒，放在那些文件裡面。你辦得很妥貼，很好！很好！現在請你出門，幫我到下柏克路十三號，請克佛登．史密司先生來。」

但是這時我覺得請醫生的意願減淡許多了。因為我目睹福爾摩斯狂態畢露，我深怕一離開，他就會陷入危險的地步。可是我友這時心中很急，一定要請這一位醫生，正和剛才阻止我請醫生同樣的固執。

我友道：「華生，你沒有聽過他的名字也是意料中的事。就算你知道了，也會訝異。這個世界上深悉我疾病的人不是醫生，而是一位種植專家。那位克佛登．史密司先生其實是蘇門答臘一位著名的流亡貴族，此刻恰巧來倫敦遊玩。聽說從前在他種植的區域內也曾發生這種疾病，有人害了這病，卻無法得到適當的醫療救護，不得已就極力地研究，為時未久卻很有心得。這個人做事很有條規，事事按著他預定的時間做，不可有一點兒紊亂。剛才我不許你六點鐘以前去，實在因為不到六點鐘，他一定不在屋內。現在你去，大概可以見到他了。如果見到他，務必懇求他來。我們得靠這位大種植家，用他的研究心得來診治我這個病。實際上這對彼此都有好處。他也可因為我的疾病，試試他的發明——這也是他生平最得意的事。我想這人一定能夠救我。」

我記得福爾摩斯說話的時候，語氣好似強要連貫，其實他說這幾句話時，屢屢喘息著，呼吸也很困難，兩手緊緊地握著拳頭，表示他的確很痛苦。經過這數小時，他的情形更嚴重了。臉部因為發熱而產生的斑點，是愈加明顯了，他的眼神非常可怕，額頭上冷汗如珠。可是他那副剛勁的脾氣卻還依舊，就算到了最後一口氣，仍想保持主導的態度。

我友又對我說：「你見了他，可以把我這時的情況一一告訴他。如果你有什麼想法，也可以告訴他。你可以說，我快要死了，而且還發了瘋。唉！我卻不懂為什麼海底，不是一塊堅硬的牡蠣所結成的。這東西生殖力很強。——華生！我剛才是說了些什麼話呀？」

我說：「你正告訴我，應該用什麼話告訴克佛登・史密司先生。」

「唉！是了！我想起來了。我的生命，全靠這個了。華生！你一定要哀懇他！因為我和他已傷了感情。華生！你可知道他有一位侄子突然慘死？我懷疑這是他所做的事，他防著我知道他的秘密，心裡就顧忌我。華生，你這一次去，要先平了他的氣，再慢慢地哀求他，必須讓他肯來。只有他能救我；能救我的就只有他了。」

「我一定會把他送進馬車裡，載他同來。」

「這卻不可。華生！你只要婉轉地請他答應就好了，你先回來，你可以託詞不和他同來。華生，你記好了！別弄壞了我的事！從前你幫我從來沒有出過岔子。世上自然某種天敵，限制生物的生殖。——華生，你和我曾經一同盡力，這時你忍見這個世界被牡蠣所盤據嗎？唉！你決不要怕呀！華生，您該知道我的意思。」

這時我好像是一個傻子，茫然不知道什麼意思。只覺得他這一席瘋話，在我的胸中憧憧往來。我友這時便把鑰匙拿給我，我心裡反倒安慰，他剛才拘禁我，此刻卻把鑰匙交在我手中了，我且鎖他在屋子裡。我從房間出來，便看見哈德遜太太在走廊上等我，她一面顫抖一面哭。可是福爾摩斯狂歌的聲音，又從房間內傳出來了，聲音很清朗，不過中氣卻似不足。我也不去管他了，急急下樓出門想要叫車，停了一會兒，忽然瞧見一個人冒霧而來。

這人問我道：「先生，福爾摩斯先生的情況怎樣了。」我細看這人，認出他便是蘇格蘭場的警探長毛登，穿了便衣，沒有著制服。我答道：「他病得很厲害。」

毛登不經意眨了眨眼睛，向我直視。我藉由門上小窗中的燈光，瞧見他的表情，好像很高興的樣子。他說：「我聽人家說他病得很厲害。」

這時我所叫喚的車子已經來了，我就向他道別。

下柏克路是在諾廷希爾和肯辛頓之間的邊地上。有很華麗的房子，整排都住著富人。而且我所要尋的這座屋子，外觀更是壯麗嚴肅。門外的鐵欄古雅，門很大，門框是銅製的，奕奕有光。我上前叩門，門一打開，有個僕人從淡紅色的燈光中出來，表情甚是肅然。

這時那僕人應道：「華生醫生！克佛登．

史密司先生在裡面。我可以替你拿名片去通報他。」

但我的名氣不夠，職銜極卑，似乎不足以打動克佛登・史密司的心。一會兒，只聽見銳厲的聲音，從半開的門透出來。

「這人是誰？到這裡做什麼？師丹博爾司！你是怎麼稿的？我不是屢次告訴你，我讀書的時候不希望有人來打擾嗎？」

僕人好像想與他爭辯，但聲音卻柔和而低。

「師丹博爾司！我很不希望有人來打擾我的事。你可以出去告訴這個人，說我不在家。如果要見我，請他明天早晨來。」

這時僕人柔和而低的聲音又響起。

「你只要把我所說的話告訴他，叫他明天早晨來，否則便請他離開這裡。我有我的事，怎能因此被阻擾了。」

我想起福爾摩斯這時輾轉難眠地躺在床上，數著一分鐘一秒鐘，好似恭候他的死神來臨。我一定要盡力幫助他，也許，他的殘生或可保。想到這裡，我也不管入門時的什麼禮節了。我闖了進去，超過他的僕人之前，直奔到他的書房裡。

這時忽有一陣憤怒的呼聲，那人從火爐旁邊的椅子上跳起身來。我見那人有黃色的大臉，皮膚粗而油膩，下巴重疊且闊厚，兩隻含怒可怖的眼睛，從那濃密的眉毛底下瞧著我。他的頭頂已禿，斜戴一頂吸煙時戴的小絨帽，露出一部分帽子的紅邊。他的頭顱很大，但我瞧到他的身體時，卻不禁詫異。他的身材瘦小又駝背，好似他在孩提時患過軟骨病。

他高聲問道：「什麼事？你這樣闖進來是

什麼意思？我不是教人傳話，約你明天來見我嗎？」

我說：「我很抱歉。但這件事不能耽擱的。歇洛克．福爾摩斯先生……」

我的朋友的名字，對於這個瘦小的人，竟有非常的效力。他臉上的怒色霎時間竟完全消失，反而露出一種振奮的樣子，問道：「你是從福爾摩斯那邊來的嗎？」我說：「我剛從他那裡來。」「福爾摩斯有什麼事？他現在怎樣？」「他病得很嚴重。我就爲著這事來的。」

那人指著一張椅子叫我坐下，他自己也坐回他的扶手椅上。當他轉過去時，我從爐簷上的鏡子裡瞥見他的表情，我看見那時他的臉露出一種陰險可怕的笑容，但他回頭的時候，則變成焦慮的神情。因此，我暗忖他剛才的笑容，必是因爲受震驚而神經牽動所致。

他說：「這消息讓我很不安。我和福爾摩斯先生雖只因某種事情約略接觸過幾次，但我對於他的才能和品性卻是非常的敬重。他是一個罪犯學上的專家；我則是病理專家。他抓社會上的惡漢；我則抓病菌。你瞧！那些都是我的監獄啊！」他說時便指我旁邊桌子上的瓶瓶罐罐，又繼續道：「這些膠液都是世界上最可怕的害菌，此刻正在那裡服刑呢。」

「福爾摩斯先生想要見你，就因爲你在醫學上有特殊才能的緣故。他非常佩服你，並認爲在倫敦城中，只有你一個人能夠幫他。」

那瘦子震了一震，他那頂時髦的吸煙小帽，竟掉到地板上。問道：「什麼？福爾摩斯先生怎麼會認爲我能夠幫助他呢？」我道：「因爲你懂東方疾病。」「但他如何知道他所患的病是東方病呢？」「因爲他在執行職務的時候，曾在碼頭上和那些東方水手們一塊兒工作過。」

克佛登・史密司先生微微笑著，又把他的吸煙小帽撿起來。說道：「唉，當眞如此嗎？我想你猜的沒錯，那麼很嚴重了。他病了多少時候了。」我道：「大約三天。」「他可有亂說話？」「不時說的。」「呀！呀！這當眞很嚴重了。假使不應他的請求，未免太狠心了。華生醫生，我最恨有人阻斷我的工作，但這件事應看做例外了。我可以立刻同你一塊兒去。」

我記起了福爾摩斯的叮囑，便說：「但我還有其他的約會。」他道：「好，我可以一個人去。我已經有福爾摩斯先生的地址，我向你保證，至多半個鐘頭，我一定到那邊。」

我回去福爾摩斯臥室的時候，心中惴惴不安，因我深恐在我出外的當兒，他的病勢加重。不過這短時間的離別，他的情形似有些起色，因此我才稍覺放心。他的臉色仍舊像死灰一般，但那昏迷的神情卻已不見，他說話的聲音仍非常微弱，但已像平時那樣的清楚而有條理。問道：「華生，怎樣？見到他了嗎？」「見過了。他已從那裡來了。」「佩服！華生！我佩服你！你眞是一個最好的使者。」「他要和我一塊兒來。」「華生，那當眞不行的。這十萬使不得的。他可曾問你我患什麼病嗎？」「我告訴他你的病是從東方水手中傳染而來的。」「是啊！華生，你已盡了一個好朋友應盡的職務了，此刻你可以離開這裡了。」「福爾摩斯，我要在這裡等，聽他對於你病情的見解。」「你的關心我知道，但我料想若沒有其他人在旁，他的意見也許可以表示得更切實而有價值些。華生，我的床背後有一間小室，你不妨進去屈留一下。」

「我親愛的福爾摩斯！」

「華生，不得不如此了，我不能應許你別的辦法。這一間小房間雖不是專用做藏身的，但你躲在那裡，卻也不致使人生疑。華生，我請你就這樣辦吧！」他忽然坐直了身子，慘白的臉上，露出精神緊張的樣子。他又呼道：「車子來了！朋友，你如果愛我，請快些藏在後面。你也不要從中干涉，無論有什麼事情發生，你只能旁觀。有沒有聽到？你不要說話！也不要動！你只能憑著你的耳朵靜聽。」說到這裡，他緊張的神情忽又消失；他警切而有力的語調，也漸漸地降低，變成一個半昏迷的人的喃喃自語。

我急忙走進那藏匿的地方。這時我已聽見腳步聲從樓梯上來，接著，又聽見臥室門開關的聲音。這時忽使我略略驚奇，室中反常地完全靜寂，只聽到那病人呻吟似的喘息，我料想這時候我們的那位來客一定靜立在床前，俯瞧那床上的病人。過一會兒，那奇怪的對話方才開始。

他呼道：「福爾摩斯，福爾摩斯！」他的聲音好像在喚醒一個睡著的人一般，又繼續道：「福爾摩斯，你聽不見我的聲音嗎？」我聽到一種震動的聲音，好似有人正按著病人的肩頭，很粗魯地搖晃著。

福爾摩斯低聲道：「史密司先生，是你嗎？我實在不敢奢望，你竟會到這裡來。」

那來客大笑道：「我也想不到的。但此刻我眞的來了。我是以德報怨——福爾摩斯，以德報怨啊！」

福爾摩斯道：「這眞是你的好意——你委實是可敬的。我很佩服你的特殊智慧。」

我們的來客微笑答道：「你應當佩服我

的。並且在倫敦，只有你一個人佩服我的。你可知道你患的是什麼病嗎？」福爾摩斯道：「一樣的病。」「啊！那麼，你已知道症狀了？」「我完全明白。」

「福爾摩斯，你會明白此病原是不足爲奇的。假使是同樣的病，我也不覺得驚訝。不過你的病假使當眞就是這病，那你就沒有希望了。那可憐的維克特本是一個強壯活潑的少年，但只有四天的工夫便死了。這眞像你說的，他在倫敦城中，竟會得到這樣的亞洲奇病，實在是有些奇怪的。我對這種病有專門研究，福爾摩斯，這眞是奇怪的偶同。你能認識這個症狀，可見你的聰慧。但你對於他得病的來由和病情的發展，卻未免說得太鹵莽了。」

「我知道這是你弄出來的。」

「咦，你知道了嗎？但無論如何，你沒法證實。試想，你先前在外面說我的壞話，現在危急了，卻又來哀求乞憐。這究竟是什麼玩意兒呀？」

我聽見那病人的呼吸聲音越發急促，他喘息著道：「給我些水！」

「我的朋友，你的生命就到末期了。但在對你說明一切以前，我還不願讓你就這樣死去。我不妨就給你些水。水在這裡。不要潑翻！沒事了，你明白我說的話嗎？」

福爾摩斯呻吟著，低聲道：「請你爲我盡一些力吧。已往的事，讓它過去吧！我願意把我腦中所記的話忘掉。我敢發誓，我一定這樣做，只請你設法醫好我，我一定把這事忘掉。」

「忘掉什麼呀？」「就是維克特·賽凡奇的死因。你剛才已承認是你弄出來的。但這件事，我一定會把它忘記。」

「你記得也好，忘記也好，隨你便。我是不可能再見到你站在證人席裡了。好，福爾摩斯，我確信你不久就會進棺材了。你對於我侄子維克特的死因雖然知道，而我卻不必擔心。此刻我們不必談他，就談你的事了。」「正是，正是。」

「剛才那個來叫我的人——我已忘記他的名字——告訴我，你的病是從倫敦東部的水手們傳染而來的。」「我只能想到這個來源啊！」

「福爾摩斯，你不是認爲你的頭腦敏捷傲人嗎？也常自以爲是聰明人嗎？這一回你卻遇見了一個更聰明的人了。福爾摩斯，你現在回想一下，你難道想不出你的病還有別的來源嗎？」

「我當眞想不出，我的思考能力已沒有了。請你瞧神的分上，幫我一下吧！」

「好，我可以幫你明白，你現在到了什麼地步，和爲什麼會落到這地步的。我希望你在斷氣以前明白這點。」「請你給我些什麼東西，止止我的痛。」

「你覺得痛嗎？沒錯，那苦力們在臨死以前往往要慘叫的，你是不是覺得有點痙攣作痛的感覺？」「正是，正是，的確有些抽搐。」

「好，但無論如何，你總還能聽得到我說的話。你聽著！你回想一下，你在生病之前，可有發生什麼奇特的事情？」「沒有，沒有。」「再想想！」「我病得不能夠再思考了。」

「那麼，我幫你。你是不是曾從郵局中接得什麼東西……」「從郵局裡嗎？」「是啊。有一個小盒子。」「我要暈了——我要死了！」

「福爾摩斯，聽著！」這時我聽到這個人似正用力搖動那垂死的病人。我竭力自持，讓我自己靜躲在藏匿的地方。他又道：「你必須聽我說話，你總還可以聽我這一句話。你還記得我有一個象牙的小匣子嗎——那匣子是星期三寄來的。你接到以後，就將匣子揭開。你可記得？」

「記得的，記得的。我的確開過那個匣子。匣子裡面有一個強力的彈簧，這分明是有人和我開什麼玩笑。」

「這不是玩笑。現在你已付出了這樣大的代價，你應知道這不是玩笑事了。你這傻子！誰叫你自討苦吃，現在你已吃著了苦頭哩。誰叫你來干涉我的事呢？假使你不妨礙我，我自然也不會來傷害你了。」

福爾摩斯邊喘邊說道：「我記得了。那個彈簧！這彈簧竟能讓人出血！這匣子此刻還在桌子上呢。」

「啊，就是這匣子。我想這匣子還是讓我帶了去吧。這樣，你最後的證據也可以消滅了。福爾摩斯，你已明白這事的眞相了，你在瞑目以前，也已知道你的確是我所殺死的。因爲你對於維克特·賽凡奇的死，知道得太清楚了，所以我特地讓你也嘗嘗這個滋味。福爾摩斯，你的死期近了。我可坐在這裡瞧你斷氣。」

福爾摩斯的聲音低弱得聽不到了。

史密司道：「做什麼？你要把煤氣燈開亮嗎？唉，也好，天色已暗下來了。好，我幫你開亮了燈，也可以讓我瞧你更清楚些。」他走到對面的牆邊，房內的燈光馬上燦然明亮。他又問道：「我的朋友，可還有別的事我可爲你效勞的？」

「請給我一根紙煙，和一盒火柴。」

這時我幾乎出聲歡呼。他的聲音雖然仍有

些微弱，但這分明就是他平常的聲音。室中又靜寂了一會兒，我覺得那克佛登・史密司正站著看我的朋友，似也驚異地出神。

最後我聽到他發出一種乾澀的聲音，道：「這是什麼意思？」

福爾摩斯道：「這是全劇中最精彩的一幕。我老實告訴你，我已三天沒有進什麼食物。直到數分鐘前，你才好意給我喝一杯水。但我急著要吸煙，啊，紙煙在這裡！」我聽到擦火柴的聲音，他繼續道：「這樣爽快得多，哈！哈！我好像聽見我朋友的腳步聲了？」

腳步聲已到了門外，接著室門開了，警探長毛登走進來。

福爾摩斯道：「一切都備齊了。這就是你的罪人。」

那警探照例要宣述罪人的處分，最後，他說道：「現在我要因你謀殺維克特・賽凡奇，正式逮捕你。」

我的朋友忽然笑著說道：「你還可以再加他一條——謀殺歇洛克・福爾摩斯未遂的罪。偵探長，這位克佛登・史密司先生，爲了體恤一個病人，竟好意地開亮了煤氣燈，發出我們的信號。且慢，這犯人右手的衣袋中，有一個小匣子，你先把它丟掉。謝謝你，但假使我是你，取此匣時更應該謹慎些哩。你把這匣子放在這裡吧！到了審判的時候，這匣子還要出場哩。」

忽然有一陣爭奪且驚亂的聲音，接著，又有金屬的觸擊聲和呼痛聲。

那偵探長道：「這樣只是讓你自己受傷罷了，你可以站好嗎？」於是手銬咯地扣上了。

那人憤恨地

道：「好一個圈套！福爾摩斯，這一著只使你自己受罪罷了。卻不能使我受罪。他請我來醫他的病，我因爲哀憐他，就應約而至。此刻他勢必要造出些讕言強指是我說的，以便印合他昏迷的疑心。福爾摩斯，你儘可以隨意說謊，須知我的話也和你一樣有信用的。」

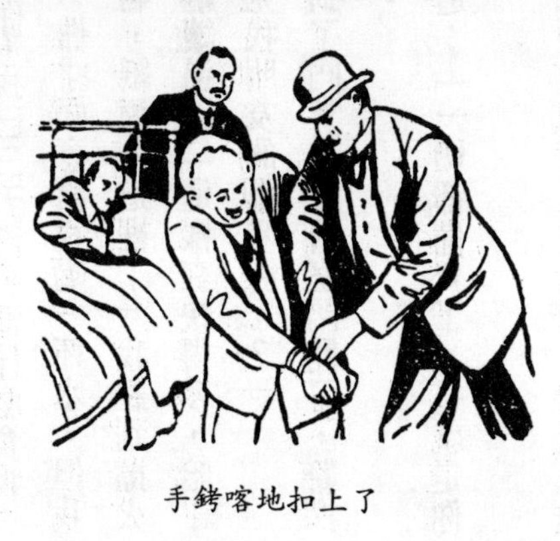

手銬喀地扣上了

福爾摩斯大聲道：「天啊！我竟完全忘記他了。我親愛的華生，我實在一千個對不起你，我竟忽視你這麼久。我想不必再爲你介紹這一

位克佛登‧史密司先生了。我知道今天午後，你們已會過面了。你的車子還在下面嗎？等我穿好了衣服，我同你一塊兒去。因我還須往警察局裡走一遭哩。」

一會兒，福爾摩斯已整理完畢。他喝了一杯葡萄酒，又吃了幾片餅乾後，精神果然就回復了。他道：「這樣的事，我不願再幹了。雖然，你知道我的習慣是和人家不同的，所以這種假裝的功夫，在我原不見得怎樣困難。這件事最重要的一點就是如何讓哈德遜太太覺得我的病是眞的。因爲我要從她身上讓你相信；更從你的相信傳到他身上去，我的計劃就成功了。華生，你不會因此惱怒吧？你須知在你的許多才能之中，『作僞』一點，實在是你所缺乏的。你如果知道了我的秘密，那你就不能夠使史密司感覺到事情的危急，然後親自到這裡來了。引他到這裡來，就是我計劃中最重要的一點。我知道史密司的個性，如果沒有疑竇，他一定會到這裡來瞧瞧他自己的成績的。」

我道：「福爾摩斯，但你的慘白面容又是怎麼回事呢？」

「華生，一個人禁食三天，當然不會有多好的氣色啊！除此之外，只須用一塊海棉，就都可以僞裝完成的。若用些凡士林塗在額上；點些莨菪汁在眼睛裡；加些胭脂在顴骨上；又敷些蜜蠟在嘴唇上，結果便很成功了。此外，有時說幾句半克郎、牡蠣，和其他的奇怪話，那就更像一個昏迷的人了。」

「原來如此，實際上你的病是不會傳染的。但你又爲什麼不許我接近你呢？」

「我親愛的華生，你還要問嗎？你當眞以爲我不佩服你的醫學才能嗎？你見了一個垂死的病人，雖然十分虛弱，但脈搏既不加速，體溫又不升高，那豈能瞞得過你？但在四碼以外，我卻可以騙得過你了。假使我當時瞞不過你，如何能把史密司引到我的手掌中來呢？華生，還有那個匣子，我實在是不敢觸摸的。你但從那匣子的側面細瞧，便可見裡面有一個強力的彈簧，只要盒蓋稍一打開，那彈簧便會像蛇齒般的穿出來刺你。我敢說賽凡奇因爲阻礙那個惡魔繼承一筆巨產，因此被他設下毒計致命。你知道我的通信數目很多，種類又不一例，故而我對於寄來的包裹非常謹慎注意，所以我接到了那盒子，立即明白他的用意。因此將計就計，使他相信我已中了他的陰謀，那我也許可以使他驚喜而讓他招認。後來我的舉動果眞成功了，那都是你親眼所見的。華生，謝謝你。請你幫我把外套穿上，待會兒到警察局裡把事情辦完後，我們一起到辛普森餐館去吃些營養的東西，這實在是不可少的。」

紅圈黨（原名 The Red Circle）

「請夫人多包含，不要再拿這些瑣碎的事情來煩我了。我的時間很寶貴，這裡重要的案子，萬倍於夫人所說的不在少數呢！」

福爾摩斯說時正對著書桌整理他的舊案，兩眼專注，兩手更是交替地忙個不停。

那時有個婦人——瓦倫太太，站在書桌旁邊，神色頹喪，絮絮叨叨地訴說，似乎是些很瑣碎的事。大概說的是她家裡忽然碰到了一件奇怪的事，希望福爾摩斯爲她剖析，可是說了半天，我那老友總不改他在書桌上生活的常態。

瓦倫太太聽到了福爾摩斯的答語，搓著兩手，顯得很失望。不多時，她又鼓起勇氣，變成一種反詰的論調。

她道：「福爾摩斯先生，從前韋弗特先生也曾拿瑣碎的事情來煩過先生的，先生不拒絕他，偏拒絕我。這是什麼意思？」

福爾摩斯很簡單地回答道：「他的事情本來就很容易，所以答應他。如今夫人卻舊事重提，我不知夫人是什麼意思？」

「韋弗特的事情在先生眼中看起來固然很尋常，可是韋弗特得到了先生的援助，他欽佩先生的才能，眞有說不出的愉快。現在我也覺得自己有些冒昧，但我也是久聞先生的盛名，料想我家這件不幸的奇事，除非仰仗先生的大力，否則沒有水落石出的機會。」

福爾摩斯聽到這娓娓動人的訣詞，又因爲自己的惻隱之心，兩路進迫之下，果眞戰勝了他拒絕的想法，他立即放下手邊的工作，把座椅推向後些。

他道：「好的，瓦倫太太，你且把這件事說給我們聽聽。我想你不忌諱我吸煙吧！謝謝你，華生，火柴呢？」

接著，他又向那婦人道：「剛才夫人不是說新來一個租客，好幾天不曾見面，因此起了疑慮嗎？然而這種情形是不足怪的。人家沒有事，深居簡出，也是很尋常的。現在你不見這位租客，不過幾天罷了。要是我租了夫人的屋子，也許杜門謝客，成天僅在筆墨中間討生活，也許個把月不出來見夫人一面。那時夫人的疑慮，不知會怎樣呢？」

瓦倫太太道：「先生的話也沒錯。不過我家那個租客，可疑的點很多呢！他白天絲毫沒有動靜，一個人在屋中一點聲音也沒有，緊閉

著房門，簡直像沒有人住在裡面一般。一到晚上，可就不一樣了。皮鞋橐橐的聲音，從晚上一直到天明，都沒有停止過，教人家不得安睡。我丈夫因爲工作的關係，一天亮就出門去，他雖也覺得這人的舉止有些異樣，但也不很注意。只是我終日在家，除了有一個幼女做伴，再也沒有別人同住。要是有了什麼意外的事發生，您試想，像我們這樣的幼弱婦孺，又怎能招架得住？我現在講這話，還覺得毛骨悚然呢！我私下忖度這怪客一定是個逃犯，他怕人家來逮捕他，才藏匿著不敢出門一步。要是我猜想的沒錯，那麼守著祕密不去報案，將來就免不了會有隱庇的罪。先生，這事要怎樣才好呢？」

福爾摩斯把身體偏向前些，把瘦長的手指放在夫人的肩上。有時他有一種安慰別人的能

力，他又從屋的一角，拉一張籐椅請她坐下。

福爾摩斯道：「請夫人先不要焦急，讓我細細研究這事的始末，越是細微處，越是有研究的價值。你說那人十天前就來了，付給你兩星期的房飯錢，是嗎？」

瓦倫太太道：「客人先問我租價，他所租的房間是樓上一間客房，和一間臥室。我那時索價每星期五十先令，那知道客人並不嫌貴，並且願意一星期出五金鎊，不過和我有個特約，各樣事情要聽他的指揮，否則他立即搬走。這客人來了不滿十天，但他的膳宿費已付到兩星期了。先生試想，貧窮如我，守著這兩間小屋，到那裡找如此高的租金？如今居然衣食無缺，有了確實的倚賴，我那裡肯拒絕。然而反過來想，這種非義之財，用了反而覺得不安；想丟掉，心裡似乎又有些不忍；要是再這樣容留下去，難保不生出什麼變故來。因此我心中忐忑不定，沒有方向。先生，請你爲我指一條光明的路吧！」

福爾摩斯笑了一笑，答道：「那麼，這客人可有什麼條件？」

「有的，他說：『門戶第一要謹愼，鎖鑰也要交給他自管。他的進出，不可去過問。』像這種事情也還尋常，我倒不覺得奇異。他又說他喜歡安靜，別人不許到他房裡去滋擾。」

「這個也並不奇怪。人家租住房子，在理應當隨他自由的。」

「雖然算不得奇怪，確也有些可疑。其中最可疑的，就是這客人自從住進來到今天，扣掉初來的第一夜，曾經出外過一次，之後我和我的丈夫、女兒都不曾見他出過房門。只聽見皮鞋橐橐的聲音，一夜到天明不停。」

福爾摩斯聽到這裡，很注意地問道：「那一夜出外是在什麼時候？」

瓦倫太太道：「他回來的時候很晚了。我們早已安寢。他曾預先關照我們，不用把門上揷閂。我聽見他從扶梯走上來時，的確是非常晚了。」

「但是他每天的食物呢？」

「我天天傳送食物和報紙給他，但也不是當面送的。他要吃什麼東西，就按鈴叫人，只許人家把東西放在門外左邊的一個茶几上，等他自己去取。吃完了他就放在原處，再按鈴知照我們。此外，他需要用什麼東西就寫在白紙上，一起放在盤裡，教我們照樣去買。」

瓦倫太太一面說，一面從衣袋裡取出四張白紙，給福爾摩斯瞧。又說道：「這就是那個客人所寫的。」

福爾摩斯接來一看，那字形是鉛字體，如同印刷品上所寫的。一張是火柴，一寫蠟燭，一寫肥皀，還有一張寫報紙。但只單有一個名詞，並不連綴什麼其他詞。

福爾摩斯道：「華生趕快來看！這幾張紙大有研究的價値。他要寫字，爲什麼不直截了當地寫，偏要用鉛筆描成這種呆鈍的形體呢？據我初步地忖度，他一定是怕別人認出他的字跡。再看他所用的筆，是既禿且鈍的藍色鉛筆。這種筆國內是沒有的。這客人有沒有可能是別處來的？」

我道：「這是不容易索解的。」

「這客人的謹愼態度，可以稱得上罕有。試看他所用的紙，定是從小冊子上撕下來的。他提防人家去查驗他拿紙時所留的指紋，所以特地把那一角撕去，以致『肥皀』一字，竟撕損了一半。這種周密的舉動，不是尋常作奸犯科的普通壞人可比。這客人確有可疑的地方，恐怕不是善類。」

瓦倫聽了這話驚恐極了，不由得出聲哭了起來。

福爾摩斯仍用安慰的態度道：「瓦倫太太，你也不用這樣悲恐。請你告訴我這客人的外貌，他是胖的？還是瘦的？約有多少年紀了？」

瓦倫揩乾眼淚道：「他大約三十歲左右，臉色微黑，略有些髭鬚，態度很謙和，雖是有時露出憂鬱的神色，卻還是談笑自若，服裝也很整潔，看過去像個紳士，英語很純熟，不過偶爾也有夾雜別國的語音。」福爾摩斯道：「可曾問他姓名嗎？」「不曾。」「這客人住到現在，可曾和外面有信件來往？或是有親戚朋友來拜訪他嗎？」瓦倫太太搖著頭道：「沒有。」「但你或你家的女兒，可曾走進過他的房間去呢？」「先生，不曾。那客人謹慎到極點了。就是每天早上的灑掃，也是他自己動手做。」

福爾摩斯對我說：「華生，這眞是奇異！」說完就回頭問瓦倫太太道：「他的行李多嗎？」「他只有一個褐色的大袋，以外什麼都沒有。」「那麼，他房中有沒有不要的東西掃出來？」福爾摩斯說了這句，瓦倫太太驟然興奮地喊道：「要不是先生提醒我，我早已忘掉了！」

瓦倫太太說著，就從衣袋中掏出一個信封，取出燒剩的火柴兩根，煙蒂一個，放在桌上，又指著它們向我的同伴解釋。

她道：「這是今天早上從盤裡檢出來的。我因爲聽人家說過，先生常能夠就極細微的東西上搜剔隱祕，所以我特地帶來拿給你做爲查考的資料。」

福爾摩斯聳了聳肩，道：「這也不一定的。現在這幾件東西又該怎樣去想呢？」福爾摩斯閉上兩眼，沈默了好一會，才向我道：「華生，火柴梗的長短是很容易解釋的。若是用來吸煙，只須燒到頭上一小部分，現在燒過一半，想必是用來點蠟燭的。當然也不能就這樣斷定。最好另有他種線索，可以相互印證。」瓦倫太太道：「是啊，先生。」

福爾摩斯道：「唉，這個『煙蒂』我就不明白了。瓦倫太太，你不是說這人是有鬍鬚嗎？但我卻說只有一個修剃清潔的人，才能吸到這樣短的煙。華生，你認爲呢？」我提議道：「也許用煙嘴吧。」「不是，不是，這末端已經破爛了。瓦倫太太，我推想，你的屋裡恐怕有兩個人罷。」

瓦倫道：「不見得，先生，他每天的食物很少。我還因此常懷疑，這樣少的食物，怎能讓一個人活命呢？」

福爾摩斯道：「事情顯然十分奇怪，可是沒有得到確實的證據，總是難著手的。但我既然答應你的請求，一定爲你盡力偵查的。瓦倫太太，現在你姑且先回去。若是發現足以讓我研究的事，那你可以再來告訴我。」瓦倫太太稱謝了一聲，便走出去。

福爾摩斯道：「華生，這事倒十分可疑，只是沒有一絲一毫的破綻。裡面究竟如何，一時卻還不能測度。」我道：「這客人的行動似乎十分神祕。」「神祕嗎？不，我卻是懷疑現在住在房內的並不是之前租屋的人。」

我很驚疑地回答道：「何以見得呢？」他道：「別的且不論。剛才瓦倫太太所講的，這客人租屋的第一夜就匆匆出外，回來時已過半夜了。那時瓦倫全家已睡著，假使換了一個人回來，他們又那裡會覺察到呢？」「他們替換的目的，是什麼？」「這就是我們急須研究的疑點了。否則，這客人租屋時早已和瓦倫太太見過面了，何以後來反而要躲避著不肯相見？況且客人說的英語很純熟，他要什麼東西盡可直截了當地說：再則他想要一盒火柴，竟會將『matches』錯寫成單數的『match』，這太奇怪了！並且又何以全用單字？那分明是怕人家知道他不懂文法。華生，你想我的話有無道理？」

福爾摩斯說完，從架上取下一冊探案彙錄，看著說道：「我向來所辦的案情都有條理可印證的，惟有這一件事，總抽不出一個頭緒。這人日夜躲在房裡，既不和外面的人往來，又沒有信件傳遞——大概是藉著日報上的廣告通消息的。華生，現在姑且從這一個方向上進行。你幫我拿兩星期以內的日報過來，逐一檢查，只要看到廣告中有奇異的句子，就讀給我聽。」

我依他的指示，先唸一條道：「王子滑冰俱樂部，有一黑衣婦人。」他道：「沒有關係。」我又唸道：「吉米，速回家，毋傷老母之心。」他搖頭說：「不是。」我繼續唸道：「波里史登車內忽有一婦人暈去。」「這都不是。」福爾摩斯說著，便取過去自己翻看。略停一會，他喊道：「華生，就是這個了。」

我急忙走過去看那一段廣告：

「今姑且忍耐，暫依舊約，當思更妥慎之通信法。——G」

福爾摩斯道：「這是租屋的第二天在報上發現的。這廣告是英文，那客人一定了解英文的。得到了這點線索就不難著手了。」

他就按日檢查下去，隔了三天，又出現一段G字的廣告：

「諸事均將佈置就緒，君宜愼守，終有顯露之一日。」

這時福爾摩斯好似已有了把握，不過也還要探索究竟，以便確定推斷是否確實。無奈一星期來並沒有什麼新發現，又隔數天才有一段廣告：

「此道已通，倘有機可乘，當以暗號致意，密碼仍依舊約。一是A，二是B。餘照推。」

福爾摩斯點頭道：「華生，我現在已經知道個大概了。再等幾天，一定還有更好的消息，那就可以揭破這重黑幕了。」

第二天早晨，我見我那老友坐在火爐旁邊，態度很是快樂。他指著桌上報紙上的一段給我瞧，那通信道：

「屋門有高大之白石，紅牆聳峙三層樓，右邊第二窗，今日薄暮時。 G」

福爾摩斯道：「華生，這機會是不能失卻的。早餐以後我們就到瓦倫家裡去，尋覓一個祕密地點，看他的動靜。」話未說完，忽聽到急促的腳步聲，瓦倫太太喘息著走進來。

她喊道：「福爾摩斯先生，我不能夠再容忍這個怪物在家裡了！」

福爾摩斯道：「瓦倫太太，爲什麼這樣生氣？先坐下再詳細地說給我聽。」

她道：「他們把瓦倫先生拖了去，很粗暴地欺侮他。這實在是一件刑事案了。」

「誰拖他的呢？」

「這就是我們所想要知道的。今天早上七點鐘時，瓦倫先生正想到托特納姆宮廷路的惠雷公司上班，不料出門沒有幾步，突然來了兩個匪徒，從後面緊揑住他的兩臂，又用衣服蒙住他的頭，把他推到馬車裡面。大約走了一小時，突然把他丟在地上，之後那馬車便飛馳而去。他當時痛得暈去，幸而不久就甦醒，他定神朝四面看，才知道跌翻在漢普斯特地方。後來他忍著痛坐了車子回來，現在仍躺在床上，不能起來。福爾摩斯先生，自從這怪物來了以後，就碰到這種非常危險的事，所以我不能不來向你報告了。」

福爾摩斯搔著頭髮，說道：「險啊！可也有趣得很。瓦倫太太，這匪徒的面貌和聲音，瓦倫先生可曾看或是聽淸楚嗎？」

「事出倉猝，被毆的時候，我丈夫精神已經昏亂，他覺得左右揪住他，將他推到馬車裡去的恐怕有三個人。」

「但這事既沒有一定的證據，你怎能夠歸咎到客人身上去呢？」

「雖沒有證據，也可以用猜的。因爲我住在那邊已經有十五年了，大家一向相安無事。現在受那怪客的吵擾不只這件事，也不是一朝一夕了。唉，租金雖說是多些，但有什麼益處呢？依我的意思，不如教他立刻搬走，免卻許多後患。」

「瓦倫太太，請你不要焦急，也不必教他走。據我猜測，這客人正處在極危險的境地，一定有什麼人想謀害他的生命。今天早上大霧很濃，所以不容易辨別面貌，才把瓦倫先生誤捉了去，後來發現捉錯了便丟在地上，然後偷偷地逃走。這也是意料中的事。」

瓦倫很躊躇地說：「那麼，福爾摩斯先生，怎樣才好呢？」

福爾摩斯道：「瓦倫太太，我想要看一看這客人的面貌。」

瓦倫太太道：「除非打開門直闖進去或許可以看見，此外可沒有法子了。須知我每天拿東西給他，他直要等我下了樓，他才微微打開門，把東西搬進去。你想還有什麼方法可以見他呢？」

「有沒有祕密一點的地方？好讓我預先藏身在裡面，等他開門出來探著身子搬東西時，我就可私下窺見他了。」

瓦倫太太想了好一會，道：「有了，先生，客房的對面是我家的工具室。要是先生能夠先躲在那裡，然後我再拿一面鏡子掛在中間，你藏在門後，那也許有瞧見的希望。」「好極了！他什麼時候用午餐？」「大約一點鐘。」「那麼，我和華生醫生准時到。瓦倫太太，再會了。」

十二點半，我們便現身在瓦倫太太的家裡。那屋子很精雅，都是厚厚的黃磚所砌成，德愛密街其位於大英博物館東北邊的路奧梅大街上的轉角，另一邊則是弗勞完街，街中的屋子都是華麗奪目的巨廈。福爾摩斯用眼光四下瀏覽，忽然注意到一棟極大的建築物。

他道：「華生，這不就是高大的紅牆，門前有白石的房子嗎？我既曉得他的密碼，又得到了傳信的地點，這案子不難破了。不過牆上貼著召租的紙，屋裡一定沒有人。」他正在思索時，瓦倫太太已開門出來迎接我們。

她小聲地向我們說道：「兩位來得恰巧，一切我已佈置妥當了。不過要請你們脫去了靴子進去。」

福爾摩斯點頭答應，進了門我們都把皮靴脫下，屏息慢慢地走上樓，直接走進工具室裡。

「我們另有計劃，晚上我們還要再來。華生，我想，在我們自己的地方細談這事一定更適宜些。」

我們回到了貝克街，我那老友坐在椅子上，說道：「華生，我的猜度已證實了。我說過一定有個代替租屋的人，不過我之前沒有想到的，就是竟然是個女郎。華生，這不是個平常的女郎呢！」

我道：「剛才看見的那個女郎臉上滿現著驚慌失措，難道她已經察覺我們在那裡窺探嗎？」

「不，她的驚慌失措是怕被人家知道她是替代的。現在我既瞭解這個情形，就可進一步推想他們的內幕了。房中的客人既是更換了這個女的，那麼，起初那個有鬍鬚的人，一定和她有密切關係，或許就是她的丈夫，也未可知。這是很好的藏身處，鏡子放在暗處，對門的景象都照得很清楚。我們躲進去不久，突然聽到對面房裡，傳出叮噹的鈴聲。瓦倫太太離開了我們，端餐盤過去，放在緊閉的房門外面左邊的小茶几上，之後就匆匆下樓。沈重的腳步聲，似乎要教房裡的人確信她已經下去了。

不久，對房的門上好似有鎖鑰旋轉的聲音，隔了幾分鐘，那門開了。我們兩人立即注視鏡中人，只見一隻纖纖玉手把餐盤拿了進去，隨後又把盤子照舊放在茶几上；然後小心翼翼地向外面望了一望，就關緊了門，一點聲息也沒有了。奇了！這是張美麗而悲傷的面容，眞是怪事。究竟是誰溺陷這可憐的女郎呢？那時我的老友，輕輕牽動我的衣袖，我就跟著他輕輕地下了樓。

福爾摩斯對站在梯子旁邊的瓦倫太太道：

但這件事卻不可當做尋常的盜黨；他們一定是到這裡來避難的。光看他們的一切舉動慎密到這樣，便知道他們現在已經處在極危險的境地了。」

「那麼，他們夫婦倆爲什麼不躲避在同一處呢？」

「她的丈夫，也許在外面另有重要的計畫，所以才特地安置他妻子在這邊，好專心致力去幹事。又恐怕仇人跟蹤到他的寓所，所以不得不藉由報上的廣告來通消息，自己卻不敢親自探望。從這樣推測，今天早上，毆打瓦倫先生的匪徒，一定就是他們的仇人。在厚霧彌漫中，便冒冒然地把瓦倫先生捕了去。否則，何以派車子載了去，反而又丟在地上呢？華生，這是很奧妙而複雜的！」

「爲什麼？你還要進一步去推求嗎？難道還有什麼可得的？」

「華生，試想，你在看病的時候，不也總是只顧研究病情，並沒有想到醫療費啊！」「那是一種求學問的精神。」

「不錯，學問是沒有止境的。華生，這是一件值得注意的案子。雖然既無金錢，又無功績可言，但是我們還是得弄清楚，今天黃昏，我們便會在偵查上更進一步了。」

到了黃昏，福爾摩斯和我到瓦倫太太住宅旁邊去察看動靜。這時凄冷的寒風，直刺入骨髓，陰沉沉的霧氣，佈滿四周，好似張了一塊廣大的布幕。只見一線燈光，從瓦倫家裡的窗縫中射出去，那邊的紅牆大屋暗黑的好似沒有人住。

不多時，突然看見三樓有光線透出來。福爾摩斯附在我耳邊，說道：「快看那座大屋！有人在那屋子。」我回頭一看，已見一個人影倚在窗上，遙望瓦倫太太的宅子。

「燭光又閃動了。」福爾摩斯指著說：「華生，這是重要線索！趕快看！」

正說著，燭光又是一閃，福爾摩斯道：「一是A字。」後來連連閃動，好似軍艦上的演習燈語。

福爾摩斯道：「華生，你還記得閃動的次數嗎？」我道：「記得，是二十次。」

「和我的相同，那是個T字，連綴起來是at……」

燭光又繼續閃動，和之前的一樣，後來有五，十四，二十，一……結果驟然停止了。

福爾摩斯道：「怪了，怪了。按著文法，不應該就此停止。現在這ATTENTA怎麼解釋呢？若分做三個字，乃是at ten ta，只有at ten，可以算是指著『在十時』的意思。那麼，TA又是什麼解釋呢？難道，這T.A.二字是人名的縮寫？」

我們正在遲疑間，燭光又閃動了。閃動的次數是一，二十，五，十四，二十，一，這仍是剛才的原文。隔了一會，又重新閃動，仍舊是這樣。閃動了兩遍，影子就消滅了。

福爾摩斯問我道：「華生，你明白這個意思了吧？」

「必定是種暗號。我們局外人那裡知道。」

福爾摩斯苦思了半晌，忽然說道：「我想到了。這是意大利文。意大利文中，和婦女通語開始必定要加一個『A』字。ATTENTA是諄囑他小心的意思。現在諄囑了三四次，關係必定非比尋常。咦！人影，華生快注意窗前。」

我趕緊抬頭一望，果然看見一個傴僂的人

影，同時信號繼續閃動，但非常得快，快得幾乎來不及辨明。

福爾摩斯道：「他閃動的次是 PERICOLO，意思是極危險。」

隔了幾秒鐘，燭光又重新閃動，是 PERI……結果，突然熄滅了。

福爾摩斯說：「一定有變故！否則，爲什麼中斷。華生，事不宜遲，我們趕緊到蘇格蘭警場報案，便可從速緝兇。」

我們方要舉步，他又止住我道：「這時關係重大，斷不能夠離開！」我道：「那麼，你守在這裡，我一個人去。」他道：「且慢，不如我們先過去探察一下，隨機應變，或許可以救他們出險。」

我們匆匆地走向前去，回頭看瓦倫家的樓上，那可憐的女郎正探出頭兀自遙望對樓，形態焦急萬分。

剛到那座大屋底下，忽然看見一個人躲在鐵柵欄的旁邊，用外衣蒙著頭，僅露出兩隻眼睛看著我們。我們正想過去瞧瞧，這人已經迎面過來，低低的道：「福爾摩斯先生，你爲什麼也到這裡？」

福爾摩斯和他握一握手，說道：「葛萊生？你在這裡做什麼？」

葛萊生笑道：「我倆的目的，想必是一樣的。」

福爾摩斯道：「好，有你在這裡，我可以不管了。」

葛萊生露出驚訝的語調，說道：「我雖是蘇格蘭警場的警探，職責是應當負的。若能蒙先生給我一臂之助，那麼，這案情的眞相，就更加容易明瞭了。」

「我正在探察他們的暗號,何以忽然中止,所以趕到這裡,要探個究竟。」

「怎樣的暗號呢?」

「就是剛才樓上窗子所發出來的。不過你可曉得屋中有什麼人?」

「這姑且不論,我們只須扼守這個要道,他們就插翅也難飛了。現在爲先生介紹一位朋友,這人的聲名卓著,先生一定很高興和他晤面的。」

葛萊生說著——用手杖在地上重重敲了一下,對面便有一人飛奔過來。

葛萊生迎上去,道:「我爲先生介紹,這是福爾摩斯先生。」

他回頭又說:「福爾摩斯先生,這是美國賓克頓的大偵探雷弗敦先生。」

福爾摩斯道:「就是破獲長島山洞賊黨的那個英雄嗎?久聞大名。」

雷弗道:「過獎了。我很希望先生能幫助我,不要讓顧勒諾漏網,那麼,社會就安寧多了。」

福爾摩斯很驚詫地說:「顧勒諾嗎?這是紅圈黨的主要人物。他犯的案已不可數,他確實是全歐洲有名的壞蛋,再不除掉他就後患無窮呢。」

雷弗敦接著回答說:「是啊。不過他所犯的案子都是不留痕跡的;每一次案發,都不能證明他的罪狀。我一直跟蹤他到這裡,剛才與葛萊生先生一起親眼看他走進這大屋中去,所以我們苦守在這裡。」

葛萊生道:「福爾摩斯先生,我想這惡賊雖不能逃到別處去,恐怕也已看破我們的舉動了。」福爾摩斯道:「何以見得呢?」

「顧勒諾的餘黨滿佈倫敦。剛才聽先生說，他用暗號再三警告的句子，一定是窺破了我們的蹤跡，後來沒等暗號完畢就停止，想必是要立即逃遁的緣故。」

「你的話也很有理。我們不妨先破門進去探個虛實，免得瞎猜。這惡漢如果還在那裡，我們幾個人的力量總有餘了。」

雷弗敦很遲疑地說：「沒有拘捕票可以嗎？」葛萊生道：「這空屋既沒有人住，他藏匿在裡面已有嫌疑，拘捕他也是法律所應許的。我看不要再遲疑了，否則反而要壞了事。」

葛萊生很興奮地聯合幾個人把大門打開；好似上戰場的前線衝鋒一般，凌厲威猛。但雷弗敦的意思似乎是要搶先走去。

葛萊生一面跑，一面阻止他道：「要除去倫敦的大奸人，理應由倫敦的偵探擔任的。」

這時葛萊生便帶頭走前面，福爾摩斯緊緊跟著，雷弗敦和我跟在後面。那知到了三樓竟靜寂無聲。葛萊生把左邊虛掩的門輕輕推開，門裡頭漆黑無光，只有一股腥臭氣衝出刺人鼻。我立即把懷中的電燈朝四面照射，只見樓板上有鮮紅的血跡，可知剛剛有人殺了人，可惜我們上樓得太晚了一些！大家細看這血泊中間的模糊鞋印，顯見是從房裡走到外面，直通另一扇門，不過那門卻關著。葛萊生奮勇地把門硬推開，我把燈照過去，大家都跟著這一線燈光瞧去，只見一個死屍橫臥在地上，體型非常高大，沒有鬍鬚，兩手向上，好似抵抗的姿勢；兩足彎曲著；喉嚨有一吋的刀痕；頭部和身旁的地板上，有一圈鮮紅的血跡；屍首的右邊放著一把鋒刃的刀，柄是牛角做的；還有一隻黑山羊皮的手套，以外什麼都沒有了。

雷弗敦忽然喊起來說：「這就是顧勒諾，是誰殺他的呢？」

福爾摩斯道：「雷弗敦先生，你可曾看見有人走出這屋子？」

雷弗敦道：「有的。在我們還沒進來以前，有三個人走出去。」「其中是不是有一個年約三十幾歲，短髭鬚的人呢？」「有。」「那個就是殺顧勒諾的人。」

他說著，偶一回頭，卻見窗檻上還有幾枝殘燭。福爾摩斯便很愉快地說道：「諸位且不要出聲，我有法子可以證實這案子了。」

他就從衣袋中取出火柴盒，走到窗前把那枝殘燭點著了，模倣他們在窗前晃動。一會兒，便吹滅了蠟燭，隱身到一邊，向外面探著身子，好似在等什麼。

葛萊生走過來很懷疑地問道：「做什麼呢？」福爾摩斯說：「等會兒就明白的。」

我們大家也是驚疑不定，福爾摩斯指著房門道：「來了。」大家都回頭一看，忽見那個美婦人——就是瓦倫家的那個怪客——站在門外，形態匆忙似想進來，卻又停住了不前，後來一個箭步，逕自走到房裡來。她看著屍體很快活地說道：「謝謝你們，除掉了這個惡魔！」

她又用自己的腳，狠狠地踢著那屍體道：「你也有今天嗎？」

說完，忍不住縱聲大笑，這時的情景，那怕閱歷老練像我老友，也是詫異驚訝。雷弗敦、葛萊生和我只是你看我我看你，說不出話來。

隔了一會，那個美婦人轉頭道：「諸位是警察嗎？」雷弗敦道：「我們是警探。」

「那麼，肯納羅在那裡？剛才我看見他在窗前招我來，所以我急忙趕到這裡。我叫愛曼，肯納羅是我的丈夫。」

福爾摩斯道：「肯納羅先生不知道在那裡。至於邀請夫人到這裡來的是我。」

愛曼憤怒地說：「你爲什麼要欺騙我？」

福爾摩斯笑道：「我老實告訴你，你們夫婦通信的暗號，我早已探明白了。所以我發一個Vieni字，邀你到這邊來，好把一切講個明瞭。」

愛曼聽見這話似很惶急，滿臉灰敗的表情。

她道：「先生怎麼能解釋的出這密碼呢？這樣看來，殺這惡魔的一定是我的丈夫了。啊，肯納羅，我想不到你竟這樣勇敢，這樣的有毅力！如今一勞永逸再也沒有後患了！」

葛萊生道：「肯納羅太太，我們雖不曾深探這件事的究竟，但聽你說，你丈夫就是殺這人的人。那麼，你也有些關係，現在請你跟我們一同到警局吧。」

福爾摩斯阻止著說道：「且慢。肯納羅先生固然有殺人的罪，不過所殺的乃是一個萬惡的罪魁，和殺了尋常人不同。現在請肯納羅太太把其中的隱情詳細說明白。要是有別的理由，或可免卻罪責，我們辦事是大公無私的，很願替你先生擔任辯護。」

愛曼道：「謝謝先生們厚意，要我說明也未嘗不可。」說完，她定了定神，又說道：「顧勒諾是個大惡魔，只要是人，都可以殺他。世上的公理若還存在，不管是什麼人做裁判，一定不會以殺人罪加到我丈夫身上的。」

福爾摩斯道：「我的意思也是這樣。不過這裡不是講話的地方，姑且把房門鎖上，我們都到你房間去，好靜聽你講述這故事。」

愛曼允諾了，我們一起回到瓦倫太太的樓上。這是第二次到她那裡，也可算是最後一次。

大家坐下來，愛曼·肯納羅以很流利的英語說道：「我本是意大利人，我住在那不勒斯附近的波西利坡鎮。我父親名柏拉利，是地方議員，也是當地的鉅族。肯納羅是我父親的書記，他溫文雅靜待人誠懇。我父親很器重他，親信他如家人一般。我也熱列地愛上他，希望與他白頭偕老，於是便請我父親允婚。那知父親嫌他家裡貧窮，硬是不肯答應。那時我們正在熱戀中，只知愛情是神聖的，此外什麼都不顧，便決定和他私奔。後來我們在巴黎結了婚，但窮困萬分，隨身値錢的東西皆已典質淨盡。之後又輾轉到紐約流離了四年，處境愈加艱難了。有一天，我丈夫走過鮑蘭街，碰到了一個意大利人被幾個匪徒侮辱，路旁的人只是袖手旁觀，一點也不肯幫忙。我夫雖是境遇困迫，仍有一股俠義之忱，他按捺不住，就挺身上去幫助，把那個意大利人救出重圍。那人也深感我夫的仗義，就和他結成了至友。那人叫加斯露，和一個美國人森勃先生開一間水果公司，是紐約有名的鉅商。森勃身體不好，公司的一切事務都是由加斯露先生獨自擔負的。後來他就請我丈夫做副理，待遇很好，並在布魯克林租了一間大宅子給我夫婦倆住。那時我們很高興，認爲無意中得著了這個棲身樂土，從此可以脫離愁魔了。那知蹇塞的命運之神竟是不肯放鬆。有一夜，我丈夫與一個人回來，這人也是意大利人，他陰狠的態度，每每從言語中間流露出來，教人望了害怕，那人便是顧勒諾。這時我見我的丈夫只是垂頭喪氣，臉色慘白，我不由得起了疑雲，偷空問我丈夫，而他只是含糊不肯吐實。我問了好幾次，他才勉強把內幕告訴我；我聽了之後，幾乎暈去。原來我丈夫少小孤獨，曾有一次失足，加入了那不勒斯的秘密紅圈黨。這黨規定，一經入黨，便永不能脫離。後來我丈夫深悔當年的無知，就遠避到美洲，這次他是剛巧在路上看見了我丈夫。從此他每夜一定要來我家喝酒罵人，吵擾不堪，談話的時候，常常把眼光盯在我身上，醜態百出。我知道他不是善類，然而也沒法擺脫他。一天晚上，我丈夫還沒有回來，他竟闖到我臥室裡來非禮我，我丈夫一回到家，看見了想打他，那知反被他拳足交加地痛毆一番，又將我丈夫推倒在地上，返身逃去，以後就沒見他再來。隔沒多久，聽說顧勒諾在美洲設立了一個紅圈黨的分部，擴張他的勢力範圍。有一天，他們要在某地方開祕密會，送通知單來，我丈夫是舊黨員，自然不能不去。這夜，會場上的議案，是因爲黨中經費漸絀，曾經向加斯露勒索鉅款。那知加斯露並不畏懼，並且把黨中的匿名信呈報到警察局去，警局便派偵探來查究，所以黨中人都恨他入骨，這次他們議決炸毀他的公司，且弄死他，以便發展黨務，也算是一種懲儆。那些黨員們當下議定了，便抽籤決定執行的人，不幸我丈夫剛好是被抽中的執行員。按照規定，我丈夫一經抽籤便有殺加斯露先生的責任。不過加斯露先生是我夫婦兩人的恩人，我們怎忍出這殘忍的手段？無奈會章是嚴酷的，時間也很急促，稍有延誤，就會喪命，且禍及家人！我們處在兩難的境地，苦無對策。後來我們想出了一個主意，先寄一封密函告訴加斯露，並教他防範的方法，後來又趕緊報警，讓警察按著地址去圍捕，而我夫婦也就坐著輪船，避到倫敦來。那時我們也曾預料顧勒諾一定會跟來報仇的，所以我丈夫先把我安插在這裡，再向意大利、美國兩國警局報案，並積極參與捉捕這惡魔。

以後的種種，諒必諸位先生早已淸楚，就不必我覆述了。」

雷弗敦很嚴肅地站起來說道：「照愛曼・肯納羅所描述的，肯納羅先生實在是有功於社會的。他這舉動，在美國法律上非但沒罪，還可以褒揚他的智勇呢。」

葛萊生道：「沒錯。我們英國法律也是這樣。不過肯納羅先生必須去見一見警長，才好結束這案子。」

說完，他又拍拍歇洛克・福爾摩斯的肩膀，笑道：「先生，你怎麼不怕煩，也來偵查這案子呢？」

福爾摩斯也笑道：「沒有什麼，學問沒有止境，我只是好學罷了。」就回頭向我道：「華生，時候還早，康文德公園正上演著好戲，我們兩人趕緊去一飽眼福，還來得及瞧第二幕呢！」

魔鬼之足（原名 The Devil's Foot）

這幾年來，我和老友歇洛克．福爾摩斯經歷許多離奇神祕的案件。我總想把這些案件披露問世，但因福爾摩斯的禁阻，總不能如願。因爲我的朋友脾氣古怪，不喜歡獵取外表的虛名。他最得意的事情就是每在案子破獲之後把所得的功績完全讓給警察，然後當大家稱讚警察們能爲的時候，他便暗笑那全是些盲目的稱頌。因此，這幾年來能發表的案子眞是寥寥無幾。因爲有好些案子我也參與在內，故對於他的緘默和限制的約定，當然不能接受了。

但上星期二，我忽接到福爾摩斯的電報叫我把這一篇案子發表，那電報寫著：「以前破獲的那件『科尼斯恐怖案』，現在可發表了。」我得了這突如其來的電報非常奇怪，這案子事隔已久，他怎麼忽然想起來，且又叫我發表；但我不等他第二次反悔，取消的命令到來，便快速地將案情一一詳載出來。

這案發生在一八九七年的春季，那時福爾摩斯因爲工作過度，勞頓不堪，面容枯槁，身體也一天天地衰弱。那年三月，有一位住在黑萊街的慕爾亞嘉醫生（註）和福爾摩斯是莫逆，他和福爾摩斯深交的原因也很奇特，待他日再另篇披露——他勸福爾摩斯不要汲汲於工作，暫且休息養身體。但我的朋友聽著卻毫不放在心上。後來經他幾次竭力的勸戒，並警告他，這時他假使再不休養，那麼，積勞成疾，以後就不能再從事偵探的工作了。後來福爾摩斯被醫生的警告勸動了，勉強聽從他的話，這年的初春我和他到波爾都海灣附近的科尼斯半島，租了間小屋居住，休養他的身體。

這是個奇特僻靜的地方非常適合病人，我們的白色小屋座落在綠草如茵的海岬上，往下就能瞧見波濤洶湧，半圓形的孟斯海灣。海灣的盡處屹立著黝黑的巨礁，北風微颺的時候，海面如鏡，舟楫往來，熱鬧非凡。

但吹起西南風的時候，海灣裡怒濤洶湧，濁浪騰天，巨艦小艇撞沉在礁石上的事已不知多少了。因此在風浪大作的時候，一般跑船的老手，大半都先遠避，不敢近臨險地。

陸地上也和海灣一般奇特，荒僻的平原人煙稀少，只有些古舊的禮拜堂的塔頂聳露在近處幾個古老的村落之中，此外便只有蓬蒿沒徑的滿目荒涼了。先人的殘碣斷碑和火葬的骨灰更是到處纍纍成堆。一些奇形的殘器也僅能吸引考古學家的興趣。但我的朋友在這冷僻的地方卻絲毫不覺寂寞，成日在荒野中散步，似乎很有興趣。有時和地方上的居民研究科尼斯地方的方言，辨別它的語系，認爲他們的先人是屬於加勒底語族，同源於腓尼基。此外他又得到了幾本方言學的書籍，就孜孜研究起這個問題；那時我也曠懷自適，享受閒居的安樂。但在這時，這荒僻的地方卻發生了一椿奇案。這案子的情節幻祕複雜，那時不但科尼斯人個個驚怪，連英國西部的人也都聞之震駭。讀者們若曾讀過倫敦日報，對於這「科尼斯恐怖事件」的新聞，想必還有些印象。那時我的朋友聞言技癢，便又汲汲著手偵查，結果當然是駭人聽聞。現在距離案子發生的時間倏忽已過十三年，我追敍出來也許還能引起讀者們的興趣吧！

離我們住屋最近的村落叫做特里丹尼克，村中二百多戶居民大半都住居在茅屋。我們到了科尼斯之後就認識村中的路特海牧師，牧師是個考古學家，精研古物，故和福爾摩斯相識之後就很契合。他是一個中年人，態度溫和，並熟悉這個鄉村的歷史。空閒的時候，我們常一同到他家裡去閒談，牧師也殷殷招待，對我們十分誠摯。我們在牧師家裡，認識了他家的房客麥特姆·闕勤納先生。他們倆都是單身漢，牧師因他所住的房屋寬敞，才邀闕勤納同居，藉以排遣寂寞。闕勤納是寡言笑的人，駝背，黝黑的臉上戴著近視眼鏡，瞧他的外貌似乎足智多謀。我們聚談的時候，路特海很健談，述舊談古滔滔不歇。但闕勤納卻總沈默坐著，有時眼神呆凝，動也不動地思索他內心的事情。

三月十六日星期二的早晨，路特海和闕勤納兩人倉惶地到我們那間狹小的起居室。那時我們才剛吃完早餐，正在那裡吸煙閒談，籌劃這天的行程。

他們進來以後，牧師大聲向我的朋友道：「福爾摩斯先生，昨夜發生了一件奇怪的慘案，情節慘怖複雜眞是前所未見。幸虧冥冥之中有神力留先生到此；因爲全英國只有先生一人可以幫助我們解決這事。」

我聽了不禁怔怔地瞧著牧師，但福爾摩斯卻伸手拿出了嘴裡的煙斗，坐回他的椅子，斂容側聽，好似老於打獵的獵狗忽聽得了獸嗥，便聚精會神地聳耳作態。他隨手指著沙發請他們坐下。我見闕勤納先生的態度似乎比牧師鎭定一些，但他坐下之後，不停地搓著兩手，雙眼露出害怕的神情。

他向牧師問道：「這事由我來說，還是你

來說呢？」

福爾摩斯插嘴說道：「我想你一定是最早發現這案子的人，然後轉告給牧師。我認爲由你直接報告會更淸楚一些。」

牧師搶著道：「沒錯，過程就是這樣。但讓我先把這事的大略情形告訴先生；然後你再跟闞勤納研究這事。昨夜我的朋友下鄉去探望他的二個兄弟歐文、喬治和他妹妹布侖妲，他們兄妹都同住在特里丹尼克瓦薩的那所古石屋中。我的朋友和他們一同在起居室裡玩了一會兒紙牌，直到將近十點鐘時，闞勤納才辭別出來。那知今天早上他出來散步時，在路上遇見了理查斯醫生，說他家中出了岔子，他正要到特里丹尼克瓦薩去應診。闞勤納聽了大驚，忙和醫生一同前去。他們到了特里丹尼克瓦薩的古屋裡，就發現了那可怕的慘狀。兩個兄弟和他的幼妹仍和昨夜他們分別時一樣圍坐著，桌上燭淚滿盤，所玩的紙牌也凌亂散著。但他妹妹的屍體已冷的像石頭一般癱在椅中；兩旁坐著的兩個兄弟也都失了知覺，狂歌傻笑，時而夾著大聲叫喊，已發了瘋。但那個死人和兩個瘋子都顯露出非常驚恐的表情，好像瞧見了魔鬼才被嚇成這般慘狀。不過室裡除了那個老年管家婦波特太太外，絲毫沒有人進去的形跡。據波特說，她昨夜睡後也沒有聽到什麼奇怪的聲響。此外室中的各種陳設也仍保持原狀，一一整齊，毫無遺失和錯亂的景象，眞不解是什麼樣的恐怖，竟能嚇死一個婦人，同時還把兩個強健的男人都嚇成瘋子。福爾摩斯先生，你聰明過人，案破無數，經驗又足，對於這種棘手的案子，總有相當的見解。請你用你偉大的量力，幫我們解決這件案子。」

我初聽這案子的報告時，因著福爾摩斯的身體沒復元，所以心裡想替他拒絕不幹，但瞧他凝神的面容，和明亮的眼神，已明白表示他不聽我勸阻了。他沈默靜思，像是在整合牧師報告的案情。

一會兒，他才向牧師道：「路特海先生，這案子聽起來眞是非常奇怪，你到那裡去勘驗過了嗎？」「沒有。福爾摩斯先生，闞勤納回來之後把這事告訴我，我就忙和他趕到這裡來，因此還沒有去過。」「這裡離特里丹尼克瓦薩有多少路程呢？」「大約有一哩。」「那麼，我們一同步行去吧。但是在我們動身之前，闞勤納先生，我還有些問題要問你。」

當牧師敍述的時候，闞勤納雖是沉默坐著，但從我直覺他心中的驚恐比牧師更甚。他坐在福爾摩斯旁邊，低垂著頭，不停地搓著顫抖的雙手，竭力想要鎮定。可是他臉色灰白，眼露駭光，再也不能掩飾得他心中的恐懼。

他聽了福爾摩斯的問題，應道：「福爾摩斯先生，這眞是一樁慘痛的事情。你若有什麼疑問，我必把所知道的據實相告。」

福爾摩斯道：「請你告訴我昨夜的情形。」

「好，福爾摩斯先生，昨夜的大致情形，牧師方才已經報告了。我們吃過晚飯之後，二弟喬治提議玩牌，我們都贊成，於是就圍坐著遊戲。那時大約是九點，直到十點鐘時，我才辭別出來。我出來時他們仍興高彩烈地圍桌玩著紙牌。」

闞勤納道：「那時因爲波特太太已上床安睡，所以我就獨自出來。出門之後，我還把室門關上。那時屋裡門窗盡閉，只有窗簾沒有放下。今天早晨，我將屋子察驗了一番，關閉的門窗仍和昨夜一般，絲毫沒有變動的跡象。但我的妹妹布侖達卻已死了好久，她的頭部和兩手都懸盪在安樂椅上，死狀非常慘怖。我的兩個兄弟也發了瘋，變成了瘋子。我永遠都忘不了這個慘狀。」

福爾摩斯道：「據你所說，這事眞是鬼怪難測了。但你對於這事，可有什麼看法？」

闞勤納害怕答道：「福爾摩斯先生，據我看來，這事有可能是妖魔作怪，決不是人類所能幹的。我想應該是有可怕的妖魔突然在屋裡現形，弟、妹們不勝驚怕，才失了魂魄。不然，又怎麼會弄到這般地步呢？」

福爾摩斯道：「這案假使果眞是妖魔所幹，我也無能爲力。不過我們應先探索案中的實情，假使智窮力竭，仍舊毫無頭緒，那才可歸因到妖魔身上。闞勤納先生，我想請問你，你爲什麼要和弟、妹分居？難道你們有什麼不愉快？」

「福爾摩斯先生，以前我們的確是有些衝突，但早已成爲往事。我們原同住，一起開採錫礦，後來因歷年的積蓄已夠應付我們的生活，我們就把錫礦賣去，不再幹這行業。在分產的時候，我們少不得有些爭執，但事過境遷，早已恢復了以前的友愛了。」

「那麼，現在請你回想昨夜聚談的時候，你的弟、妹們可有人想起以前的事？闞勤納先生，請你忠實見告，這一點對於我們很重要的。」

「先生，這卻完全沒有。」「他們三人的身體都很強健嗎？」「他們都很健康，平時很少生病。」

「但此外可還有怪異的形跡，值得注意的？」

闞勤納沉吟了一會兒，福爾摩斯道：「我現在想起了一事。昨夜我們在玩牌的時候，我背窗而坐，我的兄弟喬治對窗坐著。一會兒，忽見他睜眼瞧著窗外，好似瞧見了什麼。我不禁也轉頭瞧去，那時窗簾未掩，彷彿瞧見一物在近窗的短樹裡蠢蠢竄動，但瞧不出是人是獸。後來我問喬治，據說他所見的也與我相同。現在想來，這事眞是奇怪。」福爾摩斯道：「你們可曾出去一瞧究竟是什麼東西？」「沒有，因爲我們那時不在意，所以也沒有出外瞧察。」「那麼，你昨夜走時，可也預覺有災禍呢？」「不，那完全出我意料之外。」「但我不明白你今天早上怎麼會那麼早就得到消息。」

闞勤納道：「我一向很早起床，早餐前必定要出外散步，日久成習。今天早上，我照例出外去散步，忽見理查斯醫生坐著馬車迎向我。到我身邊停下來，告訴我，波特太太曾差了一個小孩來報信，說我家裡出了事，邀他前去。我聽了十分驚愕，忙和他一同乘車趕去。到了屋裡，見到種種慘狀十分震驚。那時室中爐火和蠟燭早已熄滅，妹妹布侖達僵死在椅上。據醫生驗屍斷定她斷氣至少已有六個小時了，但細察身體卻沒有絲毫傷痕。我的兩個兄弟卻大聲狂歌，雜著磔磔的怪笑聲，像兩隻猴子一般。那般慘怖的景狀，瞧著眞是很痛心。醫生檢驗完畢，便面色灰白地倒在椅中，也幾乎暈去。」

福爾摩斯這時站起身來，拿了他的帽子，一邊說道：「怪事，眞是怪事！這種案子我以前眞的沒有見過。現在我們快一同到特里丹尼克瓦薩，不要多耽擱了。」

我們步行走去，路上每個人都默默不語。進了村子，循著一條小路走去，忽見一部馬車迎面駛來，我們都不自主地讓開。車輛經過我們身旁的時候，忽見車窗裡伸出一個人頭，瞪大的雙眼，齜牙咧嘴地看著我們。面目猙獰得像魔鬼一般。

闞勤納見了，突變色叫道：「是我那兩個兄弟啊！現在想必要被送到赫爾斯頓醫院去了。」

我們見了那兩個瘋子的表情，都覺得十分驚愕。

一會兒，我們就到了一座很大的屋子，那屋子前面有一個花園，園裡叢樹屏列，繁花如錦，修飾得非常幽雅。有一面就是起居室的玻璃窗，據闞勤納說，就是從那個窗瞧見園裡蠢動的影像。福爾摩斯先一個人向小徑慢慢走去，低著頭專心地仔細察看花叢。走時忽絆倒了路徑旁的一個澆花水壺，取起時壺裡的水已完全流出，把小徑流得一片潮濕。我們到了屋裡就瞧見波特太太和一個女孩在裡面。她聽了福爾摩斯的詢問就把昨夜的事完全告訴我們。她說昨夜睡時，主人們興致很好，整夜也沒聽到什麼聲響。但她今晨一走進房子，忽瞧見了這般慘狀，不禁驚極暈去。醒後就開窗讓新鮮空氣進來，後來她一邊差人去接醫生，一邊又叫人把屍體扛上樓去，放在她主人的臥床裡。方才醫生又叫了四個強壯的人來把那兩個瘋子捉進醫院裡去醫治了。她又說她已經不敢再住在這可怕的屋子了，當天下午，她就回聖愛維司的家中暫住。

我們一同到樓下去檢驗屍體。布侖達雖已中年，但五官端正，料想她年輕時必是個美麗的女郎。這時卻滿臉驚恐，似乎斷氣的時候曾受了極大的驚嚇。我們察驗過後又下樓到起居室，見那屋角有一個火爐，爐裡還有燒剩的木炭，桌上有四個滿盛蠟油的燭盤，和凌亂無序的紙牌。這時除了椅子已移到牆邊，其餘陳設都保持昨夜的原狀。福爾摩斯就把椅子一一移到桌前，又坐到椅子上向窗外探望。一會兒又站起身來，察看地板和天花板以及火爐等各種東西。我在旁邊瞧他忙碌的勘驗，但他的臉上，卻始終沒露出任何驚喜的神色，可知道他的勘驗絲毫沒有頭緒。

稍停，他忽指著爐灰問道：「春天的夜晚，怎麼還要生爐火呢？」

闞勤納回答說昨天因爲陰雨，又冷又濕，所以他來了之後，就叫他兄弟們生火取暖。最後他又問福爾摩斯道：「福爾摩斯先生對於此案，預備怎樣著手呢？」

這時我的朋友卻笑著把手按在我的肩上，說道：「華生，你常說菸草含有毒質，勸我不宜多吸，但我現在又要破戒了。」說著又向牧師和闞勤納道：「請你們原諒，我現在還沒有頭緒可以發表。讓我回去細細考察，假使有什麼發現，定來告訴兩位。」說完就和我匆匆告辭出來。

我們回到屋子以後，福爾摩斯只是靜坐著，不斷地吸他的煙，漫漫的煙霧籠罩著他的臉龐。我從煙霧中瞧見他緊眉蹙額，雙眼緊閉，似乎正竭力探索案情。隔好久，忽見他取下煙斗，站起來。

他笑著說道：「華生，我不想苦想了！我們還是出去散散步，醒醒腦吧！不然，越想越亂。就像機器，只顧開著引擎而不加注機油，那不免要全部停止的。華生，我現在只想要有海風、陽光、忍耐力三者幫我。」

我們出了寓所，他一邊走著，一邊慢慢向

我說道：「華生，這案子從表面看來雖異常複雜，但首先，必須破除迷信，不能瞎信那些神怪。那三個人的一死兩瘋一定是人力所造成的，『魔鬼』的話不過騙騙沒有學識的人罷了。至於案發的時間，必在麥特姆·闕勤納先生出去之後的幾分鐘裡。因爲那時已近十點，他們也該睡了。案發的時候，他們既然依舊圍桌坐著，故那慘禍的發生必就在他出門之後，大約快到十一點鐘的時候。第二，就是要偵察麥特姆·闕勤納出門之後的去向。不過這事不難，你不是見我方才曾絆倒了一個水壺嗎？泥土受了水，所留的腳印就一一顯了出來。我把闕勤納留在園徑的腳印細細檢查。因爲昨夜陰雨，所以他的腳印還清晰可辨，但我見他的腳印卻是直接離去，似乎他出門之後，就急著回牧師家去的。如果麥特姆·闕勤納不關涉案事，那麼必有幾個人等他走後，用恐怖的把戲造成這椿慘劇。那人是誰？又爲什麼做出這事？波特太太？我敢確定她必不敢做。屋裡既沒有可疑的形跡，可知必在窗外幹的了。但那人究竟有什麼本領能把屋裡的人嚇得魂飛魄散呢？雖然麥特姆·闕勤納曾說，他和他的弟弟曾瞧見有什麼怪物在園裡蠢動——這點似乎和這案子吻合，可是他的話卻很難令人相信。因爲昨夜天雨昏黑，無論園裡是人是物，必須貼近窗上玻璃才能被屋裡的人瞧見。我細察那近窗地上，沒有任何腳印，並且窗與樹的距離又有三步左右。他說坐在屋裡能瞧見短樹叢中的東西，這一點我實在不信。華生，你細瞧全案，怪異曲折，是不是很難解釋？」

我應道：「的確不易解釋。」

福爾摩斯道：「反正現在也不必急著解

釋，等這案再有新的發展，我們就容易著手。華生，我們暫且把這案子拋開，找些樂趣。空想是沒有什麼益處的。」

說完，他和我一同沿著海岸走去，路上他絮絮叨叨地談著路旁的景物，有時採了野花裝綴在衣服上，似乎他已把這兇案拋在腦外，不留絲毫影蹤了。我瞧著很是奇怪，直到下午，我們倆方才一同回寓。忽見有一個客人已在寓裡等。那客人身材高大，臉色黝黑，銳利的眼神，和鷹鉤鼻，都很特別。他蓬鬆的捲髮幾觸著我們的屋頂，金黃色的鬍鬚，近唇處卻已變成了白色。他這時正咬著雪茄，煙霧續續吐出。那客人就是赫赫有名的獵獅名手，非洲大探險家，呂恩·斯特台爾博士。

我們到科尼斯的時候，就聽說博士住在島上，有時在路上也常和他相遇，因爲我們彼此沒有交誼，所以也從不曾打招呼。又聽說博士性情孤僻，住在布尙阿蘭斯森林中的小屋，自己一個人過著孤僻的生活，不和外人往來。這次突然到我們寓裡來，實在出我意料。他見了福爾摩斯，就很急迫地詢問案情，並且說道：「現在村裡的警察正在盲目搜查，但這一班笨蛋絕對難探明眞相。只有先生聰明機警，對於案子必有超絕的見解，請先生見告一二。因爲我和關勤納家是表親，現在聽說這種慘事，心中很是悲愴。我本已在普利茅斯，預備前往非洲，但今早得到兇耗就折程回來。我眞希望親眼見到這案子破案。」

福爾摩斯軒眉道：「你錯過了船隻，不是要誤你的行期嗎？」「我可以坐下次的輪船前去。」「這麼說，你很關心，你眞是夠朋友！」「我已告訴你，我和他們是表親，並不是朋友。」

「不錯——但你的行李，可已完全搬到船上了?」「略有幾件，其餘都留在旅館裡。」

福爾摩斯道：「這案子才剛發生，諒還來不及上普利茅斯晨報，你是從那裡得到兇訊的呢?」

博士道：「先生，我是得到一個電報才知道的。」「誰拍電給你的?」

博士聽了這話，沉下臉，說道：「福爾摩斯先生,你爲什麼這般絮絮迫問呢?」「這是我應有的職分啊!」

一會兒，博士回復了他的原態，道：「我也不必瞞你，今早我得到路特海牧師的電報，所以就立刻回來了。」

福爾摩斯道：「謝謝你，但這案子有很多環結不明，所以一時還無法眞相大白。但我敢擔保只要我們憑著毅力，總有徹底明瞭的一天，請你不必憂急。」「但你對於此案可有什麼懷疑的地方，你能明白告訴我嗎?」「不能，這一點我現在還不能發表。」

博士站起身來，說道：「那麼，我此來不過白耗了我的時間，對我一點益處也沒有?」說完，就悻悻然走出我們的住所。大約隔了五分鐘，福爾摩斯也就跟他出去。直到晚上，福爾摩斯才回來。我見他臉色難看，知他此次出去，定沒探得什麼線索，我把傍晚時送來的一個電報遞給了他，他瞧了一遍，就扯碎了拋在地上。

他道：「華生，這是旅館的回電，我方才從牧師處探得了旅館的名字，就拍電去問呂恩·斯特台爾博士的行蹤是否確實。現在回電說他昨夜的確在那裡，並且今天已有一些行李搬到船裡,準備前往非洲,但因得了一個電報，便改變不走。華生，你且想想，這究竟爲了什麼緣故呢？」我道：「他似乎很注意這案子啊！」「不錯，他注意得很。這也是案中的一個線索，不過現在還沒得到那案件的主要方向。華生，假使我們此刻已得到了中心的方向，這事就不難完全明瞭了。」

我聽福爾摩斯的話，語意含糊，心中有很多懷疑。第二天早晨，我在樓上窗口忽聽得噠噠的馬蹄聲。抬頭瞧去，見一輛馬車從路上很快地駛來，一會兒已停在我們門前，牧師路特海跳下了，朝我住處的園徑急奔進來。福爾摩斯這時也才洗好臉，見了這狀，就和我一同出去迎接。

他見了我們，就大聲叫道：「福爾摩斯先生，我們村裡眞出現惡魔了，那種慘禍竟接連著發生了。」他說時目呆面紅，氣喘吁吁，似乎已不能講話。隔了一會，才繼續說道：「麥特姆‧闕勤納先生也在昨夜死了。那種恐怖的死狀和他妹妹一般，這不是離奇的怪事嗎？」

福爾摩斯一邊頓足，急忙問道：「你的車子，可以載我們兩人一同前去嗎？」牧師應道：「可以的。」「那麼，華生，我們且去檢驗了再回來吃早飯吧。路特海先生，我們快一同前去，不要讓那裡又變回了原狀。」

闕勤納在牧師家裡共租了兩個房間，在樓下的那一間是起居室，樓上的一間就是他的臥室。兩間都裝著玻璃窗，起居室的窗外，就是草地。我們到的時候，村中的醫生和警察都還沒來，因此室內的一切形狀也毫無變異。窗戶已被牧師的僕人完全打開了，但我們進門的當兒卻還嗅到室內充斥著辛惡刺鼻，令人欲吐的味道。我瞧見沿牆的圍桌上有一隻煤油燈，裊鼻的冒著黑煙，房內的刺鼻空氣大概就是從那燈發出來的。闞勤納的屍體就在那圍桌旁，仰坐著側面對著窗，四肢扭曲，睜目張口，似乎是怕極而斃命的。那種慘狀眞是猙獰嚇人。他身上的衣服很整齊，但鈕扣卻沒有完全扣上，好像他著衣的當兒非常匆忙。此外我們又在臥室中看見被褥掀亂，知他昨夜曾經睡過，一定是今天黎明時分才遭慘禍的。

福爾摩斯這時精神興奮，仔細檢驗各物，動作十分敏捷。他臉上滿露喜色，雙眸也閃閃發光，似乎已得到了案中的關鍵，心中才如此愉快。過不久他離開房子到草地上，俯下身繞著房屋窗下的地面細察，又仰起身來瞧了瞧樓窗，就轉身上樓，走進了臥室，在室中四周勘察。後來又拉開窗簾，忽見他驚叫一聲，似乎發現了什麼，只見他急奔下樓又回到草地上細細瞧驗，然後跪著抬頭仰望樓窗。之後又起身進起居室，他先拿起桌上的煤油燈，驗了驗燈裡煤油的容量，又掏出他常用的放大鏡，細瞧燈蕊上黏凝的黑灰。一會兒，就用刀把黑灰刮下一半，用白紙包了，夾在他的袖珍簿裡。這時他檢驗的手續方才完畢。就在這時，村中的警察和醫生也都來了。福爾摩斯見了他們，就轉身離開，我和牧師也跟著他一同走到草地上。

他向牧師道：「路特海先生，我這次檢驗已略得頭緒，這案子可以解決了。我現在要先回去，不願和那班警察空辯論。不過，要麻煩你把我的意見轉告他們，對他們說，那臥室的窗子和起居室裡的油燈，都是案中的關鍵，應多注意一些。此外他們若還有什麼問題，不妨到我寓裡來商議，我決不保留，一定會把我所知的告訴他們。華生，我現在覺得很餓，快一同回去吃早餐吧。」

我們回寓之後，村中的警察卻始終沒到我們寓中來過。起初我以爲他們對這案子，已得了相當的把握，所以不屑向我的朋友求教，但過了兩天，卻仍沒有聽到他們有什麼舉動，不禁慢慢地懷疑起來。這段時間福爾摩斯除了在屋中吸煙以外，還常常一個人獨自外出，形蹤詭祕，也不知他到什麼地方去。到了第二天的下午，他忽然買了一盞煤油燈回來，那燈的形狀，和那天晨間在麥特姆·闞勤納室中瞧見的一般。他先在燈中加滿了油，精神很是興奮。

他一邊向我道：「華生，你可有發現那兩件案子有什麼相連的關鍵？我告訴你，那個關鍵就是室中辛惡的空氣。你總還記得麥特姆·闞勤納告訴我們，那個醫生在他的弟弟屋裡驗屍完畢後，曾暈倒在椅子上嗎？還有波特太太也說她進室之後幾乎暈倒，因此才去開窗戶？在第二案裡——就是麥特姆·闞勤納慘死那案——我們進室的時候，僕人雖已把窗子打開，但室裡的空氣是不是仍辛惡刺鼻？後來我問起牧師，那個開窗的僕人，也因嗅到臭氣頭腦眩暈，至今還臥病在床，不能起身呢！華生，我們從這幾點來看，室中的辛惡空氣，必定含有猛烈的毒質。並且我還知道，一定要點火才能產生那種毒氣——在第一案裡有一個火爐；第二案裡又有一盞油燈。火爐且先不談，那盞油燈就是最有力的證據，因我曾察驗燈的油，知道燃燈的時候在天亮以後。這究竟爲了什麼緣故，就不得而知了。我們從這種種事情看來，火爐、油燈和室內的辛惡空氣，以及闞勤納弟、妹的死或瘋，不是都已互相聯貫了嗎？」

我道：「這見解確實很近情理。」

「我們再進一步推想，一定有一種毒物藉著燃燒而產生毒氣，而那種毒氣散播在空氣中能致人於死。第一案，乃是在火爐裡面燒。那時室內的門窗雖然關閉著，但那毒氣卻大半從煙突中散去，不完全停留在室中，故只毒死了一個女子，其餘兩個變成了瘋子。第二案裡，那毒物則透過油燈燃燒，門窗緊閉，氣息不通，毒氣完全鬱結在室裡，自然更加猛烈，因此闕勤納死得更快了。我在闕勤納慘死的室內，曾仔細檢驗，希望尋到毒物的痕跡。後來果在燈蕊上瞧見有凝結的黑灰，燈下桌上也有四散的咖啡色粉末，似乎還未燒盡。我當時就刮取一半藏在懷裡——你那時不是也瞧見了嗎？」

「福爾摩斯，我記得的。但你爲什麼只刮取一半呢？」

福爾摩斯道：「我親愛的華生，你須知這件案子不能完全聽我處置，也須顧及到警方。我自然應當把案中關鍵留下一半，好讓他們循跡探索，得到此案的眞相。華生，現在我們且點了燈，把那粉燒著了，試驗我的話是否確實。你也願意親身試驗嗎？華生，我知你素性好奇，諒必也樂意加入。現在且開了窗，我們就不致於遭那毒氣的毒害。好，你靠著窗，在我對面坐下。假使毒發了不能抵擋，我們就一同奔出去，那就不怕危險了。華生，這樣很好！我們就坐下來試驗吧！」

說完，他把燈點了，掏出紙包，將裹著的咖啡色粉末倒在燈上燃燒。過不久，我就嗅著一股濃辣的臭氣刺人鼻。一剎那，頭腦立即昏沈，眼前似乎張著一層深厚的黑霧，黑霧裡面千百魔鬼都猙獰現形，形狀眞可怕，並且還覺心口作嘔欲嘔，頭脹目眩，似乎已不能支持了。我想要張口呼叫，卻又舌阻喉塞，不能發出聲音，我這時拼命睜開雙眼，見福爾摩斯的面孔慘白，也滿現著恐怖——簡直快要死掉了。我這時尚有知覺，自知生死危迫，情況萬分危險。我忙拼全力，從椅子跳起來，拉了福爾摩斯的臂膀，一同奔出門去。剛離開室門，我們就一同暈倒在草地上了。等到醒來，已是艷陽高照。一會兒，我神志漸清，思想也慢慢恢復，我就叫醒福爾摩斯，一同在草地上坐起，想起前情，恍惚如陰雨乍晴，重見天日一般。我和我友面面相覷，都非常驚訝。

福爾摩斯很抱歉地向我說道：「華生，我一不謹慎，幾乎惹下了大禍。假使不是你救我出險，不但我要喪命，並且還會連累到我的好友。我眞覺萬分抱歉啊！」

我瞧著福爾摩斯這般誠摯的態度，忙向他說道：「不要這樣，我是自願意和你合作的，自然應當盡力幫助。你又何必放在心上呢？」

他道：「我親愛的華生，這次試驗眞是十分危險，我沒想到那毒力一經發作，竟這般猛烈，實在是我看事太輕藐的缺點。」說完，他就跳起身來奔進小屋，把煤油燈取出丟在草叢裡面，然後我們就一同走進草地上的小亭。他又說道：「屋內的餘毒，現在還沒洩淨，我們不要進去，且在這裡稍坐一會兒。華生，你現在對於這案致禍的原因，可已完全瞭解了？」

「我已完全明白了。」

「現在我們再推究案子的主兇——麥特姆・闕勤納就是案中的禍首。我們不是已知道他和他的弟、妹們因分產的緣故，彼此曾起過爭鬥，而導致分居嗎？後來雖重新和好，但他

「華生，這就難說了。從常理講來，他因殘殺了親兄弟，或許後來天良發現，自覺罪孽深重，因此自殺也不一定。但我卻不以為然，現在幸虧還有一個人能把這案子的底蘊告訴我們。方才我已寫信約他下午前來，諒必此刻就快來了。啊！他果眞來了。呂恩．斯特台爾博士，你暫且停步，因我們剛才在屋子裡化驗了一件東西，餘臭還沒散盡。請你到這裡來，暫且小坐一會兒吧！」

我見福爾摩斯起身招呼時，那個非洲大探險家已從園裡邁步過來。他走進亭子和我們一同坐下。

他向福爾摩斯道：「福爾摩斯先生，我見了你給我的信，叫我在一小時內前來。現在我來了，但不知你有什麼事？」

福爾摩斯道：「承蒙你不棄前來，我們眞們爭鬥的怎樣劇烈，以後和好是否出於眞誠？我們都不能得知，若從闞勤納陰沈的外貌瞧來，可知道這人決不是容易寬恕人的。所以我想那第一件兇案，必是他所幹的無疑。並且在我們勘驗第一案的時候，他還謊報在園裡瞧見什麼怪物，想迷惑我的觀察，引我們走進歧途。其實他工夫不深，我早明瞭他所說的全是謊話。華生，你想假使第一案中，不是闞勤納把毒粉投在火爐裡，又有誰能夠走進屋子去呢？因為闞勤納才離開屋子，慘案就立即發生。假使那時另有人入室謀害，三個人豈有毫不抵抗，安坐著等死的？況且鄉村人的習慣，大都早睡，那時已在十時以後，也決沒有別人前去之理。我們從這種種跡象看來，可知兇人一定是麥特姆．闞勤納了！」

「那麼，他現在慘死是自殺囉？」

是萬分歡迎。至於我和朋友要請教你的事，就是『科尼斯恐怖案件』。這事諒你也必十分注意。讓我們來慢慢地研究討論。」

博士聽了，馬上拔去嘴裡的雪茄，冷冷地對著我們。

他道：「先生，我對這事絲毫不知情。叫我把什麼告訴你們呢？」

福爾摩斯道：「就是謀殺麥特姆．闞勤納的那件事情。」

這話一出，斯特台爾黝黑的面龐，立刻泛成血紅，他的雙眸也閃閃露著兇光。他急站起身來，緊握雙拳，好像預備對我們動手用武。但福爾摩斯仍含著微笑，似乎毫不在意。他見了這狀，竭力忍住他的怒火，握著雙拳，回復他先時的冷漠態度。

他道：「我因久居在蠻荒地方，已漸漸沾染了蠻荒的習氣，是非曲直都憑著一己的直覺判斷，幾乎已忘掉了什麼是法律。福爾摩斯先生，但我捫心自問，生平沒有幹過什麼惡事。現在你到底是什麼意思呀？」

「我也沒有什麼惡意啊！斯特台爾博士，假使我把我所知道的事情，告訴了官家的警探，那早已可把這案子結束了，何必要請你到這裡來呢？」

斯特台爾博士聽著這話，十分驚愕，呆呆地站了半天，似乎在細細考量福爾摩斯的語意。接著，才鬆開了他的雙拳，快快坐下。

一段時間後，他問道：「福爾摩斯先生我仍舊不懂你的話，究竟是什麼意思？」

福爾摩斯道：「我的意思，就是請你把你所幹的事，完全告訴我們。」「我幹的什麼事呀？」「就是你殺死麥特姆．闞勤納的事。」

博士聽了，額汗淋淋，急掏出手帕擦拭，一邊說道：「全是謊言、圈套。」

福爾摩斯嚴肅地道：「呂恩·斯特台爾博士，我並不是說謊，你的話，才全是謊話。現在且聽我先把證據告訴了你再說。當你從普利茅斯轉回的時候，竟把到去非洲的行李完全捨棄，那時我心中就已很懷疑，知道你和案事必有什麼關係……」

博士搶著道：「我回來是因爲……」「你不要空辯，空辯也毫無用處。那天你到我這裡，問我對於案情有什麼看法，我沒有回答你。你那時快快出外之後，就忙到牧師那裡，在那門外徘徊了一會兒，才回到你自己的屋。」

博士詫異道：「你怎麼知道的呢？」福爾摩斯道：「我跟在你身後。」「我那時四顧，並沒有瞧見一人。」「我能有什麼隱身術？只是你沒有覺察罷了。你回去之後，籌思了一夜，天明時下了決定，就急忙出來。你出門的時候天才剛亮，你在門外地上，拾了些紅色的石子，放在你的口袋裡。」

博士這時似乎十分驚訝，睜著眼睛，呆呆地瞧著福爾摩斯。

「後來你就迅速地奔到牧師家去。那時你穿著軟皮的皮靴，就是你現在穿在腳上的這一雙。你到了牧師那裡，就翻進了竹籬，奔到闕勤納住的窗下。那時天已大明，但闕勤納卻還沒有起身。你就從袋裡掏出石子，仰擲樓窗叫他起身。」

斯特台爾博士，不禁跳起身來，驚奇地喊道：「我不信你對於這事能夠這般明瞭。你眞是一個巫師！」

福爾摩斯微微一笑，繼續說道：「你擲了

石子兩三次，闞勤納醒後，就起身開窗。你喚他下樓，他應允了，就匆匆著衣，下樓到了他起居室裡。但你卻從窗口跨進室中，僅和他略作談判，並在屋中踱了一會兒，就走出屋子，順手將窗子關上，站在草地上吸著雪茄，靜看他的變化。等到闞勤納氣絕身亡，你才回來。斯特台爾博士，你的行爲我已完全明瞭，你也不用狡賴了。現在你可把爲什麼殺死闞勤納的理由告訴我們，我不會爲難你的。博士，你到底因爲什麼緣故，才有這舉動呢？」

博士這時神志頹喪，面色泛成死灰，兩手扶著頭，不發一語。一會兒，突然抬起頭，從襯衫袋裡掏出一張照片遞給我們，道：「我因著這事，才殺死他的。」

我忙起身瞧看，見照片上是個極美麗的女子。福爾摩斯看了一眼，抬頭道：「這是布命達．闞勤納。」

博士黯然道：「不錯，這是我親愛的白侖達．闞勤納。我與她相愛已好多年了，但因束縛於無情的法律而不能和她結婚。因爲我已結婚，但妻子早已棄我他往，音信全無，但在英國法律裡，夫婦沒有正式離婚之前，不能再行婚娶。因此，我們倆只得互相等著，期望能有最後圓滿的結果。那知她現在已棄我而去。」博士說時，聲調悲哽，身體也顫動，悲愴至不能成聲。稍停，才繼續道：「我們相愛的事，只有路特海牧師知道，因此布侖達一遭慘禍，他就拍電給我。我得了這個噩耗，肝腸寸碎，就立刻回來。福爾摩斯先生，你想我的戀人既死，我已萬念俱灰，又何必再戀非洲的事情，和船中的一些行李呢？」

我的朋友道：「博士，我能體會。請繼續

講下去。」

斯特台爾博士又從懷中取出一個白色紙包，擺在檯上。紙包外面寫著三個拉丁字：「Radix pedis dlaboli」譯成『魔鬼之足』四字。他把紙包舉給我瞧道：「先生，我聽說你是一個醫生。你可曾聽過這個名字呢？」

「魔鬼之足嗎？沒有，我沒有聽過這個名字。」

博士道：「這是稀有的毒藥，難怪你不知道，全歐洲只有布達佩斯的實驗室藏有這毒物。此外就是翻遍藥物字典，也找不出這毒物的名字，就更不要說看過了。這毒物是一種植物的根，一半像人腳，又半像羊蹄，毒性劇烈。出產在非洲西部，土人叫它『魔鬼之足』，他們都把它當做祕物看待，很不容易得到。但我以前在非洲的烏班吉區域，偶然得到了一些。」

說著解開紙包給我們瞧，紙包中就是那像鼻煙般的咖啡色粉末。

福爾摩斯催促他道：「好，接下去說。」

博士道：「福爾摩斯先生，我現在就把你所要知道的事完全告訴你。我之前已告訴你，我和闞勤納家本是親戚，因爲愛戀布侖達，就和他們兄弟密切來往。以前他們兄弟們因分產不均，起了爭執，麥特姆就分開另住。以後雖然和好如舊，但大家卻不知道麥特姆生性陰險，仍懷恨在心，沒有把前事忘掉。那天，大約已兩星期前了，他到我家來閒談，我就把在非洲的野蠻事蹟講給他聽。又給他瞧在路上所得到的各種怪異物件，且給他瞧那『魔鬼之足』的毒粉，我還告訴他這毒物毒性很強，在火上燃燒，發出毒煙，人嗅著了，立刻會頭暈目眩，像有無數魔鬼來向他索命，沒有不驚極斃命的。就是受毒稍輕，也必失去知覺變成瘋人。這毒物歐洲人從未見過，即使化驗也不能偵查出來。不過他怎樣把毒粉偷去，我卻不知。我那時和他同在屋中，沒有離開一步，或許他在我轉身開箱的時候，趁機偷取也未可知，因爲那時我把這粉和各種東西，都一起堆在檯上。後來他又問我此物的作用，和燃燒時需注意什麼，以及須用多少時間方能見效。我因毫不在意，就一一告訴了他，那知他居心叵測。我一點也不知道他的奸計。直到在普利茅斯接到了牧師的電報才又趕回來。那兇人必以爲這兇案傳出去前，我已坐船前往非洲了。並且他又知道我到了非洲，總須耽擱幾年，因此他才敢毫無顧忌地大膽下這毒手。但我回來之後，因不明瞭案發時的詳情，所以到你們這裡來詢問一切，但你卻又嚴守保密，不肯把案情明白告訴我。後來我自己探明了案中的狀況，才知布侖達的死和她兩兄弟的發瘋，是麥特姆偷了我的毒粉所下的毒手。毫無疑問，他可藉此獨佔產業，又可報前仇。我既已確定麥特姆殺死我的戀人，自然和他勢不兩立了。但怎樣能夠報仇，用什麼復仇的方法呢？我一時不能決定。起先本想把我所知的情形報告警方，讓法律治他應得的刑罰。但我的話無憑無據，又沒有別的證人，警官是否相信我，還未可知。假使警方能夠相信我，治他應得的罪，那麼冤仇既報，死者又可瞑目，我也自然可以無恨了。但假使他們不相信我的話，或者兇人聽到了消息，先遠避他處，那不是反壞了我的事嗎？福爾摩斯先生，我方才已向你說過，我久居蠻荒地方，已忘掉了法律，是非曲直都憑著自己的直覺判斷。那時我滿腹憤恨，熱血奔騰，一閉眼，恍惚就見到我戀人的靈魂，叫我替她報仇。因此我就決意親手殺死他，不讓他僥倖脫逃；所以就把他謀害弟妹的手段，還用在他的身上，以了結我的心願。而我以後的行爲，就和你方才所說的話一一吻合。那夜我的確全夜沒有合眼，破曉就出門，我想他應該還沒起來，就在門外拾了些石子放在袋裡。到了那裡，就取出石子擲他寢室的窗子，把他驚醒。等到他下樓到了起居室，我就從窗口進去，說破他所幹的毒計，並告訴他我是前來判決他的罪狀，要燃燒毒粉殺死他，我取出手槍，鎮懾他坐到椅子上。接著我就點著了燈，把毒粉放在燈上，然後才出門關上窗，執槍站在窗外，防他脫逃。大約五分鐘後,他就死在椅子上了。我的上帝！他已受了上帝公道的裁判了。但是我雖殺死了他，我的心也早已破碎。福爾摩斯先生，假使你也愛著一個人，遇到了像我這樣的情形，勢必也要和我一般幹出這種事來的。須知愛情眞有無上的魔力，假使人們一經情絲的束縛，那只有唯命任聽，絲毫不能抵抗了。現在我已說完，你是否能夠諒解，我不管。我的怨仇既報，就是要我抵罪，我也毫無畏懼了。」

福爾摩斯聽了，靜思了半晌。一會兒，才慢慢說道：「博士，你這次到非洲，預備幹什麼？」

「我預備到非洲中部繼續探索，因爲我的工作，還只做到一半呢！」

福爾摩斯道：「博士，那麼，你去做完你的工作，不要讓你的事業半途而廢。我決不阻擋你的前程。」

斯特台爾博士聽了，抬頭瞧著福爾摩斯。好久才起身向我們鞠躬告辭，慢步走出去。福爾摩斯目送著他的背影，一邊掏出煙斗，燃著了慢慢地吸，又順手把他的煙袋遞給了我。

他向我說道：「華生，這是一種無毒的煙葉，你換著吸吸，你一定會喜歡上它的。我們不接受官中的薪俸，才能方便行事。但你現在覺得我判決這事到底是不是恰當？假使易地而處，你會不會將他定罪？」我答道：「不會，我也不會將他嚴送法辦。」

「華生，我自幸沒有墮入情海，但假使不幸我也愛上一個人，遭遇的境況又和斯特台爾一般，我也不敢保證不會幹出這種事來！華生，我還有幾個關鍵要告訴你。我在麥特姆·闞勤納樓台上，發現了一個紅色石子，又在窗下撿到兩粒同樣的石子。牧師花園裡本沒有這種紅石子的，只在斯特台爾博士屋外方能找到。此外，室中白天所點的煤油燈，以及燈上留下的咖啡色粉末，這些就如連環般地互相扣連，於是全案的眞相就大白了。親愛的華生，現在疑團既破我們可拋下不管了，不要讓這案子再盤踞在腦中。我們可再回去研究加勒底語族的源流。我認爲假使從凱爾特方言的科尼斯支派上去追究，一定能得到相當的結果的。」

潛艇圖（原名 The Bruce-Partington Plans）

一九一五年十一月的第三個星期，倫敦市區濃霧密布，宛如張了大幕一般。路上行人難辨，玻璃窗上受了水汽的蒸發，鬱成了點點的水珠。連續四天，連對面的房屋都看不見。第一天，福爾摩斯消磨他時間的方式是查一本參考書的檢查表；第二天和第三天則消磨在他喜愛的中世紀音樂中，他靜坐在書房，嘴裡啣著煙斗，樣子看起來非常疲累。歇了一會兒，他把殘煙擲在熒熒的火爐中，推椅起身，在室中徘徊了好幾次，似很不耐煩。他齧著他的手指，又用手彈著桌子，在在表示他心中的煩悶。因爲這困人的天氣，眞是使人萬般無聊。

一會兒，他對我道：「華生，今天的晨報，可有什麼足供我們研究的新聞？」

我回答沒有。因我友所說的什麼新聞是指重大案件而說的，其他諸如國際關係，和內閣改組的種種問題雖是重要，他卻沒有閒工夫去研究。

福爾摩斯道：「倫敦的人們眞蠢極了。難道那些歹徒，也毫不長進嗎？我放眼四瞧，假使有人在這濃霧密布時，殺人行劫，又有誰能夠知曉？好比虎豹居在深山之中，那個人敢攖其鋒呢？」我道：「偷竊的案件倒蠻多的。」

福爾摩斯聳了聳他的兩肩，說道：「大好的機會，難道就只做偷竊的小技倆嗎？倫敦人啊，算你們運氣好！幸而我不是一個殺人越貨的暴徒！」我笑了一笑，沒有回答。

我友繼續道：「假使布魯克斯或伍德華斯

兩人在此地（兩人都是意大利的大盜），一定有一番驚人的事業了。——咦！消息已經來了。」

這時果有一位侍女拿著一個電報推門進來。福爾摩斯看了電報，忽仰天大笑。他道：「太不可思議了！我哥哥梅格勞甫竟要來！」

我道：「令兄到來，你爲什麼要這樣驚訝呢？」

他道：「他服公職已有二十多年了，和我相聚的時候很少，這次前來，必定有什麼要事想和我商量。」說著，他就把電報給我看。那電報道：

「爲了『柯特』的事，我立刻就來見你。梅格勞甫。」

我道：「柯特嗎？這個名字我好像有見過。」

福爾摩斯道：「快拿近幾天的報紙來看，或可知道這人的情形。」

他說完之後，我便拿了報紙再三地翻看，才瞧見有一行新聞，標題是：「地下鐵道中的謀殺案」，就向他道：「我已尋著了。」

福爾摩斯道：「請你把那節新聞讀一遍給我聽。」

我讀道：「少年柯特·韋斯特的屍體，在星期二的早晨，被發現在地下鐵道上。」

福爾摩斯道：「他是從火車上墮地跌死的嗎？」

我道：「不是的，這案子很值得研究。這個人今年只有二十七歲，未婚，在烏爾威奇的兵工廠中工作。他在星期一傍晚七點半時，與他的未婚妻惠絲伯蘭小姐到劇場觀劇，突然在大霧迷濛的半路分手，但他兩人並沒有什麼口角。星期二，六點鐘時候，有一個名叫梅森的工人，看見這個人橫臥在鐵道上。他的身體已經僵硬，額頭上有個很大的傷口，顯然是被人謀殺的。這鐵道是向東去的，柯特要往那個方向去卻不知道。」

福爾摩斯道：「看他的車票，一定可以知道他的去向。」我道：「搜遍了，都沒有，因此得不到任何頭緒。」

福爾摩斯道：「這眞是怪事了。照我所知道的，倫敦車站有規定，沒有車票的人不能進月台一步的。那個人難道是從天而降的嗎？不是，那車票一定是被兇手拿走，不希望那個年輕人的行蹤被人知道；再不然，就是他自己遺失的。我可以斷言這件案情完全是暗殺，並沒有劫掠的意味在裡邊。」

我道：「我的想法也和你略同。因那年輕人袋中所有的東西都沒有缺少，共計有現金兩鎊十五先令，幾張銀行匯票，兩張劇場的特座戲票，及一捆機器的圖樣。」

我說到這裡，福爾摩斯忽躍起說道：「全案的關鍵就在這點上了。這個人不是在兵工廠做事嗎？兵工廠不又是國家所辦而又有祕密圖樣的地方嗎？這一捆圖樣紙，必定和他的殺身之禍很有關係的。」

他說的時候，忽聽見腳步聲從扶梯上來。福爾摩斯對我說道：「我哥哥來了，見面以後定能得到詳細的情形。」一會兒，從門口有一個紳士模樣的人走了進來，我驟然看去，像是一個莽漢。但仔細看他的容貌，廣額眼深，鼻挺嘴薄，他的機智謀慮，顯見不減於他的弟弟。他後面跟著一個清瘦的人，就是我們的老友蘇格蘭警場的警探雷斯特拉。二人的神情都很嚴肅，一望就知道有重大的事情縈結在他們倆的梅格勞甫繼續道：「有關軍事的圖樣，政府一朝失去，幾如增添了一個敵國。因此凡這類的圖樣，都守得很嚴密，就是廠中辦事的人，也很少知道的。這祕密潛水艇的構造，政府已不知道花費了多少金錢，方才大功告成。承造潛水艇的時候，聘請的專家有四五十人之多，大都分工辦事，不讓他們彼此互通，以防消息洩漏到外面去。落成以後，數十張的樣本，都藏在廠中密室裡的保險箱中，雖是海軍大臣也難探得此祕密。但一早卻在那個人的屍體上發現，這不是一件很驚人的事情嗎？」

福爾摩斯道：「那麼，那圖樣已全數搜得了嗎？」

梅格勞甫道：「沒有，廠中共失去了十張圖樣，現在只搜得七張，最重要的三張已不知去向了。這事關係著國家的安危，不能和尋常心中。

大家坐定後，梅格勞甫先說道：「這樣的大霧，眞像在雲氣中行走，若沒有駭人的案件發生，我也無暇和我弟弟相見了。歐洛克，自從柯特的屍體被發現以後，內閣中頓起恐慌，海軍大臣如坐在針氈，一刻都不能安寧。這案子非常曲折，你已得到相關的資料了嗎？」

福爾摩斯道：「才得到一點。但這一捆機器圖樣的紙，不知是什麼機器的圖樣？」

梅格洛甫道：「我們恐慌的原因正在這捆圖樣紙上。幸好外面知道的人很少，否則不免要前功盡棄了，這一捆紙不是普通東西，是英國祕密潛水艇的圖樣。」

梅格勞甫說的時候非常嚴肅。福爾摩斯聽了他的話以後，臉上也露出驚惶之色，靜思著不說什麼。

的殺人案相比。這一捆紙怎麼會在柯特身上發現？其餘不見的紙，究竟到了什麼地方去？柯特又爲了什麼緣故遭到殺身之禍？屍體何以會被發現在火車軌道上？並且要怎樣偵查才能知道兇手是什麼人？這種種情形，都是你的責任。你要盡心偵查，把好消息告訴我。並且爲了國家前途，你是責無旁貸，望你好好兒偵查。」

福爾摩斯道：「這事我必當竭力。但案情這麼奇離，凡有相關的事情就更爲重要，要使全案的案情水落石出，不是朝夕就可以成功的。因此關於這案子的詳情細節，你現在應該完全告訴我。」

梅格勞甫道：「是的。關於這案的重要資料，我已經一一搜得。請你仔細聽好。管理這祕密室的是詹姆士．瓦特，他盡力於政界已經好多年了。他的爲人很誠實，最得政府的信賴，因此肯把這重任託付他。而有保險箱鑰匙的人，共有兩個，詹姆士即其中的一個。這一捆紙，的確是在星期一晚上丟的。詹姆士那天下午三點鐘時曾到倫敦，當他動身的時候，圖樣紙一張也沒有遺失。但第二天早晨，他到密室內打開保險箱一看，卻已經不翼而飛了。」

福爾摩斯道：「詹姆士動身前往倫敦，可有證據呢？」

梅格勞甫道：「有的，他動身的時候，他的弟弟惠爾丁上校是知道的。他是到倫敦去洽公，還有辛格萊上將也可以替他作證，因爲詹姆士曾去拜訪他。所以詹姆士似乎毫無涉案的可能。」

福爾摩斯道：「另一個鑰匙是誰拿的呢？」

梅格洛甫道：「是薛特納．約翰生先生拿的。他是詹姆士的助手，年紀約在四十歲左右，有子女五人，家庭非常和睦。他已在廠中服務了二十年，從沒有一次過失，所以人們都稱他是君子。據他自述，星期一的晚上他在家中並沒有出來。至於那把重要的鑰匙是結在他的錶鍊上，終日帶在身旁，沒有片刻分離的。」

福爾摩斯道：「那麼柯特這個人怎樣？」

梅格勞甫道：「這個人在廠中服務也已多年，成績優秀，聲名卓著，而且他的品格也清高拔俗，決不是有盜竊行爲的下流人物。他的等級在約翰生之下，所以此中的秘密他都知道。」「誰是夜間最後上鎖的人？」「是薛特納·約翰生。」「依此推想，這一捆紙既然在柯特身上搜到的，或許竊取的人就是柯特。」

梅格勢甫沉吟了一下答道：「也許是的，不過柯特竊取圖樣的目的，又爲了什麼呢？」

福爾摩斯道：「等好價錢出賣罷了！我知道幾張祕密的圖樣紙，若要得到數千鎊的代價，一定不是難事。」「可再有別的目的，你可以推測得到的？」「沒有。」

「那麼，我們就把這點當假定來推理。柯特根本不是能有這鑰匙的人，故而他要做這偷竊的事也煞費手續呢！」

「是的，他必先配得了同式的鑰匙。然而鑰匙不只一把，室門嚴鎖，假使要遍配各把，實在也不是容易的事。柯特自從取得了這奇貨以後，必逕往倫敦求售，預備次日的清晨返廠。後忽遇到了這個慘變，那當然不是柯特所料得到的了。」

「柯特爲了什麼事被殺，你能揣測嗎？」

福爾摩斯皺著眉頭說道：「暗殺和自殺，這時還不能下一斷語。或者他在大霧中墮車喪命也未可知。」

福爾摩斯說的時候，雷斯特拉忽然高聲說道：「柯特既然賣掉了十張中的三張，諒已得了重價，如果是墮車而死，那麼錢到何處了呢？照我想來，柯特把這奇貨攜到倫敦以後，便同外國間諜論價。因價格不合，又攜了回去；但那間諜卻派了人跟蹤同去，到了火車內，天色既黑，又迷濛大霧，因此就將那個人殺了，然後把他的屍體擲出窗外。所以柯特的屍體才會被發現在軌道上。」

福爾摩斯道：「他的車票又到什麼地方去了呢？」

雷斯特拉道：「想必已被兇手拿去，這是因他們不想讓別人知道少年的行蹤。」

福爾摩斯道：「雷斯特拉你的話很有邏輯推理。但這事假使確實，那麼，那三張圖樣紙此刻早和外國間諜一同到歐洲大陸去了。我們雖絞盡腦汁，也只好徒呼白費了。」

梅格勞甫道：「歇洛克請仔細查究，這件事情一定要成功。」

福爾摩斯點頭說是，又轉身向我道：「華生，願意陪我和雷斯特拉同到車站嗎？事情現在已很緊急，需要立刻出發了。」

梅格勞甫於是起身和我們握手道別，福爾摩斯答應他馬上就著手偵辦。

一小時後，福爾摩斯和我們同到阿爾蓋特車站的地底鐵道上。鐵路公司特派了一個高級主管做代表，他指著一個地點，對我們道：「這裡就是柯特屍體被發現的地方。」我見這地方離鐵軌約有三呎左右，照情形看來，那個屍體一定是從車中拋出來的，而案發的時間必在星期一的晚上。」

福爾摩斯問道：「星期一開行的夜車上可

有血跡？」「沒有，車票也沒有看到。」「有人注意到車門是開的或關著的嗎？」那人搖頭答道：「沒有。」

雷斯特拉道：「今天早晨，有同車的人說，星期一的晚上，十一點鐘的車到了阿爾蓋特車站的時候，好像聽見前車中有擊門的聲音，但一會兒就沒有了，那時大霧漫天，也就不能知道個究竟。現在照那人的話瞧來，卻不是沒有原因的。」

福爾摩斯聽了，只點了點頭，他全神貫注地偵察四周，雖是極細小之物，也難逃他銳利的目光。過了一會，福爾摩斯才向我發表意見。

他道：「屍體被發現的地方恰是鐵道交軌之處，這是案中的要點，我們須牢牢記著。但細瞧近旁的土上，卻沒有一點血跡，這就是怪事了。」

那鐵路公司的代表道：「柯特傷勢很重，頭顱已裂開，血應該流很多，現在遍尋卻沒有絲毫血跡，眞令人百思不解。」

福爾摩斯道：「星期一通行的夜車，你能帶我去察看一下嗎？」

那人道：「那車已駛遠了。但出事以後，我們已細心搜查，並沒有可讓人起疑的地方。」

福爾摩斯轉身對我說：「命案現場的偵察已完畢了。現在的計畫，就是應當立刻到烏爾威奇去做其他方面的調查。」說完，就和那公司的代表行禮告退。

雷斯特拉因另有事不能同去，也就和我們道別。

我們兩人在倫敦橋邊等候火車到來。在未上車以前，福爾摩斯拍了個電報，給他的哥哥。那電報道：「暗中摸索，已漸有一些頭緒，但事情的成敗還不可知。現在請你把仍在英國的外國間諜的住址詳列出來，叫可靠的人送到貝克街我的寓所裡。　歇洛克」

一會兒，汽笛嗚嗚，火車已自遠而來，當車輪暫停的時候，我們倆便一躍而登。

我們坐定以後，福爾摩斯就向我道：「我料這案必和外國的間諜有關，因此這一個方法，或可補救我的不及。」我聽了很以爲是。也靜默坐著，低著頭苦苦思索。我猜他的思緒大約和火車等速了。

隔了好久，他忽然跳起說道：「華生，有了。」我大喜道：「到底是什麼緣故呢？」

「柯特被人謀殺是毫無疑問的；但屍體怎麼會在鐵道旁被發現，這是最難解決的問題。然而照我推想，柯特被殺的地方定在別處，死了以後，才被人移屍到那裡的。不過屍體卻不是從車裡擲出，而是從車頂上墜落下來的。」

我十分訝異地道：「從車頂上墜下來的？」

福爾摩斯道：「這句話似很駭人聽聞，但仔細推敲起來，卻一定是這樣。你想，屍體被發現的地方，不正是在交軌之處嗎？」火車到了交軌處，必定會左右震動，屍體就因著震動而落下來了。況且在那滿天大霧的時候，又有什麼人知道呢？當時夜車在行駛著，又沒有人看見車門有開閉，那麼，這龐然一物，不是從車頂上墜下又從那裡來的呢？加上車中、地上，都沒血跡可辨，如此也是一種明證。因此之故，這移屍的事可確信是兇手想移禍給車中的人。手段眞高妙啊！」

我道：「這事雖近情理，但柯特遇害的理由還是沒有揭曉，他致命的緣故終究讓人費疑猜啊！」

福爾摩斯道：「不錯，但這不是一蹴可及的。我們按著層次進行，自能得到這案子的奧秘。」

他說的時候，火車已到了烏爾威奇，我們倆下車以後，雇了一部四輪馬車同行。

福爾摩斯道：「這時我們應當先去見詹姆士·瓦特。」因此就告訴了車夫地址。過一會兒，車輛停駛，我們兩人已到了詹姆士家的門外了。幾棵綠樹，臨風搖曳，門外清溪碧綠，微風吹來，潺潺有聲，更覺幽靜絕塵。我們進門的時候，濃霧正漸漸消去，可愛的冬日從雲隙中透露出來，碧綠色的欄杆上映著陽光更顯得嫵媚。我們伸手敲門，一個年老的僕人出來應聲開門。

福爾摩斯問道：「詹姆士·瓦特先在家嗎？」那僕人道：「詹姆士！唉！詹姆士先生不幸在今晨死了。」他說的時候，神情非常嚴肅，眼眶猶含著淚水。

福爾摩斯頓足嘆道：「唉！上帝呀！詹姆士先生是怎樣死的呢？」

僕人拭淚道：「先生們且先進來，見見我主人的弟弟惠爾丁上校。好嗎？」

福爾摩斯道：「好。」我們兩人就跟他進去，走到了客廳。

坐定後沒有多久就有一個很高的人走進來和我們握手，我猜他就是詹姆士的弟弟惠爾丁上校。我細看上校的臉色，像五十多歲的人。面貌很莊嚴，下巴髫鬚雖然不多，但眉宇間流露出英勇的氣概，他雙眼紅腫，頭髮蓬鬆不整，談話時語無倫次，足以表明他對於他哥哥的猝然而死非常悲傷。

上校道：「家兄一向小心謹慎，在工廠做

事已經有三十年了。現在突然遇到了禍變，深受打擊，不幸在今晨死了。」

福爾摩斯道：「令兄的死，眞令人惋息，老前輩中不幸又少一個了。我們此來本有一些問題，不料他卻過世了，眞令人失望！」

上校道：「這案子的眞相，就是家兄也毫無所知。柯特是行竊的人，家兄十分清楚。別的情形，我就不知道了。」

福爾摩斯道：「那麼，你的意見怎樣呢？」

上校道：「我是局外人，除了從報紙上略知一二外，案中詳情也絲毫不知。這是大案子，你們一定要出全力偵查，家兄的靈魂必會佑護你們的。」

談了一會兒，我們兩人就和上校道別。我們回到車中，福爾摩斯道：「事情果然有出乎意料的發展，詹姆士先生突然死了，但他致死的原因也頗堪玩味。如果因失職自殺，足見此人的忠勇。將來悶葫蘆打破以後，終究有揭開黑幕的一天，我們現在應往柯特家去了。」

柯特家住在烏爾威奇鎭的近郊，屋子雖已古舊，但綠蔭蔽天，繞著一帶流水，風景十分清雅。入門後，看見一個年老的婦人，滿面淚水，很是悲傷。這就是柯特的母親痛哭兒子的情狀。因爲她悲傷過度，精神已錯亂無緒，我們也無從問她任何話語。

她旁邊站著一個妙齡女郎，眼淚盈盈滿盛眶中，雖沒有失聲而哭，但瞧她憔悴的面容，就知她悲痛逾恆。她似乎鬱著一片傷心的淚，無處發洩，她的苦痛，其實是十百倍於縱聲號哭的人。她就是少年柯特的未婚妻。

女郎自稱歐蕾特・惠斯伯蘭，和少年早已訂了婚約。福爾摩斯於是問少年致死的原因。

歐蕾特道：「自從這悲劇發生之後，我日夜思索，想探出他身亡的緣故。但到現在，卻還不能下任何斷語。柯特生平非常愛國，常以忠誠自勉，他每讀英雄列傳，就自比爲先烈。他曾說一個人的愛國心，是和生命同在的；賣國賊的良知泯滅，最令人不齒。你想，像柯特這般忠誠的人，會做這喪盡天良的事嗎？」

福爾摩斯道：「那麼，事實眞象又是什麼？」「事情太離奇了，我也沒有法子解釋的。」「柯特近年來的經濟怎樣？」「薪俸很多，而且很少花用，他量入爲出，綽然有餘的。數年以來，他已積蓄了千鎊，本想在明年春天預備結婚的。此時忽遭到這樣的慘變，我的心簡直要碎了！」「在你的印象中柯特近日可有異常的行爲？女士，請明白告訴我。」

他說這話的時候，女郎忽紅暈滿頰。停頓了一會兒，才道：「有的，他近來像是有些重大的心事，似乎不能告訴人。」「有多久了呢？」女郎道：「從上星期五開始的，我追問他，他始終不肯說。只說這事影響很大，不可以告訴別人。」

福爾摩斯聽到這裡，表情很嚴肅，說道：「女士儘可直說，假使對柯特有不利的事，我也希望女士盡情說來。」

歐蕾特小姐道：「我所知道的，已都告訴你了。但是有一天的夜裡，我和他在泰晤士河邊散步，他忽然說，那些外國的間諜對這十幾張圖樣早已注意很久了；數萬金鎊的代價，不難唾手可得。」

這話一出，福爾摩斯的臉色更凝重，苦思不得其解。他低頭閉目，像正在考試的學生，搜索枯腸，預備考試一般。稍停，才道：「還惆悵地歸來。隔天早晨，廠門開後，仍是不見他的蹤跡，我們十分驚異，派人四處尋找，到了中午，惡耗就傳來了。唉！福爾摩斯先生，請你盡心偵探，替他洗掉這不白的冤誣。這樣，生者可以無恨，死者也可以瞑目了。」

我友搖頭不答，轉身向我道：「華生，歐蕾特小姐肯盡情告訴我們，實在是很慶幸的事，我們必盡力以爲報。此刻爲了行事順利，應驅車到兵工廠失事的地方去了。」

我們兩人因此就向女郎告別。別時，福爾摩斯竭力安慰女郎，女郎也含淚聲謝。

車輪啓動，福爾摩斯對我道：「這案子現已有一二線索可尋了。歐蕾特眞是一個豔麗絕倫的女子。她和柯特既已相識多年，何以還沒有結婚呢？也許那少年專心在工作上奮鬥，沒有工夫想到這種事，但或許是經濟困難才使他有說什麼嗎？」

女郎道：「他又說這十幾張潛艇圖，現在雖藏得很隱祕，但金錢神通廣大，不能不預先設防。」

福爾摩斯道：「這句話奇特極了。這可是他近日才有的談論呢？」「是的，以前從不曾有過的。」

「前夜柯特和你分別的時候，神態如何？」

歐蕾特小姐道：「前夜大霧障天，我們倆在家很不舒服，想到劇場去看戲，因爲迷霧很重，不能行車，就攜手步行著同去。到了劇場門外，他忽然趁霧而逃，我想追他，竟已看不見了。」

福爾摩斯道：「他去的時候，可曾說什麼？」「沒有，只聽到一聲驚叫，像是柯特所發出的。我回過頭去，已經看不見他了，我因此這樣的，他說要在明年春天完成這個大願，假使阮囊羞澀，如何能酬償心願？因就百樣計算，希望弄得些錢，於是這犯罪的事情就發生了。他同女郎說已稍有積蓄，諒不過是討女郎的歡心罷了。那少年不曾完全把犯罪的事說得明瞭，是歐蕾特的幸運，否則，不免要判她共犯罪了。可是一個磊落的男子，卻做出這種不名譽的事來，實在是不應該的。」

我道：「但是柯特品格很高尚，輿論也一致贊同。果照你所說，他平日的言行，都不能代表他的品格，那麼判斷一個人的方法，將憑什麼呢？並且他猝然離開他的愛人，就情理想來，也是不可解的。」

福爾摩斯道：「是的，我們此刻正在黑暗中摸索，假設本來就很難十分圓滿的。」

歇了一會兒，我們的馬車已到了兵工廠的門外，薛特納·約翰生先生已等候在門前。我們下車後，互相握手道安，他非常殷勤地招呼我們。

約翰生這人，雖不過中年，但已面削額皺，望去好像六十多歲的人了。加上他又受到了大刺激，容貌顯得更憔悴。他先出聲說道：「唉！福爾摩斯先生，詹姆士突然死了。你們知道嗎？」「知道了。我們剛從他家來。」

約翰生道：「人死物杳。天下事情的離奇變幻，又有誰能預料到。但英爽磊落像柯特這等的人，變節速度之快，讓人更覺難度了。」

福爾摩斯道：「那麼，你認為柯特就是犯罪的人了。」「是的，除他以外，沒有別的痕跡可尋，我雖想竭力替他辯駁，也已不可能了。」「出事那天的公事房，在什麼時候關閉的？」「大約五點鐘時。」「誰關門？」「是我管理這項職務的。」「這十幾張圖樣紙，放在什麼地方？」「放在保險箱中，也是我親手鎖上的。」「那麼，室外可有巡邏的人？」「有的，但是巡邏的範圍很廣，且是由一個年老誠實的兵士擔任的。那夜大霧四起，故他也毫無察覺。」「如果柯特眞是行竊的人，諒他定已配好三把鑰匙了。」「是的，一把是外室門上的，一把是公事房的，一把是保險箱的。」「有這三把鑰匙的人，只有你和詹姆士先生兩人嗎？」「我只有一把，是開保險箱用的。」「詹姆士可是一個小心謹愼的人？」「是的，這三個重要的鑰匙，詹姆士常結在一個圓環的上面，出入攜帶沒有片刻稍離的。」

福爾摩斯道：「他前天到倫敦去，可也帶著嗎？」約翰生道：「他說帶著去的。」「那麼，你所有的鑰匙，可曾放在別處？」「沒有。」

福爾摩斯道：「假使柯特是行竊的人，既冒險盜了潛艇的圖樣，爲什麼不描一套副本出售？因副本的效力也相同，且比較沒有破綻。我想柯特是個聰明人，當然能想到這層。現在瞧他所做的事情，怎麼反而在庸人之下呢？」

約翰生道：「是的，但描副本，沒有專門智識的人是不能辦到，不是人人能做的。」「你們二人都能做得到吧！」「都能夠，但我和這案毫無關係，先生請不要把我牽入漩渦中。」

福爾摩斯道：「我不是喜作異議，但職責所在，不得不思慮周詳。我對於那少年的捨易爲難，總覺得有些不解。」

約翰生道：「照理說本該這樣的；但事實卻又那樣，也只好接受這個事實了。」

「你想敵人僅得了三張圖樣，而掉了七張，潛水艇仍有造成的希望嗎？」

「依然可以成功。我已把這意見告訴了海軍總長。但是今早細察剩下的七張，見汽鍋的圖樣，並沒有失掉——這是潛水艇最重要的關鍵。除了這一個難點，其餘的都很容易。不過這也不是大難事，料想敵人或許也已知道了。」

「失掉的三張，可是十張中最重要的圖樣？」「是的。」

福爾摩斯道：「承你見教，我得到許多益處。我現在沒有別的問題了，請你帶領我在前後內外察看一遍。」

於是福爾摩斯就取出了他的放大鏡，著手做種種的勘察。起初他對於保險箱的鑰匙，細察了好久，後來又細看密藏室各門的往來路徑。大約偵查了半小時，就和我一同出門，停站在草地上。

福爾摩斯突然精神興奮起來。草地上有一棵桂樹，是百年的古樹了，盤根錯節，濃蔭蔽天。樹的位置恰在公事房的側面。我仔細看去，見許多敗葉，和新折的三五根細枝，臨風欲墜，好像有人踐踏過。我友徘徊在樹下細細勘察，又在地上的泥土中發現了幾處足跡，但已經模糊難辨了。福爾摩斯爬到樹上，房內的東西清楚地歷歷辨明。

他下了樹後，就道：「這痕跡雖不能說定和這案有關，但也可以做為我研究這案的輔助。華生，這裡偵查的手續已經完備，恐怕烏爾威奇這地方已不會再有其他的資訊提供我了。我這次前來，所得的線索很少，也許在倫敦方面能夠收到更好的結果。現在可以走了。」

到了車站，有一個賣票人說，他和柯特相識。星期一的晚上，柯特行色倉皇，好像非常的驚慌。當他買好了票，賣票的找還他幾個先令的時候，柯特的手發抖得幾乎不能取起。賣票人舉手幫助他，並問他什麼事這樣驚惶，他卻不肯說明。但他所買的車票，是到倫敦橋車站的。

賣票人離去後，福爾摩斯停頓了半小時，才對我道：「我偵察的案子已有一百多件，然而從沒有像今天這件事情那樣困難。我無論怎樣思索，總覺沒有希望。雖然如此，我們一定要成立個假設，做爲解決的門徑。現在我且說說這案的情形。」

他說到這裡，取出煙斗吸了一會兒煙，就向我繼續說道：「這案的主犯，起初看來很像是柯特，然而照我現在勘驗所得，卻正相反。我的見解是：柯特是一個愛國的人，賣國的勾當，諒他必不肯做的。但英國祕密潛水艇的製造，早已引起一些敵國野心家的注意，外國的間諜想在英國攫取這艇圖的野心，已存在不止一天了。或許他們多方探聽，探知了少年在三人中年紀最輕，就不惜酒肉徵逐，和他結成朋友。這少年雖存疑心，卻不敢表明，因爲這等人的手段很可怕，假使稍一顯示出對他們存疑，性命就很危險了。前夜在大霧之中，想必他無意中瞧見了那幾個間諜正倉促地向工廠方面前進。那間諜們的心事，柯特十分知曉；因爲時間很急迫，他就尾隨他們同去。等到間諜們開門進去，柯特就爬到樹上窺探，後來他買票，想要到倫敦，向政府報告，以便將間諜們往歐洲大陸的去路截住，這樣，原物自然也不難歸還了。此一解釋對於之所以不另描副本，而盜取原圖的一重疑雲也就可撥開了。雖然這樣，還不能沒有疑點。就是那少年既瞧見了間諜們下手，爲什麼不立刻把他們捉住？難道他怕死？或者有什麼長官牽扯在裡面，少年爲顧惜他的名譽，才不肯聲張呢？假使照後一層說來，少年維護長官心切，可見是個夠義氣的人。然而既已慘遭殺身之禍，失去的七張紙爲什麼又在他的身旁發現？我每次想到這裡，重重疑障又不覺像密雲般的合攏過來。現在我們且等到了倫敦以後，再靜心調查，或者可以探得其中的始末。」

我們回到倫敦的貝克街時，梅格勞甫已差人候在寓所門外，手中拿著一封信，待遞給福爾摩斯。信中說道：

「案發以後，閣員們都像失巢的蜂，惶恐萬分，只盼望從你那裡得到挽救的好消息。你們到烏爾威奇去，有好的結果嗎？在英國的外國間諜，恐怕不止一百，但其中最膽大妄爲的，是阿爾道夫．梅耶，住在威斯敏斯特，喬治街十三號；許果．亞白史汀，住在肯辛頓，考菲爾德莊園十二號。亞白史汀已在前天匆匆回國，頗爲可疑。你們須留意他的行蹤。——梅格勞甫。」

福爾摩斯看見，微笑道：「爲什麼全英國的官吏都是笨蛋，不能替祖國謀一計畫，一定要靠我一個人呢？」

我們走進屋裡，福爾摩斯把倫敦市區全圖取出，細細地看了一遍，又很得意地道：「好了，事情有些轉機了。華生，我有把握我們可把這案子辦妥了。」他說著又在我肩上拍了一下，續道：「我現在要出去了。二點鐘以後，你可再來這裡見我。假使你認爲耗費光陰可惜，或嫌等得太久，你可早些預備紙筆，開始記述這一次我們怎樣救國的事。」

但這天我直等到太陽下山，明月昇起，福

爾摩斯依舊沒有回來。十一月的深夜已很寒冷，我開始不耐這樣的久候。但在九點鐘的時候，忽有一個人送一封信來，我一看字跡，是福爾摩斯的親筆信。那信寫著：「我此刻正在哥爾咖啡館裡用餐。你見了這信，請帶手電筒、手槍、鐵尺等，馬上來。」

我到了咖啡館時，見我友獨坐在那裡大嚼雞肋。他見了我，就邀我入座，又酌了一杯威士忌酒給我，問道：「東西你已拿來了嗎？」我道：「都帶來了，在我的大衣袋裡。」

福爾摩斯道：「我有很好的消息要告訴你。柯特的屍體是從車頂上墜下的那個假設，我反覆推敲，已沒有懷疑了。現在所要解決的是那屍體究竟從何處而來？你可曾注意到火車入地道之前，恰有三五戶人家？那裡是個小車站。火車到的時候，一定要停頓一會兒。假使有人在這大霧的夜裡，移屍到車頂上又有什麼人能夠知道呢？這就是案中重要之點。」我友說到這裡，不禁手舞足蹈，好像在表示他的偵探手段高妙。我聽了忍不住地驚呼道：「你說的很對。」

福爾摩斯道：「我可以稱快的，還不止這樣而已——那個外國間諜許果・亞白史汀就住在鐵路旁邊。且他在前幾天忽又遠行，這不是最好的證明嗎？」我應道：「是的。是的。」

我友繼續道：「我方才去查探，得到一個公司主管的助力。他本和亞白史汀相識，我們就一同前往，但只見那宅屋子已重門深鎖。我探問四鄰，他們說屋主忽然在前夜遠行，一個僕人也跟著同去。他們這次行動，毫無疑惑了，當然是去出售贓物。」我道：「這一點就可做逮捕和起訴的根據嗎？」「不能，因為這案的證物還沒有完全得到。」「那麼，你準備如何著手進行呢？」

福爾摩斯忽反問我道：「你可知內閣中的人，因這事而大爲恐慌呢？現在時機危急，我們不得不採取非常手段了。」

我問他究竟想怎樣著手，他答道：「不入虎穴，焉得虎子，我想趁黑夜，冒險往虎穴裡一探。這樣雖牴觸法律，卻也顧不了了。」

我們吃完飯後，一同出門，直向亞白史汀的寓所走去。一下子就到那裡，福爾摩斯先拿手電筒照了一會兒。那時候還不到深夜，鄰近的一個幼稚園，傳來陣陣兒童笑語聲。因此，我們鞋子所發出的聲音，沒有被警察察覺。福爾摩斯先拿鐵尺撬開了門進去，我跟在他的後面，轉身進室，就見到南面窗門的位置，就是火車行經的路。而室中的器具很少，我友一一用電光照著，到了窗欄他忽低聲向我道：「好！證據在這裡了。」我低頭細看，見殷紅的血跡斑斑，就道：「天助我也。他們尚未湮滅證據。否則，這案更難著手了。」福爾摩斯道：「姑且在這裡稍候，等火車到來。」

稍停，火車已汽笛嗚嗚地從遠駛來。到了窗外，車輪忽然停住，只聽見車中人聲鼎沸。我想那時假使車頂上移下一百個屍體，車中人必也難以知道，何況只移下一個屍體呢？並且車頂離窗戶不過四呎，移屍自然是很方便了。

福爾摩斯道：「這一點似可圓滿解決了。你以爲怎樣？」我道：「的確是傑作，你成功的歷史中，當推這案爲首屈一指。」福爾摩斯道：「這還不足，且再上樓一次。」

樓上共有三間房間，一間是臥室，一間是餐廳。另一間是辦公室。福爾摩斯獨注意第三間，他搜查了一會兒，卻終沒有瞧見什麼證據。他嚷著道：「這人眞是狡猾，竟沒有留下任何證物。」

他說著，忽在書桌上看見一個小方形的盒子，像是放文件用的。他立刻把盒鑿開，中間有不少的碎紙張，都寫著種種的符號，別人不能知道，但中間有一二行文字還可以辨明，寫道：『水壓』和『每平方英吋的壓力』，細玩語意，似和潛水艇的構造很有關係。福爾摩斯立刻把這兩張紙放在袋裡。接著又發現了一個信封，裡頭藏著五六張剪下的報紙。他看了許久，說道：「這是什麼東西呢？想必是他們往來的密語了，因此既沒有日期，也沒有地址。每日電訊報的廣告欄竟成了這輩鬼魅的通信處了。他們的手段竟高妙到這樣的地步！」

第一張說道：「急盼一見，事已辦就。立等回信。——派路德」

第二張寫著：「事情太複雜，非面談不可，即日可交貨。——派路德」

第三張道：「事已危急，愈快愈妙，款已備齊了嗎？——派路德」

第四張道：「星期一夜間九時，叩門二聲。務必保密，款項交現，盼覆。——派路德」

福爾摩斯道：「這案的始末，已十得八九，不過派路德是什麼樣子的人，我們還不知道。眞是糟糕。」他呆想了多時，才繼續道：「有了。現在有一個方法，我們應當立刻到每日電訊報的發行所去，或者可以探得他究竟是什麼人。如此，這案就不難圓滿解決了。」

我們兩人立刻離開那屋，往發行所去。到了發行所後，辦事人卻回答不知是什麼人，我們很沮喪。這時既已夜深，我們也無法著手，就循著原路回貝克街。

第二天我們起身時，陽光已射進屋內。早餐後，來了兩個客人，就是梅格勞甫和雷斯特拉。福爾摩斯就把昨天的事告訴他們。梅格勞甫因為事情已有些頭緒。很喜悅地說道：「你的確能幹極了，我本說這案非你辦不可。」

稍停，福爾摩斯仔細閱讀當日的每日電訊報，忽跳起身來，很快樂地叫道：「今夜兇手必定可以逮到了。」我們聽了這意外的話，都很驚訝。福爾摩斯就把報紙遞給我，只見那報上有一則廣告道：

「今天晚上，同時同地，叩門二聲。事情很急。萬勿他出。——派路德」

福爾摩斯道：「今夜八時，我們可以同到亞白史汀的住屋，專候這個人來。這案子的眞相就可完全明白了。」我三人都點頭道是。梅格勞甫和雷斯特拉就和我們握手道別，到政府中回報。

晚飯以後，我們兩人步行到克羅街車站，和梅格勞甫等會集後，就在暮色蒼茫中向花園路走去。到了門前，我的手錶正走到八點，那屋子的門鈕，已在昨天撬開，故不難進去。我們四人到了屋內，就靜坐在書房中，不發一言，等那強徒的到來。外面寂靜無聲，滿天繁星，樹上的鴟梟時發怪聲，使人聽了毛髮悚然。一個小時過去了，還不見有人前來，我四肢懶倦，幾乎要昏昏睡去。

靜坐了好久，聽見遠處的鐘聲已噹噹敲了十一下，我們都焦急得很。想到我們在這裡捕風捉影，幾乎要啞然自笑。但福爾摩斯仍凝神默坐，沒有一絲不耐的樣子。

不久，他忽抬頭傾聽，向我們道：「他來

了！」接著，聽見兩聲敲門聲，之後那個人推門進來，走上扶梯。福爾摩斯搖頭禁止我們作聲，並走到門外去等他。

稍停，忽聽見福爾摩斯的聲音說道：「從這門進去。」我們見有一個人進來，福爾摩斯跟在他的後面。那時室中只有一盞煤氣燈，燈光非常暗淡。來人張眼向四面看著，數秒鐘後發現有異，想轉身逃遁。但福爾摩斯已先迅捷地一把抓住那人的衣領，用力把他拖到室中，以背靠著門不讓他脫逃。這時那人瞠目四看，萬分驚嚇，似乎自覺他已墮入噩夢之中。我們也都靜靜地看他。

梅格洛甫先發問道：「這個人是什麼人呀？」

福爾摩斯道：「他是兵工廠總管詹姆士·瓦特的弟弟——惠爾丁上校！」

惠爾丁破聲問道：「亞白史汀到那裡去了呢？」

福爾摩斯道：「你們的秘密，已完全披露了。英國的好男兒竟會做賣國的勾當？無論如何，不能赦免你的罪。不過，這案中有一二件事情還未明瞭，假使你能夠一一供出，證明你已有悔心，或可有減輕刑罰的希望。」

惠爾丁連聲歎氣，低垂了頭，默然不發一語。

福爾摩斯道：「以前你的種種事情，還當我不知道嗎？好，我來告訴你。你近來經濟非常拮据。你配了幾個和你哥哥同樣的鑰匙，趁前天的大霧，掩入廠中的密藏室，偷取廠中的圖樣，以為奇貨可居，可賣幾個錢。至於事前同你訂約的人，不就是亞白史汀嗎？你們倆的鬼技的確令人叫絕。但柯特對於你們的行為早已懷疑，因此那夜遇到你以後，就尾隨你走。你開保險箱的一舉一動，柯特都瞧得很淸楚。那時他所以不敢聲張的緣故，必因怕傷了你哥哥的名譽。以後他又跟著你到這室中，多方向你勸說，希望你歸還文件。但你憤恨在胸，看他彷彿是眼中釘，所以就把他殺死了。」

惠爾丁忽然大叫道：「天啊！我沒有殺這少年。」

福爾摩斯道：「那麼，柯特又怎樣死的呢？並且他的屍體又何以出現在鐵軌上呢？你不妨告訴我。」

惠爾丁道：「我這十幾年窮途潦倒，生活艱難，不得已才幹下這事。至於擊殺柯特的事，完全不是我的本意，我可以向天發誓的。」

「那麼誰殺死他的呢？」

「柯特的確是懷疑我，正像你所說的一般；但他跟蹤我，我事前絲毫不知。因爲那時霧很重，不容易分辨人影，我實在沒看見。直到我到了門口，見柯特赫然站在我的後面，我很驚訝。他又多方恫喝，一定要我歸還原物。那時亞白史汀手中正執著一根鐵尺，就朝他頭上一擊，那少年立即昏去，五分鐘後，他就死了。事後，我們想了許多計畫，想找出一個善後的穩當辦法。亞白史汀先拿圖樣細看了幾十次。才向我說道：『這七張不重要，其餘的三張必須留在這裡。如果複製，則需高深的技術，現在無法立刻完成。』當時我堅持不肯，並說這原圖不立即送回的話將非常危險。亞白史汀躊躇了半晌，才道：『不妨，我有一個兩全的方法。現在將不重要的七張，放在這個人的口袋裡。屍體可等夜車經過的時候，移到車頂上面，這算是最好的方法了。等到屍體被發現，他身上的七張圖樣必被警察搜到，那麼，一切的罪惡，就都由這少年一身擔去了。』我以爲這是個萬全的計畫，就立刻答應。不久，夜車轆轆駛來，我們兩人就將屍體移到車頂上，那時夜深霧重，自認沒有任何人會看見，這齣慘怖的悲劇也就此閉幕了。」

福爾摩斯道：「那麼，你哥哥知道嗎？」

「不知道，他是個磊落的人，怎肯做這殺人越貨的勾當。但他對於我的行爲，深感懷疑，因此案發以後，就憂急而死。」

梅格勞甫道：「你假使還有一點良心，應當想怎樣才能盡忠於國，做一些贖罪的舉動才對。」

惠爾丁道：「你可知道亞白史汀現在到那裡去了呢？」「不知道。我就是要來找他的。」「你知道他的通信處嗎？」「我只知道巴黎的樂雷旅館，是他投宿的地方。」「那麼，快寫一封信去騙他回來。」

福爾摩斯說著，立即草寫了一封信，說道：「你把它抄下來。」

那信道：「亞白史汀：這事已辦妥，無人發現。你取去的三張圖樣並不完整，另有其他二張也是不可少的要圖，你快來取。星期六晚上，我在查林格洛斯旅館十三號房間等你，千萬不要失約。至於代價一層，你應再給我五百鎊。我本想親自來，只恐突然遠行，啓人疑竇，這一點你是明白的。——派路德」

福爾摩斯的計畫果然成功，後來眞的把亞白史汀騙到。最後亞白史汀被判無期徒刑，幸虧贓物都在他那裡，沒有賣給敵人，否則英國政府的損失就不堪設想了。至於惠爾丁的下場，則是在判罪的數月以後，病死在監獄中了。

一天，福爾摩斯又因爲別的事到烏爾威奇去，回來時拿著一枚綠玉領針向我向我炫耀。我問他是不是買的，他笑著說，那是一個女郎因他替他未婚夫洗清冤情，就以這領針酬謝他。這女郎是誰呢？那是很容易猜出來的。而那枚領針從今以後也將永遠做爲「潛艇圖」案的紀念了。

石橋女屍（原名 The Problem of Thor Bridge）

在查林格洛斯街的柯克司銀行保管庫有一隻鉛皮的箱子。那箱子因久經旅行，已舊破而損壞。箱面上卻漆著我的姓名——「前印度軍醫，約翰・華生醫學博士」字樣。箱中所藏差不多都是歇洛克・福爾摩斯先生從前歷次偵探的各種奇案。有些案子雖失敗，卻頗有趣味，不過既沒有最後的解釋，自然也沒有記敍的價值。因爲這種沒結果的問題，雖然也能引起研究這學問的人的興趣，但對於一般普通的讀者卻要使他們厭煩的。這些沒有結束的案子裡，有一件說到一個菲列馬先生，他回去自己的屋子裡拿傘，以後卻不見他再出來了；還有那件耶立西帆船的事也一樣的奇怪。這艘船在一個春天的早晨，駛進了一重薄霧裡，竟不見再駛出來。那艘船和船上的船員們，之後就完全沒有消息；更有第三件足以注意的案子：潘山傑是一個著名的記者和決鬥家，他呆瞧著一個火柴匣子，竟忽然發瘋，那匣子恐怕藏著一條科學界上所不知名的怪蟲。除了這幾件不可索解的案子以外，還有許多案子關係著許多人的祕密，假使發表出來不免要引起各方面的驚恐。關於這樣的事，我們當然不能喪失我們的信用而隨意刊登出來。等到我的朋友有了餘暇，少不得要把這些案子整理出來，分別燒毀。此外還有許多餘存的案子，多少還有些興味。我因恐發表太快，讀者們無法消化，影響我朋友的盛名。所以直到如今，還遲遲沒有發表。在這許多案中，有些是我親身經歷的，我可算是一個在場的證人。但有少部分是我不曾參預的事情，我只能用第三者的口氣記敍。而下面記述的這件案子，卻是我親身經歷的。

那天是十月一個風蕭蕭的早晨。當我在梳洗的時候，瞧見我們屋子前面那棵孤立的楓樹上面留著的殘葉，這時也被那一陣陣的大風捲了下來。我下樓去吃早餐時，本以爲我朋友的精神，一定也鬱鬱不樂，因爲他也像許多藝術家一般，很容易受環境的影響的。誰知出我所料，我見他早飯快要吃完，而他的樣子也非常輕鬆快樂。

我問道：「福爾摩斯，你是不是接到了一件案子？」

「華生，推斷力當眞是有傳染性的，此刻你竟然得到了刺探我祕密的本領。正是，我已接到了一件案子。那輪軸經過一個月的停滯，此刻又轉動起來了。」

「這件事我可以參與嗎？」

「你參與的機會很小。但等你吃過了那兩個煮硬了的雞蛋以後，我們不妨商量一下。這兩個蛋是我們新廚子的成績，我瞧這兩個蛋煮成硬梆梆的情形，和我昨天在家庭雜誌上讀得的一段相同。雖像煮蛋這樣的小事，也有時間上掌握的要訣，但這卻和那本優質雜誌上載著的一篇言情小說有矛盾處了。」

一刻鐘後，餐桌上的東西都已撤去，我們面對面坐著。福爾摩斯從衣袋中拿出一封信來。

他道：「你可曾聽過金礦大王賴爾・吉布森？」我道：「你說的是那個美國的參議員嗎？」

「是啊！他的確曾做過西美洲的參議員，

不過他那『金礦大王』的名號，卻更加著名。」

「我也知道的。他在英國住過一陣子，他的名氣的確很大。」

「不錯，他五年前在漢普那購置了很多的地產。你對於他妻子的慘死，大概已聽得了吧。」

「我記起來了，就是因這事在報紙上傳揚，他的姓名才那麼讓人熟悉。但那件事的來龍去脈，我卻完全不知。」

福爾摩斯朝一張椅子上的幾張報紙揮一揮手，說道：「我不知道這件事要請教我，否則，我早就把那新聞摘要預備好了。這件事情雖驚駭動人，但也並不見得難解。那罪犯的身分雖特殊，卻不足以反證，那檢驗官和警署中人，也都抱著這種想法。現在這案子已交給溫徹斯特巡迴法庭去處斷了。恐怕這是一件勞而無功的事，因我能夠發現事實，卻不能改變事實，除非有什麼新而意外的線索顯露出來，我實在不敢說我的委託人還有什麼希望。」我道：「你的委託人嗎？」「唉，我忘了，竟還沒有告訴你。華生，我現在也沾染了你的習慣，喜歡把故事倒過來講。現在你不如先瞧瞧這封信。」

我瞧他交給我的一封信，字跡非常遒健有力。那信說道：

「歇洛克・福爾摩斯先生鈞鑒：我眼見那上帝所創造出最好的一個女子趨向死路上去，實不能束手坐視，不爲她出一些力。我雖然說不出什麼，但我深信鄧白小姐是無罪的。你已知道這事件了吧！——誰還不知道呢？現在這件事差不多變成了全國的新聞，卻沒有一個人替她說一句公道話！那種種的不公，差不多要使我發狂。這女子的心地善良，即使殺一隻蒼蠅也不忍，怎麼會犯這種兇案呢？我準備明天十一點鐘到你住的地方求教，希望你能在黑暗中發現一線光明。我也許有些線索，但我自己不知道。你如果能夠救她，一切都聽先生。先生向來一直顯露著奇才異能，這一次拜託你再出一些力了。　賴爾・吉布森，十月三日，自克拉里奇旅館寄。」

福爾摩斯拍去煙斗中的灰燼，重新裝滿了煙葉，緩緩答道：「你現在明白了，我就是等這個人。至於這故事的詳情，你既沒有時間從各種報紙上去搜集，我就來告訴你一個大略吧！這個人控有經濟大權，他的性格也很粗暴。他已娶過一位妻子，就是這一次慘劇中的被害人，我並不知道她的一切，但知她的年紀已過了青春。還有那更不幸的女保姆，卻是一個美貌動人的少女，她本在吉布森家裡教育兩個孩子，這次卻被指爲嫌疑的兇手。這三個都是案中最關鍵的人物。至於這慘劇的地點，就是那一座英國的古邸。現在再說劇中的情形：那個夫人被人在深夜發現死在離屋半哩路的地方，僵臥在橋口，穿著晚禮服，肩上披著一條青巾，腦袋被子彈貫穿。她的旁邊既沒有兇器，也沒有任何的行兇跡象。華生，她附近沒有手槍，這一點你要注意！這案子似乎是在黃昏時發生的，到了夜裡十一點，被一個園丁發現。後來先經警察和醫生查驗以後，方才抬回她家裡去。我的話很簡短，

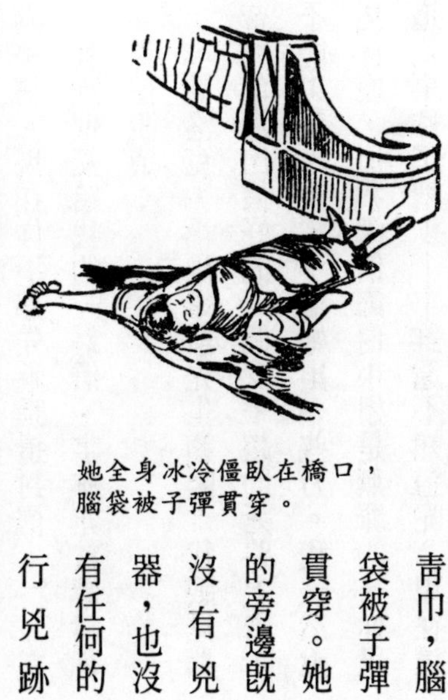
她全身冰冷僵臥在橋口，腦袋被子彈貫穿。

你聽得明白嗎？」「非常明白，但又爲什麼懷疑那保姆呢？」

「這裡面有幾個明顯的證據。在那保姆的室中，發現了一支手槍，槍裡已發過一彈，槍的口徑又和查到的那粒子彈符合。而這手槍是在她的衣櫥裡發現的。」說時，他的眼光凝定在一處，又斷斷續續地重複說道：「在——她的——衣櫥裡的——底板。」接著，他忽完全靜默，我知道他這時必已觸動了一些想法，我也不便阻擾。隔了一會兒，他又十分起勁了。

「唉，華生，這一種發現太容易了。此外還有一個有力的證據，那死者身上有一封約她在那個地方相會的短信，那短信的署名就是那個保姆，你試著想這一點該怎樣解釋？至於這兇手的目的，就因爲那個吉布森是一個很有吸引力的人，如果他的妻子死了，除了他久經垂青的那個美麗少女以外，還有那一個人有接替的資格呢？愛情、財產、權勢，一切都須等那中年的夫人死了，才有轉移的可能。華生，這些都是不容易平反的鐵證。」我答道：「福爾摩斯，這些果眞不容易平反的。」

福爾摩斯繼續道：「她不但找不出一個不在場的證人，卻反而承認那晚她曾往案發的橋去。其實這一節她也不能不據實承認，因爲那時候有幾個村人在那裡遇見她的。」我道：「那自然更沒有話說了。」

「華生，且慢，還有呢！那橋面是由一塊寬闊的石板鋪成，兩面都有石欄杆。橋的下面蘆葦叢叢，恰是一條深長河流最狹窄的一部分，那就是著名的雷神湖。那婦人就死在橋口，這些就是案中的重要事實。唉，我如果沒有猜錯，我們的委託人已提早到了。」

弼雷開門進來，通報那來客的名字。竟讓我們有不小的意外，那人叫做貝智，我們倆都不相識。他的身體瘦小，眼睛露著駭光，舉止也瑟縮不寧。照我醫學家的眼光看來，他的精神差不多立刻要崩潰了。

福爾摩斯說道：「貝智先生，你似乎很驚慌。請坐，我恐怕沒有多少時間可以和你談話，因爲我在十一點鐘有一個約會。」

那來客咻咻的喘著，上氣不接下氣地說道：「我知道你有約的。吉森先生就要來了。福爾摩斯先生，他是我的雇主，我替他執管產業的。福爾摩斯先生，他實在是一個一個卑賤的惡徒。」

福爾摩斯道：「貝智先生，你的話太重了。」

「福爾摩斯先生，須知時間很有限，我的話不能不說得有力些。我不願意在這裡見到他，他此刻想必已動身了。但我爲著事務的羈絆，不能更早些來。他的祕書富格生直到今天早晨，才告訴我他要到這裡來見你。」「那麼，你是他的財產經理人嗎？」

「我已知照過他，兩星期後，我就要離職了。福爾摩斯先生，他是一個硬心腸的人，無論對待什麼人都很苛刻。那些表面上的慈善事業，只是用來遮掩他品德上的劣跡。他的妻子更是一個受害人。唉，先生，他待她多麼殘暴啊！她如何死的，我雖不知，但我確信她在他的虐待之下，實在十分苦惱。她本是熱帶地方的巴西人，你想必已知道了。」福爾摩斯道：「不，這我倒不知。」

「她在熱帶出生，故有熱帶人性情。她憑著熱烈的愛情，一直很愛她的丈夫。她的姿色本來很出衆的，可是上了年紀，美貌既已減失，就再不能討好她的丈夫了。我們都很愛她，見她被她丈夫虐待，都甚表同情，並且因此很恨他。但他是十二分狡惡的，我們也無可奈何。我要對你說的話全說完了。請你不要單瞧他的外貌，那外貌後面，還有許多足以注意的地方哩。你不要留住我，他即刻就要來了。」

那客人說完,向鐘瞧了一瞧,便匆匆出去。

我們沈默了一會，福爾摩斯說道：「好！好！吉布森的家中竟有一個這樣忠誠的人物。這種忠告也很有用處,我們等他來了再說吧。」

到了約定的十一點鐘，我們果眞聽得樓梯上的腳步聲響，那個著名的富翁，被我們的僕人弼雷引進室來。我一瞧他的模樣，便立刻瞭解他的經理人的憎恨和恐懼，也明白那些商業上敵手們的咀咒原因。如果我是個雕刻家，想雕一個鋼鐵意志、鐵石心腸的人，那我就會揀選吉布森先生做模特兒了。他的身材高而瘦，表示他貪婪而粗暴。他的外表很像亞伯拉罕・林肯，不過他是卑陋的，並不像林肯那麼的高貴，這就可想像他是一個怎樣的人物。他的面孔好像是由青石鑿成的，嚴苛而冷酷，臉上還有許多皺紋和疤痕，他冷靜而灰色的眼珠在濃眉下閃著很狡猾的目光，瞧著我們二人。他聽完福爾摩斯把我的名字向他介紹後，便很冷淡地鞠了一個躬。接著就昂昂然移過一把椅子，坐在我朋友的面前，四肢幾乎相觸。

他開始道：「福爾摩斯，我告訴你。這件案子的費用，我是不計較的。你如果可以藉著鈔票引起光明，發現這事的眞相，那我也會把儘有的紙幣供你燃燒。這個女子實在沒罪，你必須爲她洗刷罪名，這就是你應幹的事，現在你說吧。你要多少呢？」

福爾摩斯冷然答道：「我職務的收費是有

規定的。除了有些案子完全免費以外，並不分什麼高下。」

吉布森道：「很好，你如果不計較金錢，也應當顧惜你的名譽？假使你能夠辦好了這一件案子，那英國和美國的報紙，不消說都要讚美你。那時你的名字勢必要變成兩大洲的談話焦點哩。」

「吉布森先生，謝謝你。但我想我並不需要人家的崇仰。我做這種職業，一則因我喜歡這項工作，一則案子的本身也足以吸引我。這話你是不是覺得奇怪？其實這些話徒費光陰，讓我們講正事吧。」

「我想這件事在各種報紙上，都佔非常大的版面。我不知道還應增加些什麼。但你如果有什麼要問的，我也預備好回答你。」「很好，只有一點。」「那一點？」「就是你和鄧白小姐，究竟有什麼樣的關係？」

那金礦大王陡地一震，他的身子忽從椅子上跳起了一半，接著又回復了鎮靜。

他道：「福爾摩斯先生，我想你這樣的問題，大概就是盡你的責任吧？」福爾摩斯道：「我們姑且假設如此。」

吉布森道：「那麼，我老實告訴你。我們的關係，只有一種雇主對於年輕女保姆的關係。除了她和兩個孩子在一塊兒的時候，我偶然見她，平時絕不相見，也不講話。」

福爾摩斯從椅子上站起身來，道：「吉布森先生，我也算是一個忙人，沒有工夫和你談這種無目的的話。再會。」

那來客也同樣站起身，他瘦長的身子俯看著福爾摩斯，同時他的濃眉下面射出兩道怒光，淡黃的頰上也泛出紅赤的顏色。

他厲聲道：「福爾摩斯先生，你這話什麼意思？你在拒絕這件案子嗎？」

「是啊，吉布森先生，我拒絕你。我想我的話已說得很明白了。」

「明白得很。但這話後面還藏著什麼意思呢？你要加價？或是怕事？或還有什麼呢？我也應得到一個明白的理由。」

福爾摩斯道：「好，那是你的權利。我給你一個答案吧！這件案子就算沒有報告不實的困難，也已複雜不容易著手了。」「你是認為我在撒謊？」「我本想把我的意思說得委婉些。但你既自願用這兩個字，我也不反對。」

這時我不由得站起身來。因見那富豪的臉上，忽然顯出一種可怕的神色，舉起他的拳頭好像要動手的樣子。

福爾摩斯仍淡然微笑著，伸手往桌子上取他的煙斗。

「吉布森先生，請不要這樣。我認為早餐後稍微地爭論，是合宜的。不過，你若在早晨的空氣中散個步，再靜靜地思索一下，那對你更是有益處的。」

那富豪的臉上忽然顯出一種可怕的神色，舉起拳頭好像要動武的樣子。

那金礦大王竭力忍住了他的怒氣，令我十分佩服。因為他在盛怒之下，一剎那間，忽又變成了冷靜的狀態，的確是不容易的。

他道：「好，隨你吧！我想你總知道怎樣盡你的職務的。我不能勉強你辦這件案子。福爾摩斯先生，你今天早晨的態度，實在對你沒有什麼益處。須知我曾經克勝過比你更強的人，也沒有人敢觸犯我。如果犯我，也決沒人能夠從我手裡得到便宜的。」

福爾摩斯微笑答道：「有好多人曾對我說過這樣的話。可是我仍好好地在這裡——好了，吉布森先生，早安，你還需好好的受些教訓呢！」

那來客出去以後，福爾摩斯靜默的吸著煙。他惺忪的倦眼凝注在灰塵上面。

最後，他問道：「華生，你有什麼意見嗎？」我道：「福爾摩斯，我承認我認爲他是一個意志堅強而不怕阻力的人。又想起貝智的話，他的夫人也許就是他的計畫中的一個阻力，我覺得……」「是啊，我也這樣想。」

「但他和他的保姆關係不尋常，你是怎麼發現的呢？」

「華生，這是我的假設罷了。因我想起了他那封懇摯而略失常態的信，與他那種傲慢自大的態度恰正相反。這就可見他的深切關心，只集中在那個受嫌疑的女子身上，並不在他被害的妻子。所以我們如果要尋求眞相，不能不知道他們三個人的眞正關係。你已見我方才怎樣突然的進攻，他又怎樣的忍受，接著，我又試他一試，使他覺得我已確知這裡面的眞相，其實我只是懷疑罷了。」「他還會回來嗎？」

福爾摩斯道：「他當然要回來的。他一定會回來。他決不會就此放手。哈！這不是門鈴響聲嗎？正是，這是他的腳步聲。吉布森先生，你好呀！我正和華生醫生說起你的舉動似乎太急躁。」

吉布森重新回到室來，他的態度比出去時

溫和得多。他受創的自尊仍舊隱藏在他含恨的眼睛裡面，但他的理智已告訴他，如果要完成他的目的，便不能不暫時屈服。

「福爾摩斯先生，我已把這件事想過了。我自覺太急躁，因而誤會你。你要明白案子中的實情，原也沒錯，但我老實告訴你，我和鄧白小姐的關係和這案子實在沒有關係的。」「是否有關也應當由我來判斷。你以爲對嗎？」

「不錯，我想我也應當贊成你的見解。你眞像一個醫生，必須明白了一切症狀，才肯下診斷。」

「是啊，這比喻很恰當的，你若把案中的事實藏隱，就像一個病人欺騙他的醫生。」

「福爾摩斯先生，這或者如此。但你也應承認，大多數男人對於與女人的關係，如果被人直接問起，都會有些兒羞澀難答的。我以爲多數人的靈魂深處，都有一間小小的密室，不許任何人闖入，但你卻突然的破門而入。但爲了營救她的緣故，我不能不寬恕你。現在這祕室的門完全開放，任你探求索取。你要什麼呢？」

「我要事實的眞相。」

吉布森靜止了一會兒，彷彿在整理思緒。但他的臉色卻越發愁鬱莊肅了。

最後，他說道：「福爾摩斯先生，我可以用幾句極簡單的話告訴你。因爲這裡面有幾件事，不但難於啓口，說起了也很慘痛。故而除了必要以外，我不願意深談。當年我在巴西採金礦的時候，和我的妻子相遇，她是馬諾斯官員的女兒，名叫瑪麗．賓特，長得非常美麗，那時，我年輕力壯，當然是很熱情的。其實即使此刻用冷靜的眼光回想從前，也覺得她綽約的手姿，確可以算得超絕一時。她天性忠厚，又很熱情，那種熱帶女子的專情，和我所歷來遇見的美國女子截然不同。現在我簡短說，那時我愛上了她，就和她結婚。可是我們的浪漫生活只過了幾年，漸漸我覺得我和她之間沒有交集。於是我的愛情衰退了，如果她的愛情一樣有衰退的現象，那就很容易解決。但你總知道女子的性情往往很古怪的，無論用什麼方法待她，總不能使她離開我。有時我待她很粗暴——有些人說我兇殘——希望藉此斬斷她對我的愛，或讓她因此恨我，以便解決我們的難題。但她總甘心忍受，無論怎樣都不能改變她。她在英國的深林中愛我的程度，和二十年前在亞馬遜河岸對我感情，完全沒有兩樣。總而言之，無論我怎樣待她，她卻始終愛我。後來鄧白憑著我們的廣告，來做我家兩個孩子的保姆。你也許在報紙中見過她的照片，全世界人都承認她是一個美女。現在我不要假裝什麼，有這樣一個女子，同居在一個屋中，朝夕相見，實在不由的不對她發生愛情，福爾摩斯先生，你可要因此責備我嗎？」

福爾摩斯道：「我不責備你有這種愛的感受，但你如果把這種情感表示出來，那卻不能饒你。須知在這一位女子的心中，還以為你保護著她呢。」

那富豪眼中久熄的怒光，這時又閃了一閃，緩緩答道：「你的話也許沒錯，但我不喜歡裝假作偽。我生平作事，心中想要什麼，便即伸手去取。故而老實說一句，我實在愛著這個女子，並且很想得到她。我也曾對她這樣說過。」

「唉，你對她說過嗎？」福爾摩斯感情衝

動的時候，樣子也是很可怕的。

吉布森答道：「我對她說，我如果能力所及，一定會娶她，可惜事實上辦不到。我還說我對於金錢是不在意的，只要能使她安樂和快適，什麼我都能辦到。」

福爾摩斯嗤鼻道：「這只是你的慷慨。」

吉布森道：「福爾摩斯先生，你須知我到這裡來是要請你討論案子的證據，不是要研究道德問題。我並不需要你的批評啊！」

福爾摩斯莊容答道：「我是爲了那位年輕的女子，才接辦這件案子。我覺得她被人懷疑，還遠不及你剛才所說的一番話可悲，因爲你自己已承認，你本想欺凌一個在你權力下而沒有自衛力的女子，像你們這樣的富人，應該好好地受一番教訓。須知全世界的人，決不會因著你們的賄賂而寬恕你們的罪惡。」那金礦大王聽了這話，神態仍很安閒，這是很使我詫異的。

他道：「我此刻也想到這一節了。謝謝上帝，幸虧我的計劃當時沒有成功。因爲她並不同意，並想要立刻離開我的屋子。」

福爾摩斯道：「那麼，她爲什麼不走呢？」

「第一層，有許多人靠她生活，她如果犧牲了她的工作，那些人勢必不能生存，她也當然不忍。第二，我向她發誓，以後決不再向她纏擾。她因此就答應留下來了。此外還有一個理由，她知道自己有股力量足以控制我。這力量之大，比世界上任何的力量都厲害，她很會利用這種潛力，幫我做些好事。」

「怎樣利用呢？」

「她對於我的事情都知道的，福爾摩斯先生，我的事業很大，說出來尋常人不相信。我的能力足以建設，也足以破壞，但大半總偏於破壞的。我不但能破壞個人，也能破壞團體、城市，有時也能讓一個國家因我一人而發生影響。商業本就是一種困難的競爭，懦弱的人當然要失敗的。我覺得這玩意兒有趣，便盡力去做，既不管自己的失敗，也不顧他人的痛苦。但她的觀念和我不同，我想她是對的。她認爲一個人在自己的需要以外，不能在那一萬人的頭上，搜括身外的財產，做自己一人享用，而讓那一萬人不能生活。這是她的見解，她的眼中除了金錢以外，更有別的原則。她覺得我還肯聽從她，就深信她若能影響我的舉動趨於正軌，未嘗不是一種替世界服務的方法。因此之故，她就留在我的屋中。不料那慘禍竟突然發生了。」

福爾摩斯道：「你對這件事可有什麼見解？」

那金礦大王用兩手托住了頭，低垂著好一會兒。似極力在那裡深思。

他道：「她的處境當然很危險。我也不諱言，凡是有智計的女子做起事來，也往往出人意外，這原不足爲奇。起初接到消息，我竟也以爲她當眞做了這種違反她本性的事情。當時我腦中有一種想法，我現在告訴你。我的妻子是一個善妒的婦人，精神的嫉妒和肉體的嫉妒是一樣厲害的。我妻子對於鄧白小姐，雖沒有任何的理由可以生妒，但她淸楚知道那英國女子在我身上有一種魔力，足以駕馭我的思想，而她卻始終不曾有過——這就是惟一的致妒之源。其實那潛力的作用本希望我好，但她沒有顧到這層。她含恨在心，差不多要發狂，那妒火竟充滿了她來自亞馬遜河畔的血液。她似曾設計要謀殺鄧白小姐——或者我們應說有這種可能——她本要用槍把鄧白小姐嚇走，但偶一不慎，槍機忽而觸動，反而打死了執槍的人。」

福爾摩斯道：「這種假設，我早想到了。除了故意謀殺以外，這就是惟一的可能。」

吉布森道：「但鄧白小姐卻完全否認這一種解說。」

福爾摩斯道：「雖然如此，也不能當作是定案的證據。須知一個女子在這種驚恐的情形中也許拿了手槍，急急回到屋裡，接著就將手槍隨手丟在她的衣櫥裡面。其實她自己也並不知道當時的舉動怎樣，直到後來那槍被人發現，她既沒有方法辯護，自然也就矢口否認了。你想，這一種假設可有什麼不合邏輯？」

「鄧白小姐的個性是和這假設牴觸的。因她實不是這樣臨變失措的女子。」

「也許如此。」福爾摩斯說著，瞧了一瞧錶，又道：「我想今天早晨，我們還能夠得到需要的許可證，晚上就可以到溫徹司特。等我們見了那位少女以後，雖不能保證你一定可以得到像你所期望的結果，但一定可以使你有點幫助。」

因爲領取許可證的手續略有些延擱，故而當日來不及往溫徹司特，第二天，我們就先到漢普郡吉布森先生屋裡。吉布森並不和我們同行，而我們也早已得到了當地警長高文德的地址。他是最先偵辦這案子的人，身材瘦長，臉色灰白，舉止態度很神祕，似乎表示他所知道或懷疑而不敢說出來的事情很多。他還有一種習慣，喜歡說話時突然把聲音低沈下來，好似他已說到了什麼要點，其實原也是很平常的話。除了這幾種怪僻態度以外，他卻是一個和婉而誠實的人。他老實承認，他對於這事已智盡才絕，很高興得到人家的助力。

他道：「福爾摩斯先生，看到你比看到蘇格蘭警場的人更高興。假使蘇格蘭警場派了人來，等到案子結束，當地的警察非但得不到功勞，卻反而有失敗的責備。但我聽得您歷來辦事，卻是非常公道的。」

福爾摩斯特地安慰道：「我實在不需要在這案子裡搶功。如果我能把這案子料理清楚，我決不會讓我的名字牽涉在內。」

「唉，這也足見得你的度量。我知道你的朋友華生醫生，也很靠得住的。福爾摩斯先生，現在我們一同往那邊走去。我有一個問題要問你，這話除了你以外，我還不敢向別人說。」說著，向四周瞧了一瞧，似乎仍不敢輕易開口。最後，才低聲道：「你想這案子裡的那位吉布森先生，可也有嫌疑？」福爾摩斯道：「這個人也在我的考量之中。」

高文德道：「你沒有見過鄧白小姐哩。她是一個特殊的女子，處處都覺得可愛，吉布森爲了她的緣故，便想除掉他的障礙物——妻子。須知那些美國人動不動便喜歡用槍，和我們不同，因爲那手槍就是他的。」「那是吉布森的手槍嗎？這話可確實？」「確實的。我們已經查明，他有同樣的手槍一對，這就是一對中的一把。」「一對中的一把嗎？還有一把在那裡呢？」「這位先生有不少的槍械。我們雖然尋不出那配對的另一把，但那隻盛槍的匣子，絕對是預備置放兩把的。」

福爾摩斯道：「假使那手槍果真是一對中的一把。那你一定可以找得出那配對的另一把的。」

「話是沒錯，我們已把槍械陳列在屋子裡，

你自己去瞧吧！」

「等一會兒我或者要去瞧的，此刻我們先到案發的現場去瞧瞧再說。」

上面一節的談話，是在警察長高文德小屋前說的。這一所小屋也就算是村中的警察局。從那裡走去約半哩路距離，經過了一片草地，那裡有許多垂萎的鳳尾草，都泛著金黃色，走過草地，便到了吉布森家的側門。門裡有條小徑，通過了一片林地，便見小山頂上，有一間都鐸王朝和喬治王朝混合風格的半木造屋子。在我們的旁邊，有一條深長的河流，河流的中間架一座石橋，橋面上是車馬的通道。我們的嚮導停在橋口，伸手指著橋上，說道：「那就是吉布森太太屍體僵臥的地方，我特地以那塊石子做記號的。」

福爾摩斯道：「我聽說屍體沒有移去以前，你已到這裡。是嗎？」

「正是，他們發現後，立即來通知我。」「誰來通知你的？」「就是吉布森先生自己差人來的。當他夫人慘死的驚耗傳佈時，他和其他人慌忙從屋裡出來，到了這裡，他就一面打發人叫我，一面吩咐在警察未到以前，一切不許移動。」「這麼做果然很有常識的。我從報紙上得知，開槍的位置距離很近。」「正是，先生，近得很。」「那彈子可是打在右太陽穴的附近？」「恰在右太陽

「那就是吉布森太太屍體僵臥的地方」

穴的後面。」「屍體的樣子是如何？」

高文德道：「先生，她是仰面躺著的，既沒有掙扎的痕跡，也沒有腳印和兇器。但那張鄧白小姐給她的字條，卻緊緊揑在手裡。」「你說她緊緊揑在手裡？」「是啊！我們竟扳不開她的手指。」

福爾摩斯道：「這是十分重要的。因爲這樣一來，我們可斷定那字條不是有人在她死後，故意放在她身上的假證據。唉！我記得那張字條也很簡短，說道：『晚上九點鐘，雷神橋見。——鄧白』是嗎？」「正是，先生。」「鄧白小姐可承認是她寫的？」「承認。」「她有任何辯白嗎？」

高文德道：「她只等待巡迴法庭裁判，目前完全沒有辯白的話。」

福爾摩斯道：「這件案子當眞是很有意思。不過關於『字條』一點，很值得探討。你以爲如何？」

高文德疑遲道：「據我個人的意見，我敢放膽說一句，這字條是全案中最顯明的一點證據。」

福爾摩斯搖頭答道：「我卻不以爲然。假設這字條是眞的，那一定是在事前接到的，至少總是在一兩個鐘點以前。既然如此，吉布森太太爲什麼還要把那字條揑在手裡呢？她爲什麼這樣謹愼地帶在身邊呢？論情，他們會面的時候，當然不必再用那字條作證。這不是有些奇怪嗎？」

「先生，你這樣說也沒錯。」

「我想我得在這裡略坐一坐，讓我靜靜的思考一下。」福爾摩斯說著，就在橋的石欄杆上坐下。我見他的灰色的眼珠，向四下不住的亂瞧。忽而他跳起身來，奔到對面的欄旁，從衣袋中拿出放大鏡，抹拭了一下，便在那欄杆上仔細的察驗。喃喃自語道：「很奇怪。」

高文德接口道：「正是，先生，這個斷裂痕跡，我們已見過了。我認爲是什麼過路人留下來的。」

那橋欄石本是灰色，但那斷裂的地方露出新的白色，約比一個便士銅幣大些。仔細察觀，便可發現那缺口一定是受到重大的創擊而造成的。

福爾摩斯尋思道：「弄出這一個缺口，須用些氣力呢。」說時他舉起手杖，用力在石欄上擊了幾下，一點也沒有留下痕跡。又道：「這當眞是一個重擊，並且這個位置也很奇怪。這不是從上面敲擊的，你瞧，那痕跡恰在石欄下面的邊上，便可知是從下面打上去的。」

「先生，這裡的石板很硬，沒有任何足跡。」

你不是說地上沒有腳印嗎？」

福爾摩斯道：「沒錯，這裡離屍體確有十五呎，或許它和案子沒有關係，但也是值得注意的一點。我想這裡沒有什麼可以研究的了。」

高文德道：「但這地方和那屍體躺著的地方，至少有十五呎距離。」

他舉起手杖，用力在石欄上擊了幾下，一點也沒有留下痕跡。

「那麼，我們走吧。先到屋裡去瞧瞧你說的許多兵器，然後再動身往溫徹司特去。因爲我在著手進行以前，要先見見鄧白小姐。」

我們到屋子裡時，吉布森先生還沒有從倫敦回來。但那一天早晨來見我們的那個患精神病似的貝智先生卻在屋裡。他們帶著一種鬼鬼崇崇的神情，引導我們瞧各式各樣的兵器，這都是他的主人在冒險生活的歷程中收集而來的。

貝智先生說道：「吉布森先生有不少仇敵，凡認識他和知道他行事的人都知道的。每晚睡時，他總會在床前面的抽屜放一把實彈的手槍。他是一個粗暴的人，我們都很怕他。我確信那位可憐的夫人，刻刻都畏怕他的。」

福爾摩斯道：「你曾見他對她動武嗎？」

「不，這話我不敢說。但我親耳聽見他說過比毆打更難堪的冷嘲熱諷的話。有時竟當著僕人的面直斥，毫不迴避。」

我們從屋子裡出來，朝火車站走去時，福爾摩斯向我道：

「我們從各方面觀察，可見這位富豪的品德實在很差。華生，現在我們已得到了不少線索，有幾件還是新發現的，但我覺得離解決的時機還遠。這位貝智先生對於他的雇主，雖然很顯明地表示不滿和厭惡，但我從他嘴裡得到了幾種要證。他說當驚耗傳來的時候，吉布森恰在自己的書房裡。八點半時，晚膳剛完畢，到那時爲止一切都沒有變。屍體被發現雖然是在半夜，但字條上卻已寫明發生時間。至於吉布森本人，在那天五點鐘從倫敦回來以後，並沒有再出過門的證據。此外鄧白小姐雖承認她曾往雷神橋上去赴吉布森太太的約會，可是除此之外，再不肯說什麼。她的律師也教她把她的辯白理由，暫時保存。此刻我們有許多重要的問題，要請這位少女答覆，我在沒有見她以前，實在心思不能安寧。老實說，這件案子如果不是有那一件事,她的前途眞非常黑暗呢！」

我急問道：「福爾摩斯，一件什麼事呀？」「就是在她衣櫥中發現手槍的那件事。」

我驚呼道：「哎喲，福爾摩斯！我以爲這是最不利於她的一個鐵證。你怎麼反存希望呢？」

福爾摩斯道：「華生，你誤會了。當我讀報的時候，已覺得這一層非常奇怪。現在我和這案子既更加接近，我這唯一的希望自然也更覺深切。須知我們探案，應當注意情理和事實合符與否。如果覺得有牽強，那就不能不抱懷疑態度了。」

我道：「我不明白你的意思。」

「好，你先把自己當做是一個女子。而你是態度冷靜而有成算的人，這時你準備除掉你的仇敵，你計劃好了，寫了一張字條。你的敵人果然依約而來。你帶了自己的手槍，實行了你的殺人計劃，事情做得非常周密而乾淨。你告訴我，如果你幹了這樣一件狡猾的案子，會忘記將手槍丟在蘆葦叢裡，反而帶回去藏在那最容易被人發現的衣櫥裡面，好似要招認自己就是殺人兇手嗎？華生，你的朋友們雖然不會把你稱做一個善於機謀的人，但我相信你也不會做出這樣愚蠢的事來。」

我道：「但在心慌意亂的時候……」

「不，不，華生，我決不認爲這是可能的。如果有人要犯一件案子，事前既然一步步計畫周密，那麼，避罪的方法自然也會預先籌劃好。

所以我敢說你的見解實在是錯誤的。」

「所以，這裡面到底還須解說一番才能明白。」

「不錯，我們此刻就是要搜集此案的線索。等到你的見解改變以後，你就也會承認這最不利於鄧白小姐的一點，卻就是揭破眞相的惟一線索。譬如這一把手槍，鄧白小姐聲言毫不知情，照我們新的理解，應當承認她的話是眞的——可知那手槍是別人放在她的衣櫥中的。這放槍的人是誰呢？那不消說是有人要嫁罪給她了。那個人一定就是眞兇？這樣想來，我們不是已走進一條較有希望的路了？」

那晚由於公事手續沒有完備，就在溫徹司特過夜。第二天早晨，我們見了替鄧白小姐辯護的律師克明斯先生，才一塊兒到監獄去見那位被拘禁少女。我聽各方面的傳說，早知道鄧白小姐是一個美麗的女子，但見面以後，覺得她另有一種動人的魅力，竟使我久久不能忘懷。難怪那位倔強的富翁，也承認她有一種比他更強的力量，足以駕馭和引導他。無論誰，一見她那整齊有力而善感的臉龐，便會認定她也有幹出可怖事情的可能，但她那一種天賦的高貴品性，確足以導人於善。她的頭髮微微帶些棕色，身材高眺，似有發令指揮的神氣。然而那時候她黑色的眼珠，卻露出失敗求助的神色。好似一隻被獵的野獸，困縛在羅網之中沒有方法可以脫身。她見到我的朋友，並知道他是去救助她的之後，那慘沮的頰上，便泛出一絲微紅，眼神中也頓時露出希望來。

她開口道：「我想吉布森先生已把我們之間的事情告訴你了吧！」

福爾摩斯答道：「正是，此刻你不必把故

事從頭說起。我現在一見了你，已承認吉布森先生所說的，你在他身上有一種駕馭的能力，與你和他的關係純潔與否無關，的確不是虛話。但你在法堂上受審的時候，為什麼不據情實供呢？」

鄧白小姐道：「我起先以為我所蒙的嫌疑，決不會成立，若能耐心等待，自然會水落石出，不必把我們牽涉進去，也不需要把家庭的內幕情形宣布出來。誰知這一種方式非但不能解決，反而把事情越弄越糟了。」

福爾摩斯很誠懇的說道：「我的女士，我請你不要再抱這種幻想。據克明斯先生說，各方面的情形，都對我們不利，如果我們希望把這一件案子平反過來，不能不盡全力。若說你此刻還不算十二分危險，那實在是一種欺人之談了。現在請你盡你能力所及地幫助我，以便我可以探究眞相。」「我答應你，決不隱瞞什麼。」

「那麼請先將你和吉布森太太的實在關係告訴我們。」

「福爾摩斯先生，她很恨我，差不多把熱帶女子所有的暴烈怨恨性情，完全發洩在我身上。她是一個個性非常極端的婦人。她愛她丈夫有多深，也就是恨我有多深。這也許是因她誤會了我們之間的關係。我不願意說她的壞話，但她對『愛』的觀念，只有肉體，卻不知道她丈夫和我，只有一種精神和性靈的維繫，更想不到我所以留在他的屋裡，只有一個導他向善的願望。此刻我明白我這種想法是錯誤的。我留在他家裡，人家必以為我是他們不睦的源頭，決沒有人會原諒我。其實我敢深信即使我離開他家，那種不歡的狀態還是一樣的。」

福爾摩斯道：「鄧白小姐，現在把那天晚

上的事情說出來吧。」

「福爾摩斯先生，我只能盡我所知的告訴你，但我的處境實不能證明什麼。並且有幾個要點，我也解釋不出。」

福爾摩斯道：「你如果能把事實說明，別人也許會爲你解釋的。」

鄧白小姐道：「那麼，好。那天晚上，我往雷神橋去，是因早晨接得了吉布森太太的一張字條——想必是她親自留在孩子們讀書室的桌上。字條上寫著，約我在晚飯後會面，說有要事和我相談，並請我將回信放在園中的日規上面，以便不教別人知道。我雖不知道爲什麼要這樣祕密，但仍依言接受她的邀約。她信中還叫我將她寫的那張字條焚毀，故而我隨手將那信丟在壁爐中燒掉。她素來怕她丈夫的，我也因他待她冷酷，常規勸和申斥他。所以，當時我以爲她的舉動所以如此神祕，是不願她丈夫知道我們約會的緣故。」

福爾摩斯道：「她既要保祕而不落痕跡，怎麼又把你的回信很謹慎保存著呢？」

「這眞的是出我意外的。我聽說她臨死時還把我的信揑在手裡，那眞是奇怪。」「好！以後怎麼樣呢？」

鄧白小姐道：「我照著約定去赴約，到橋邊的時候，吉布森太太已在那裡等我。我起先還不知道，直到那時才知道她是萬分恨我。她眞像一個瘋婆。我想那時她當眞瘋了，心中蓄著一團不可思議的懷疑，那也是瘋人們常有的特徵。她心中既如此恨我，怎麼能再以冷靜的態度天天和我相見呢？那時她向我說些什麼，我此刻不必細說，她滿嘴都是些激烈可怕的辱罵，使我不能回答。我實在怕見她的面，所以以手掩住耳朵急忙逃開。當我和她分離的時候，她仍站在橋頭，不停地向我咒罵。」

她滿嘴都是激烈可怕的辱罵，我實在怕見她的面，所以以手掩住耳朵急忙逃開。

福爾摩斯問道：「她站的地方，可就是後來發現她屍體的那個地方？」「還相距幾碼。」

「那麼，我們假使假定她在你離開後立刻就死，你沒有聽見槍聲嗎？」

「沒有，我一點也沒有聽見。福爾摩斯先生，我那時受了一番辱罵，精神上驚亂不定。所以匆匆逃回我自己的房間，完全沒有顧到其他的情形。」

「你說你直接回到你自己房間去，但回房以後，直到第二天早晨之間，你可曾又出房過？」

「有的。等到那驚耗傳來，說那可憐的婦人已死，我就跟著別人一同出來。」

「那時你可曾見到吉布森先生？」

「見過的。他從橋頭回來以後我們才有見面，那時他已打發人去請醫生和通知警察了。」

「當時他可有驚慌無措的神情？」鄧白道：「吉布森先生是一個勇敢而有定力的人，他心中的情緒怎樣，決不會在他的臉上流露出來。但我是深悉他的脾氣的，當時也見他有一種鬱鬱不樂的樣子。」

福爾摩斯道：「那麼，我們此刻來討論最重要的一點。這把手槍是在你房間發現的。你之前可曾見過？」「從沒有見過，我敢發誓。」「這東西什麼時候發現的呢？」「第二天早晨被警察們搜出來的。」「在你衣服中搜到的？」「正是，在我衣櫥的底板下面發現的。」「你可知道這東西留在你的衣櫥中有多久？」「我只知道前一天早晨，那東西還不在裡面。」「你怎麼知道的？」「因那天我曾把那衣櫥整理過一次。」

福爾摩斯點頭道：「這樣看來，一定有什麼人走進你的臥室，悄悄將手槍放在櫃子裡，以便嫁罪給你。」鄧白小姐道：「可能如此。」「你想是在什麼時候偷放進去的呢？」「總在吃飯的當兒，否則必趁我在讀書室中和孩子們一塊兒的時候偷放進去的。」「你說你在讀書室中的時候才拿到吉布森太太的那張字條。是嗎？」「是，我得到字條以後，一直在書室中授課。」「鄧白小姐，謝謝你。此外可還有什麼可以助我偵索的？」「我想沒有了。」

福爾摩斯道：「那橋欄杆上有一個新的裂開痕跡，彷彿有什麼人動手敲打過的。這一點你可有什麼解釋？」鄧白小姐道：「那或許是偶然的巧合罷了。」

「鄧白小姐，我卻認為很奇怪。你想那裂痕怎麼會就在慘劇發生的地方，並且時候也相當呢？」

「但你想這是怎樣留下來的呢？我想這樣堅硬的石欄，除非有重大的打擊，否則是不會留下痕跡的。」

福爾摩斯不再回答。我見他灰白懇切的臉上，忽顯出凝神專注的樣子，分明他又在那邊運用他的腦筋了。我們知道他這時正構思出神，都不敢出聲驚擾。於是那律師、嫌犯和我三人，都靜悄悄的等他。一會兒，忽見他從椅子上跳起來。他高呼道：「華生！來！來！」

鄧白小姐驚問道：「福爾摩斯先生，什麼事呀？」

福爾摩斯高呼道：「我憑著上帝的助力，或可替一件驚動全英國的案子翻案。」

福爾摩斯道：「我親愛的女士，你姑且別問。克明斯先生，你等我的消息。我憑著上帝公平的助力，或可以替一件驚動全英國的案子翻案。鄧白小姐，明天你一定可以得到消息！此刻請你接受我的保證，這層層的黑雲已舒展開來，眞實的光明，不久便可以照出來了。」

從溫徹司特到吉布森家的距離並不遠。但由於我心中的不耐，便覺得那路程很遠。福爾摩斯似乎更覺得急躁不安。他彷彿上了一條沒有盡頭的長路，在火車中不時起立蹀著，或用手指在坐墊上輕彈作聲，似乎他已不能克制他的情緒。

我們本包一間頭等車廂。等我們快到目的地時，他忽的把他兩隻手按在我的膝上，用一種奇怪而含詐意的眼神向我瞧著。

他道：「華生，我知道每逢我們出外的時候，你總會把手槍帶在身邊的。」

這是眞的，我這麼做對於我的朋友也不無小補。因爲他有時對一件案子十分專心，往往就把本身的安危置在腦後，所以好幾次我總帶著一把手槍，以備不時的應用。這時我舊話重提，把我的想法向他說了。

他道：「沒錯，沒錯，我對於這種事往往不注意。但此刻你身上可也帶著手槍嗎？」

我就從衣袋中取出一把短小玲瓏的手槍。他將槍接過，打開保險扣，把彈子倒出來，很仔細的察驗，說道：「這東西怪重呢！」我答道：「正是，這是實心的。」

他呆瞧了一分鐘，又抬起頭來說道：「華生，我相信你這一把手槍，將要和我們所偵探的疑案產生極密切的關係。」

「我親愛的福爾摩斯，你在說笑話了。」

「不，華生，我說的話是認眞的。我們將要做一個試驗。這試驗如果成功，一切都可以解決，並且這試驗最重要的就靠這一把小小的手槍。我們把一粒彈子取出，其餘的五粒仍舊裝好，再扣上保險。唉，這樣一來，重量又加增了，和那案子的手槍就更相像了。」

我不知道他究竟有什麼想法，他也不對我說明，只靜坐著深思，就這樣直到漢普郡小車站。我們下車後，雇了一部破舊的馬車，約一刻鐘時間，就到了警察局長高文德家門前。

高文德問道：「福爾摩斯先生，你得到線索了是嗎？什麼線索？」

福爾摩斯答道：「正是，這個線索，將在華生醫生的這把手槍上發現。朋友，你現在可以給我一條十碼長的麻線嗎？」

那警長到村店裡去取得了一團堅粗的麻線。

福爾摩斯又道：「我想我們該有的東西都已全備了。現在就一同出發吧。我希望這一次就是我們此番旅行的最後一步！」

那時斜陽已漸漸向西，餘光照在漢普郡的草地上，變成了一種絕妙的秋景畫圖。那警長跟在旁邊，他懷疑而含批評性的眼神，不時向我的朋友偷瞧，似乎對於他腦子裡的想法，也抱著深切的懷疑。當我們走近那座發案的石橋時，我見我的朋友臉上，雖仍保持著習慣的冷靜，但他心中似乎也驚亂不定。

他聽了我問他話，便答道：「正是，華生，你從前也見我失敗過的。我對於偵探的事情，雖有天賦的能力，可是有時候也免不掉失錯。當我在溫徹司特監獄裡的時候，腦海中閃過一個念頭，便深信我的假設準確無誤。但一度回想，又不禁自起疑團，覺得我們進行的路線，也許是錯誤的。雖然──雖然──華生，我們此刻又只能試一試，其除的再說吧！」

當他一邊和我談話時，早已一邊把那麻線的一端縛在手槍柄上。他走近橋口，照著警長的指點，瞄準了那屍體倒臥的地方，然後又奔到亂草堆中，拾了一塊大石頭。他把麻線的另一端縛在石上，又將那石塊從橋欄杆外垂掛下去，恰正垂近水面。接著他重新走到屍體的地點站住，手中仍執起那把手槍，槍上本繫著那條麻線，因線的那端有石塊吊住，線便被綳得很緊。

他呼道：「現在要試驗了。」當他說這句話時，把手槍舉到頭部，立即把手放開。一剎那間，手槍因石塊的重力，頓時被拖引過去。那槍身先在橋欄上碰地撞了一下，接著便跟著石塊落下水去，福爾摩斯見狀，急急奔到欄邊，屈膝查看，忽而驚喜失聲，似乎已得到了他預設中期望的東西。

他叫道：「這個實驗可算得十分準確了。華生，你瞧！你的手槍已把這疑問解決了。」他且說且指著石欄上的第二個斷口，那口的大小竟和下面邊上的那一個完全相同。

「華生，你瞧！你的手槍已把這疑問解決了。」

他站起身來，向那滿面詫異的警長說道：「我們今天就在那小旅館過夜。你去找一個勾子，便不難把我朋友的手槍勾起來了。在這手槍旁邊，你還可以尋得另一把手槍——一樣也有繩和石塊縛著的——那就是吉布森太太自殺的器械。但她卻設計了這把戲，想把兇殺的罪名，移嫁給一個無罪人的身上。你可以通知吉布森先生明天早晨我要見他，那時就可為鄧白小姐進行辯白的工作了。」

那天晚上，我們在村中小旅館裡吸煙的時候，福爾摩斯便將經過的情形，簡單地說給我聽。

他道：「華生，你這次若想把這件案子記錄下來，我怕對於我的聲譽未必有什麼增益。我職業上所最擅長的，就是假設和事實互相印證。可是近來我的腦筋忽變滯鈍，對於這兩端的聯合，竟不能愉快勝任。我老實說，那橋欄杆上的裂痕，已儘夠做解決全案的一個線索，但我當初竟沒有想到，這就不能不怪我自己滯鈍。至於這件事，也可見那位夫人用心之狠毒。她這計畫本不是容易被視破的，就算與我們所經歷的各種奇案比較，也找不出同樣離奇的情妒案。我料在那位夫人的眼中，無論是肉體方面或精神方面，這位鄧白小姐不可饒恕的。她受了她丈夫的種種虐待和欺凌，沒處發洩，便都歸罪在這位無辜女郎的身上。她第一個決心，是準備結束自己的性命。第二個決心，便想藉此連累她的情敵，將她引進那不幸的命運中，這比讓她死更加難堪。我們現在對於她當時進行的步驟，已非常清楚，她的心思，實在縝密極了。她先設法騙取鄧白小姐的一張字條——那犯罪的地點是鄧白小姐選定的。她因急切盼望大家發現這一張字條，故而捏在手中，老實說，未免做作得太過分了些。這一個疑點，早應當引起我的疑團，可是這一次，我覺察得很慢。隨後，她在她丈夫的許多手槍中先拿了一把，並取出同樣的一把，且先拿起了一發子彈，以備事後的證合。至於放槍一事，一定在屋子附近的樹林中，故而也不曾引起人家的注意。接著，在那天早晨，乘機將那手槍藏在鄧白小姐的衣櫥裡。預備妥當後，她就到雷神橋去準備第二件陰謀。後來鄧白小姐到橋邊赴約，她便發洩了她最後一次的怨恨。鄧白小姐急急逃去，直到走得聽不見時，她就進行那可怕的計劃了。現在每一個節環都已銜接，這一條鍊子，也可算首尾完全了。但那些新聞媒體，勢必要爲難我們，當初爲什麼不在河中打撈一下。但事後的批評，當然容易得多，因爲像這樣蘆草叢密的河流，假使沒有確定的目的物，和一定的地點，即使打撈，也不是容易成功的事。好了，華生，我們此番總算救助了一個奇妙的女子，和一個可怖的男子。我看他們將來總有彼此結合的一日。那時候商業界，一定會覺得吉布森先生已受過了一番教訓，與從前大有不同了。」

可怕的紙包（原名 The Gardboard Box）

我近來揀選了幾樁了不起的案子，想表現我的朋友——歇洛克．福爾摩斯特殊的智力和超人的技能。同時對於煽動讀者感情一層，卻又想竭力避免。但犯罪的案子，和煽動感情一事，若要絕對分離，實在是不容易辦到的。因此，記述的人常覺得非常困難，若不是利用偶然的機會，那就只好將部分重要的資料刪除犧牲。爲了這層，我就從日記中選出了一件可怕又離奇的案件。

那時是夏天八月。貝克街像火爐一般，強烈的陽光照在對街黃磚牆上，瞧了眼睛都痛。這屋子在冬天霧重的時候，外觀便暗淡而陰沉，同樣的黃磚道，隨著季節的變化，而產生不同的面貌，眞令人不可思議。我們的窗帘一半落下，福爾摩斯蜷坐在一張沙發上，將那一封早晨接得的信讀了再讀。我因有在印度服過兵役的經驗，便養成了不怕熱的體質。所以溫度計雖然顯示到華氏九十度，我也不覺得難受。但那天的晨報實在乏味得很，議院已閉會了；大數人都離開了城市。因此，我也很渴望去新森林或者南海海濱。但因爲銀行中存款不夠，不得不使我的假期延擱。若說我的朋友，無論鄉居或海行，都沒有吸引他的地方。他只喜歡匿伏在五百萬居民的大城市中心，對於那些傳聞、謠言，或懸案的疑跡竭力的搜索探討。他對於欣賞自然似乎完全沒有嗜好。他唯一的改變就是把探案的事情暫時放下，到鄉間去找他哥哥。

我覺得福爾摩斯全神貫注，沒有談話的意思，便把那張枯寂無味的報紙丟在一旁，靠著椅背遐思。忽然，我朋友的聲音把我的思緒打斷。

他說道：「華生，你的想法是對的。用這種方法解決爭執實在是最大的謬誤的。」

我驚呼道：「最大的謬誤！」我忽覺他怎麼已覺察了我的想法。於是仰直了身子，以詫異的眼光瞧他。

我問道：「福爾摩斯，這是怎麼回事？」

他見了我迷惑的表情，便縱聲大笑，道：「你可記得，我曾把愛倫・坡的筆記短文中的一段讀給你聽，他記述一個善於推理的人，能把他朋友的思想推理出來，你卻以爲這只是作者的無稽之談。我曾告訴你我也常有這種同樣的經驗，你卻表示不相信。」我辯道：「唉，我沒有說過不相信你的話！」

福爾摩斯道：「我親愛的華生，你嘴裡或者沒有說，但你的神情已經透露出來。因此我見你把報紙丟下，斂神凝想的時候，我便很高興，心想終於有機會可以猜度一下你的思想，並且從中把你的思緒打斷，以便證明我上次的話實在是有可能性的。」

但我還不滿意，說道：「你讀給我聽的那段故事，是那推理的人，因瞧見了別人的動作，才能夠猜測那人的思想。那人先在一堆石子上絆了一跤，然後仰起頭來瞧天空的星星。有了這種種的動作，那測度人才有所憑藉。我卻很安靜地坐在椅子上，有什麼跡象依循呢？」

「你這話錯了。須知人們所有的五官原是爲了表示他心中的情感用的。你尤其是那種喜怒形於色的人。」

「你是說，你從我的臉上測度我的思想？」

「正是。從你的眼睛更能讀出你的心事。我想你已記不得你的思想途徑從那裡開始的吧？」「當眞記不得。」

「那麼，我來告訴你。當你把報紙丟下的時候，就引起我對於你的注意。你靠著椅背，空洞洞瞧了半分鐘，你眼睛便投注在那一張剛裝上框架子的戈登將軍的照片上。我見你表情起了變化，於是知道你的腦子已開始運作。不過這時你的思路並未走遠。接著，你的眼光又瞧到屋頂上的那張沒有配框的亨利·皮丘（美國牧師及演說家）的照片上面，然後又移瞧到牆上。你的思想歷程便很清楚：你在想，如果這一張照片也配了框，那就可以塡補這牆壁的空處，並可和戈登的照片配成一對。」我驚呼道：「你當眞猜得一點也沒錯！」

福爾摩斯又道：「這當然不致於弄錯的。你接下來的思路，便是再回到皮丘的照片上。那時你的眼神非常專注，似乎你正想從他的相貌上研究他的品性。一會兒，你的眼睛不再緊皺，眼神也不一樣，顯見你的思想又活動起來。你先追想到皮丘生前經歷。那我就確信你不能不聯想到他在南北戰時對於北方的任務，因我見你露出一種怒容，分明對於他的遭遇表示不平。不一會兒，你的眼光又從照片移到別處，好像你又想到南北戰事上，當我見了你的嘴唇緊閉，眼睛發光，兩手也緊握著拳頭，我便料定你當眞是想到戰爭時，兩方面所表現的英雄氣概。可是一刹那間，你臉上又露出憂容，搖了搖頭。那你一定想起了戰爭時生命的犧牲，和一切憂患恐怖。你的手忽自然而然的摸到你自己的舊傷口去，唇角上也呈露一絲笑容。這就很明白知道你聯想到當時停戰的方法實在可笑。這見解我也同意的。因此就下了一句贊同的斷語把你驚醒，同時我也肯定我的種種推斷完全準確的。」

我說道：「當眞完全準確的！現在你又解說地如此明白，眞讓我越發驚訝了。」

「親愛的華生，老實對你說，這只是表面功夫，並不足奇。假使你那天沒有對我表示不相信的態度，我今天也決不憑空打斷你的思緒。但此刻有一個小小的問題比這種測度思想的小玩意難解決得多。你可曾見報紙上有一段短聞——有一個稀奇的紙包從郵局寄給羅伊登十字大街的柯馨小姐」「沒有，我沒有瞧見。」

「那麼，你一定忽略了。請你把報紙拿給我。這裡就是了，就在經濟欄的下面。現在請你大聲唸一遍吧！」

我把他擲給我的報紙接住，依著他指的那節新聞瞧去，見標題上印著「可怕的紙包」五個字。又瞧下面的記載道：

「蘇珊・柯馨小姐住在羅伊登的十字街，近日忽遇見了一樁奇異的事情。那事若不是有人和她開玩笑，就一定含有犯罪的意味。昨天下午兩點鐘，有一個郵差送來一個棕色紙包裹，裡面有一個硬紙匣，匣中裝滿了粗鹽。柯馨小姐把鹽傾倒出來，忽發現裡面有兩隻人類的耳朵，很明顯地是剛割下不久。這紙包在前一天早晨從貝爾法斯特寄出，上面並沒有寄件人的姓名住址。柯馨小姐是一個五十歲的老處女，獨居了好久，交遊既少，更沒有人會從郵局裡寄東西給她，故而這件事眞使她無從索解。但在數年前，她住在彭其的時候，她曾把屋子租給三個醫學院學生。因此據警界的意見，這件事大概就是那三個少年，因怨恨柯馨小姐，特地把解剖室中的東西寄給她，希望藉此嚇一嚇她。並據柯馨小姐追憶中有一個學生是從愛爾蘭的北部來的，那人也曾在貝爾法斯特住過，所以這東西由那學生所寄的推斷，越發成立。現在案子已由著名偵探雷斯特拉著手辦理，大概不久就可以查明的。」

福爾摩斯等我讀完，說道：「這是每日記聞中的要載，現在請瞧我們的朋友雷斯特拉今天早晨給我的信。他說道：『我想這件事要請教你了。我們本有把這件事查明的希望，可是一時還難著手。我們曾打電報給貝爾法斯特郵局，據說那天他們收接的包裹很多，所以沒有注意到那特殊的包裹，也不知道寄的是什麼樣的人。那紙匣是一個裝半磅重煙葉的硬紙匣，尋不出什麼端倪。至於醫學生作弄的假設，我覺得非常近情。現在我希望你能夠費幾小時的工夫，到這裡來商量一下。我今天在發案人的屋裡或警察局裡等你。』華生，怎麼樣？你能夠不畏炎熱和我往羅伊登走一遭嗎？那也許可以使你多一段記載資料。」我道：「我本想找些事做做。」

「那麼，這件事儘夠你做了。你快按鈴叫他們取靴，並出去雇一部車子，我現在去換件衣服和裝滿我的雪茄煙匣，便即刻出發。」

我們上火車以後，忽然下了一陣大雨，到了羅伊登時，熱度比城市減低得多。福爾摩斯預先打過電報給雷斯特拉，故而那個瘦長而活潑像鼠般的老友，早已在車站等候。五分鐘的路程就到了十字街柯馨小姐的住屋。

這條街的兩旁都是兩層樓的磚屋，非常潔淨整齊。門前都是塗白粉的石階，階上站著一些穿圍裙的婦人在那裡竊竊私語。我們走到了街的一半，雷斯特拉便站定，上前敲一宅屋子的門。有一個女僕出來開門，把我們引進了靠街的一室，柯馨小姐正坐在裡面。她的面貌溫和，有大而溫柔的眼睛，灰色的頭髮，壓在她額角的兩旁。她膝上放著一件正在縫紉的椅套，旁邊有一張小茶几，几上有一隻小籃盛著各色絲線。

她見我們進去，便道：「那可怖的東西就在外面的室中，你索性拿了去吧！」

雷斯特拉答道：「柯馨小姐，我一定會帶走的。我留在這裡的原因，就是要等我的朋友福爾摩斯先生親自來瞧一下。現在可以當著你的面，再把那東西瞧一瞧嗎？」柯馨小姐道：「先生，爲什麼當我的面瞧呢？」

雷斯特拉道：「他也許有什麼問題想問你。」「我已經告訴你，這件事我完全不知道。問我有什麼幫助呢？」

福爾摩斯溫和接口道：「不錯，女士，我知道你對於這事已經厭煩得夠了。」

「先生，這話非常實在。我向來安靜慣了，此刻我的名字登在報上，屋裡也有警察進出，在我實在是第一次的經歷。雷斯特拉先生，我再不願那東西留在這裡了。你如果要瞧，請到後屋去吧。」

正屋的後面有一個小小的花園，園中有一所小屋，就是那奇怪東西陳列的地方，雷斯特拉先走進去，出來時拿了一個硬紙匣、一張棕色的紙，和一條細繩，那裡有一張板凳，我們一同坐了下來。福爾摩斯就把雷斯特拉交給他的東西逐一細驗。

他把那根細繩仔細瞧了瞧，又嗅了一嗅，

說道：「這根繩很有趣的，雷斯特拉，你認爲呢？」「這是抹過油的。」「正是，這是一根抹油的繩。但瞧這兩端的斷跡，可知是柯馨小姐用剪刀剪斷的。這東西很重要。」雷斯特拉道：「我不覺得有什麼緊要。」

福爾摩斯道：「緊要的部分，就在那個沒有解開的結，這結的方式很特別。」

雷斯特拉道：「這個結當眞打得很堅固，我早已把這一點記下。」

福爾摩斯微笑道：「繩已瞧過了，再瞧這包皮紙吧。這紙是棕色的，還帶著咖啡的味道。什麼，你沒有覺察嗎？紙上的地址，寫著『克洛羅伊登十字街，S．柯馨小姐』字樣。但筆跡很潦草，似乎是用丁字號的闊筆頭寫的，墨水也是最廉價的。羅伊登那個字中有一個『y』字母，起先寫的是一個『i』，後來才又改成『y』。這字跡很明顯是男子的，可以肯定寄的人是一個男人。那人的教育程度很低，起先竟把羅伊登的地名拼錯，顯見他不很熟悉。好了！瞧瞧這一隻匣子吧。這是一隻黃色的硬紙匣，本是裝半磅重煙葉的煙匣。除了匣底的左角上有兩個指印以外，別的卻瞧不出什麼。匣中裝滿了粗鹽，這種鹽本是保存獸皮和貨品用的。鹽的中間，就是這兩枚奇怪的東西了。」

他說的時候，隨手將兩隻耳朶取出來察驗。我和雷斯特拉坐在他的兩旁，瞧瞧那兩隻可怖的東西，又瞧瞧我們的朋友。接著他重新將耳朶放在匣中，靜坐著深思出神。

一會兒，他向雷斯特拉道：「這兩隻耳朶並不是一對，你總瞧出來了吧？」

雷斯特拉道：「瞧見的。但這件事如果出於那醫學生的戲弄，他們儘可以從解剖室中隨意取兩隻不同的耳朵，併成一對。」

福爾摩斯道：「沒錯，但這卻並不是出於戲弄。」「你確定嗎？」

「這假設完全和事實相反。須知解剖室中的屍體必須浸在藥水中保存，這兩隻耳朵是剛割下來的，毫無這種跡象，並且割耳所用的器械也顯得很鈍，若說是醫學生割的，那就決不會如此了。再進一步，照醫學生的智識，必會用炭酸精或蒸溜精保存，決不會用粗鹽的。我再說一句，這實在不是爲了戲弄，是一件重大的罪案。」

我聽了我朋友的話，和見他莊肅的神情，不禁微微震慄。因知道這兩枚可怕的東西背後，還伏著一種奇怪而可怖的罪案，當然不能不令人驚異。雷斯特拉卻搖了搖頭，似仍半信半疑。

他道：「照你所說，的確和戲弄的理由有相反之處。但另一種說法，也同樣有牴觸的地方。我們知道這個女子從前住在彭其，遷到這裡也已近二十年了。她是安靜慣的，平日不但交友不多，也不常見她離家外出。那麼，那個犯罪的罪徒爲什麼無端把自己的罪證寄給她呢？並據她自己說，這件事她完全不知來由，難道她說謊騙我們嗎？」

福爾摩斯答道：「這個疑問，就是我們要著手解決的。但照我的見解，我自信我的推斷沒錯，這裡面也許是一件雙屍謀殺案呢。瞧那一隻較小的耳朵，分明是女子的，耳垂還有環孔，另一隻是男子的，顏色受日炙而黝黑，耳端也同樣有一個環孔。這兩個人一定都已死了，否則發生了這種事情，我們早應當知道他們的消息了。今天是星期五，這紙包是星期四早晨寄的。那麼，慘劇的發生時間大概在星期三、星期二，或更早一些。如果那兩個人當眞已被人殺死，除了眞兇以外有誰會把這兩枚東西寄給柯馨小姐呢？所以那個寄包裹的人也就是我們要偵捕的人。至於那人寄這個包裹給柯馨小姐勢必也有充分的理由。什麼理由呢？或是那人要告知她那件事已辦妥了，或是要藉此令她難堪。如果如此，那她就應當知道寄件的人是誰。她當眞知道嗎？我很懷疑。試想她若知道，爲什麼要報警呢？如果她要庇護那個罪人，或是要把這件事保守秘密，只須把那兩雙耳朶埋藏了便可。假使她的意思並不願庇護那個兇手，那她也應把那人的名字說出來。這是唯一解不通的疑點，必須先弄清楚了才好。」他說時聲音高亢而急促，眼睛向那園籬上瞧視，說完之後，便站起來向屋子走去。

他說道：「我要問柯馨小姐幾句話。」

雷斯特拉道：「那麼，我就在這裡和你分別。我還有些事情，並且之前已和柯馨小姐談過，此刻未必有什麼新的消息可得。待會兒你再到警察局裡來會我吧。」

福爾摩斯答道：「好，我們去坐火車的時候，可以順道見見你。」一分鐘後，我們已重新進了靠街的一室，那老處女仍舊靜悄悄在那裡縫那個椅套。她見我們進去，就把衣服放在膝上，張著蔚藍的眼睛盯著我們瞧。

她說：「先生，我覺得這件事實在是出於誤會的。郵件包一定不是寄給我的。我已把這層意思向蘇格蘭警場裡的先生說過好幾次，他也只是笑笑。我生平沒有仇人，爲什麼有人要和我惡作劇呢？」

福爾摩斯就在她的旁邊坐下，答道：「柯

馨小姐，我也和你有同樣的想法。我想這大概是……」他忽然停頓了不說。我向他瞧視，見他的眼光正凝視著這老處女的側面，同時他的臉上露出驚異和滿足神色。柯馨小姐見他突然靜默，回頭瞧他，他仍一眼不眨地呆瞧。我於是跟著他的目光瞧她，僅見到廣邊的帽子、蜷曲的頭髮、鑲金玲瓏的耳環，和慈祥溫柔的面貌，並看不出有什麼異狀足以引起我的朋友的驚異。

福爾摩斯忽改口道：「我有一兩個問題……」柯馨小姐十分不耐地道：「唉，我很討厭回答問題。」福爾摩斯直接道：「我料你有兩個姊妹。」「你怎麼知道的。」

「當我走進來時，便見爐簷上有一張三個女子合攝的小照片，其中一個是你，還有兩個，面貌也很和你相像。那就可知一定和你有親戚關係。」

「正是，你猜對了。那是我兩個妹妹，一叫莎拉，一叫瑪麗。」

「在我的旁邊，另有一張肖照，那是在利物浦拍的。照中一個是你的幼妹，另有一個穿制服的男子，好像是個船員，我想那時她還沒有結婚吧！」「你真敏於觀察。」「那是我的職業啊！」

「這一點你也料中了。但她在拍這一張照片的幾天後，便和勃勞納先生成婚。他那時正在南美洲跑船。但因深愛我的幼妹，不願意和她久離，所以換到利物浦與倫敦之間行船。」

「唉，可是在那艘勝利者號船上嗎？」「不，我最後一次得到的消息是他在那五朔節船上。勃勞納曾到這裡來見過我一次，那時他還沒有毀棄他的信誓，後來他每次登岸總要飲酒，醉後便昏迷發狂。唉！他如果酒杯在手，就會變成一個很可怖的人。起先他和我斷絕往來，接著又和二妹莎拉吵架。現在，瑪麗連信息都不通了，所以我至今還不知道他們的情形怎樣。」

柯馨小姐說時，微微歎息。似乎她雖然隱居，卻並不願和她的親戚斷絕音訊，故而一提起這事，不免悶悶不樂。接著她又把妹夫的事情說了幾句，然後將談話的題目移到她從前的三個醫學生房客身上去。她不但告訴我們他們的姓名和服務的醫院，還說了許多他們不羈的情況，福爾摩斯很注意地聽，並隨時問一兩句。

他道：「你的二妹莎拉既然未嫁，和你的情形相同，爲什麼你們倆不住在一塊兒呢？」

「哼！你定是不知道莎拉的脾氣，否則你也不會問這樣的問題了。當我遷到羅伊登來時，我本和我二妹同住的，直到兩個月前，我們兩個不得不分開了。我不願意說什麼詆毀她的話，但莎拉實在是個難於取悅的女子。」

「你說她曾經和勃勞納吵架過的。」「正是，從前他們的感情很好，她還特地搬到利物浦，和他們同住，現在卻對勃勞納沒有好感，她住在這裡的最後六個月中，每次談及他時，總痛斥他的酗酒闖禍。我想他一定觸犯了她，或有別的令她不歡的舉動，於是他們的爭端便發生了。」

福爾摩斯站起身來，鞠躬道：「柯馨小姐，謝謝你。你說你的二妹莎拉住在瓦林頓的新街嗎？這件事實在與你無干，卻連累你，我很同情你。再見！」

我們出門時，恰好有一部空車經過，於是福爾摩斯忙喊停那車。

他問道：「這裡往瓦林頓街有多遠？」「先

生，只有一哩路。」

「好。華生，快上車。我們應當打鐵趁熱。這件案子雖然平淡，卻也有一兩個足以研究的要點。車夫，你走過電報局時停一停。」

一會兒，福爾摩斯果眞往電信局裡去發了一個短電報，上車以後，他就把背靠著車座，又將帽子遮在鼻上，避去他臉上的陽光，沈默不語。等到車停，他叫車夫略等，就走到一宅屋前敲門。我見那屋子的式樣，和我們剛才出來的那家相同，接著，有一個面容莊毅穿黑衣的少年男子出來開門。

福爾摩斯問道：「柯馨小姐在家嗎？」那男子答道：「莎拉．柯馨小姐正患著重病，從昨天起，忽得了嚴重的腦炎。我是她的醫生。她此刻不能接見任何人，請你們十天後再到這裡來吧！」說完，他戴上手套，關好了門，便跨下石階向街中走去。

福爾摩斯仍淡然、不以爲意地說道：「我們既不能進去，也就罷了。」

我道：「假使她不能或不願告訴你什麼，即使你能進去也是徒然的。」

福爾摩斯道：「我本不希望她告訴我什麼。我只是要瞧一瞧她，但此刻我的希望也可算滿足了。車夫，請你把我們送到一家潔淨的餐館去，我們要稍進些食物了。吃完還須往警察局裡去見見雷斯特拉呢！」

我們進食時覺得滋味很棒，福爾摩斯卻叨叨不絕的誇揚他的那隻提琴。據說那提琴的牌子名貴，是他出了五十五個先令，從托特那姆宮廷路一個猶太掮客處買來的，其實琴的原價，至少須五百個金鎊。我們坐了約一個鐘頭，喝了一杯紅葡萄酒之後，福爾摩斯又說起那個帕格尼尼的奇聞軼事，精神似乎十二分飽滿。我們談了好久，直到那炎熱的驕陽漸漸兒向西，方離開餐館朝警察局去，雷斯特拉卻已在門口等候我們。

他道：「福爾摩斯先生，這裡有一張電報給你。」

福爾摩斯道：「哈！回信已來了！」他立即將電報拆開，僅在紙上一瞥，就把紙搓成一個小團，放在袋裡。又道：「那就對了。」雷斯特拉道：「你已查出什麼了嗎？」「什麼我都查出了！」

雷斯特拉很驚異的瞧著他道：「什麼！你在說笑話。」「我生平沒有說過比這更認眞的話。須知道這是一件可怕的謀殺案。現在我對於案中的情由已完全明白了。」「那麼，那個犯罪歹徒呢？」福爾摩斯取出一支鉛筆，在他的名片背面寫了幾個字，拿給雷斯特拉，道：「這就是罪徒的姓名。最快必須在明天晚上你才能夠動手捉他。這件事我請你不要把我的名字牽涉進去，因我只願意在難辦的案子中出頭露面。華生，走吧。」說完，我們便一同往車站走去，雷斯特拉仍用得意的眼光，瞧在福爾摩斯給他的那張名片上面。

那天晚上，我們在貝克街吸煙閒談的當兒，福爾摩斯向我道：「這一件案子，就像你從前記過的那『血字的研究』和『四簽名』二案一樣。我們必須倒著進行，先得了結果，然後才能明白案中的原因。這原因如何，我已叫雷斯特拉替我去搜羅。他如果捉到了那人，眞相便可以大白了。他雖然還不知道這案子的原委，但他一定可以成功，因他有一種堅毅無畏的精神，像獵狗一般，一得了主人的命令便向那一方進行，他會勇往直前，不達目的不停止。就是靠著這種精神，他才能躋到了蘇格蘭警場的高位。」

我問道：「那麼，這件案子還沒有完全解決嗎？」

「重要的部分大概已經結束。我們已知道犯案的人是誰，不過還有一個被害的人沒有查出。我想你在這件案上，想必也有你自己的見解吧！」

「我認爲那個在利物浦船上工作的勃勞納，就是你所懷疑的人。是嗎？」「唉！何只懷疑，我已確信了。」

「但我從情勢上觀察，並沒有發現任何有力的證據。」

「我恰和你相反，覺得這案子非常清晰。現在我來把重要的關鍵，一步步解釋。在我們著手以前，空洞的腦筋沒有一點想法，只憑著觀察的能力隨處留意。你可記得我們最初入眼的是什麼？我們見到的是一個溫柔而莊嚴的女士，一望而知是品性溫良而不會有秘密勾當的。又見一張照片，知道她有兩個妹妹，那時我立即想到那紙包也許是寄給她其中的一個妹妹。但一會兒，又把這假設放棄，不敢固執成見。後來我們便到園中，去見那黃匣子裡的兩隻耳朵。那條繩是船上水手們的東西——因我一瞧那繩上的結，便知是水手們慣打的，且那紙包是從貝爾海斯特海口寄出的。此外又見那男子的耳朵上也有一個耳環的孔——這也是水手們特有的習慣。因此種種，我便決定這件案子一定和什麼航海的人有關。我瞧那包皮紙上，寫著S．柯馨小姐字樣。那個大姊固然叫蘇姍．柯馨，第一個字母是『S』，但『S』起首的名字很多，難保不是指她妹妹中的一個。想到了這層，我就得了一種新的假設，便重新進去問她，以便證實我的假設是否確實。你總記得我正要告訴她這事或出於誤會的話時，突然停止了不說，那是因我偶然見了一件東西，不由得不使我驚奇。華生，你是當醫生的，應當知道人們的身體上只有耳朵最不相同。去年我在人類學雜誌上，曾經發表過兩篇短文，說到人們的耳朵各有特殊的構造，最容易瞧出彼此的不同點。所以當時我察驗那紙匣中的兩隻耳朵，並不是隨意瞧瞧，實在是憑著專家的眼光瞧察的。因此,我後來一見柯馨小姐的耳朵，竟和紙匣中的那隻女耳模樣完全相同，不禁十分驚奇。那耳廓、耳管，及闊形的曲線，全部相同，便知這決不是出於偶然的巧合。於是我立即明白，那被害的女子一定和柯馨小姐有血緣關係，那關係或者很近。後來我一問她家人的情形，她的答案果真不出所料。她說她的大妹名字叫莎拉，並且六個月前也住在一起的。這就可知那紙包大概是給莎拉·柯馨小姐，因爲莎拉一字的第一字母也是『S』。接著，我們又聽得她的幼妹嫁給一個海船上的職員。且當初莎拉本和她的妹夫非常親密，還曾遷到利物浦去同住。但後來因著吵架的緣故，莎拉和妹夫勃勞納分離，從此以後，勃勞納好久都沒有再通信。因此可知，假使勃勞納要寄什麼東西給莎拉，他既不知道姊妹倆已經分居，當然會寄到她的老住址去了。這樣一想，這件疑案的眞相，便更進一步了。我們又知道他是一個善於飲酒闖禍的人。假使酒後動怒，他的舉動不消說是很可怖的。我因此假設他的妻子已經被殺，同時還有一個航海的人一同被害。至於行兇的緣由，大概是出於嫉妒。但他在行兇以後為什麼還要把兇證寄給莎拉．柯馨小姐呢？或許莎拉住在利物浦時，對於此次的慘劇，種下什麼種子，或有什麼間接的關係。我們都知道往來利物浦和倫敦一線的輪船，會經過貝爾法斯特、都柏林和渥特福德等三個碼頭。所以勃勞納如果在犯了兇案以後，立即回到五朔節號，第一個碼頭就是貝爾法斯特。那個可怖的紙包，自然從那裡寄出來了。除此以外，還有第二個假設，但我總覺得沒有第一個合理。或許有一個男子，因愛情或某種原因，把勃勞納夫婦一起殺死，這樣，那隻男子的耳朵，應當就是勃勞納的了。不過這個假設有幾個矛盾點，所以當我們動身往瓦林頓街去見莎拉小姐以前，我先發一個電報給利物浦的朋友艾爾嘉，叫他調查勃勞納太太是否在家，和勃勞納先生是否已上了五朔節號出海。至於我所以去見莎拉小姐，第一，想瞧瞧她的耳朵，是不是和她姊妹的相同；第二，我還希望她能夠給我們什麼線索。其實這第二個希望，我也知未必有成功的可能，因這件案子發生以後，羅伊登人都當作閒談話題，莎拉早應知道，並且只有她一個人明白這東西本來是要寄給她的。假使她願意使這案子破獲，在公道上盡力，她也早應報告警察，但事實上並不如此，可見她想保守秘密。雖然如此，我們總要去見她一面。我們到她家門口時，已知她從前天起，忽得腦炎。試瞧她生病的時間，恰在她得到怪盒消息的時候，足見我的猜想已沒有錯誤。那時她既不能見客，我們也沒有再見她的必要了。後來我們到警察局時，艾爾嘉果眞照著我給他的地址給我一個回電。那回電十分清楚地表示，勃勞納太太家的門已關了三天，鄰居們猜想她已往南方去看親戚了。至於勃勞納的行蹤，當眞在五朔節船上。依我計算，明天晚上，那船就會開進泰晤士河，等他登岸的時候，雷斯特拉已在碼頭上恭候。那時我們現在的假設，大概都可以證實了。」

福爾摩斯的料想，果眞沒有令人失望。兩天以後，他接得一封厚信，其中除了雷斯特拉一封短信以外，還有幾張打字過的供詞。

福爾摩斯瞧著我說道：「雷斯特拉果眞把那人捉到了。這是他的來信，你會喜歡聽的。」

他唸道：「福爾摩斯先生，我們爲了要證實我們的假設……」他忽頓住了叫我道：「華生，『我們』這兩個字，他用得很有趣吧？」接著又繼續道：「我依照預定的計劃，昨天下午六點鐘到阿伯特碼頭去守候。接著就上了五朔節輪船，略一查問，船上果眞有一個名叫勃勞納的船員。據說自從開船以後，他的行爲舉止就很反常，故而不得不另派了人代他。我走到他的艙裡，見他坐在一隻大箱子上面，兩手摸著頭，身體卻左右搖擺。他的體格壯碩而有力，臉上修剃整潔，臉色黝黑，眞像我們洗衣工廠裡的亞特利其。他一聽得我的來意，直跳起來，我立即吹警笛，招集了兩個水警。但他好像已失了神志，靜悄悄的伸出手來，接受我的手銬。我們就把他帶到警局，連同那隻大箱子，一併從船上起岸。我們起先以爲那箱中一定有什麼要證，但除了一把水手所用的尖刀以外，竟沒有別的東西。好在他一到警長面前便自願招供，我們已用不到證據。當他供述的時候，我們的速記員一一寫了下來。現在已打成三份，一份附在信中。現在看來，這件事果眞非常簡單，恰合我先前的猜想。但你既助我偵查，我也很感激的。　　雷斯特拉。」

福爾摩斯唸完說道：「唉，這件事的結局，果眞簡單得很，但雷斯特拉當初通知我們的時候，也未必想到是如此的結局吧！這樣吧，我們先瞧瞧勃勞納怎樣供法。這是他當著偵探吉姆·布朗面前供的，而且按句記錄，次序都沒有變。實在太好了。」接著就開始唸那供詞：

「我還有什麼話？有的，我有許多話要說，此刻應當把我胸中的積鬱發洩一下。你們如果要定我死罪，或放我自由，我都聽便。我老實說，我自從幹了那件事後，眼睛還沒閉過，我大概將要一輩子醒著，有時我瞧見他的臉，但她的面孔，在我眼睛前出現的次數更多。一滅一現，交相替換，使我沒有片刻自由。他的臉本就黑，發怒時越發可怕，而她臉上卻露著一種驚怖的神情。唉，這一隻可憐的羔羊。當她見了那個平素愛她的人，臉上忽然露出殺氣，自然不能不驚怖了！這實在是莎拉的罪。我現在願意將垂死人的咀咒，降在她身上，使她的血液騰沸！我此刻不是要爲自己表白。我自知我背約縱酒，實在是自暴自棄，但如果沒有那個女子從中破壞，我妻子一定還會原諒我。原來莎拉一開始就愛上我，這就是這件事的禍根，她愛我很久。直到她發覺我連對妻子泥汚中的足印，都比她的身體、靈魂更加珍視，她眞摯的愛，便立即變成了怨氣。他們有三個姊妹。最年長的是一個溫柔的女子，第二個是一個魔鬼，第三個卻是一個天使，我和瑪麗結婚那年，瑪麗剛好二十九歲，莎拉已三十三歲了。我們結婚後，感情十分濃密。那時我覺得全利物浦，沒有一個女子比得上我的妻子。過了好久，我們請莎拉來玩一星期，但那星期竟延長變成了一月個，後來她就久居不去，我們也和她日漸相熟。那時我的職位還低，但我們仍略有積蓄，家庭中的情形眞非常快樂。上帝啊！誰會想到竟有後來的慘劇呢？每逢星期日，我總會回到家裡休息，有時因爲船上裝貨的耽擱，便在家裡多勾留一個星期。莎拉既常住在我家，所以回家時總得和她相見，她也因此很高興。她膚色略黑，走路時頭昂得很高，顯得傲岸可怕，眼睛閃閃有光，敏悟過人。但那時我的心完全在我妻子身上，毫不屬意於她。我記得她常喜歡和我兩個人單獨靜坐室中，或邀我一同出去散步，我全無戒心。直到了一天晚上，我方才醒悟。那晚我從船上回家，我妻子出外，只有莎拉一個人在家。我問道：『瑪麗去哪裡了？』她答道：『她出去付帳了。』我等得不耐，便在室中踱步著。莎拉又道：『你難道沒有了瑪麗，連幾分鐘都不能過嗎？況且這短時間中，有我和你作伴，你顯出這種態度，不是有些瞧不起我？』我道：『好了，莎拉。』我伸著兩手說著，她便把我的手緊緊握住。我覺得她的手心沸熱，好似發燒一般，再瞧瞧她的眼神，我便完全明白，那時她沒有開口，我也沒有說話，但我悻悻的把手縮回。她在我旁邊靜坐了好久，我卻只是不睬，後來，她在我肩上拍了一下，說道：『勃勞納，爲什麼？』說完，發出一種冷笑，便轉身走出去。從此以後，莎拉便一心恨我。我也太大意，竟仍舊留她在我的家裡，又因怕瑪麗傷心，也不曾提起莎拉的事。這樣過了一段時間，表面上雖沒有改變，但瑪麗的行徑卻似乎漸漸兒變了。她一向是非常坦率，對我也絕對信任的。可是那時候她忽時常懷疑，不時問我從那裡回來？做了什麼事？我的信從什麼地方寄來？和我的袋中藏著什麼東西？此外還有種種奇怪的疑問。這樣一天一天地過去，她越發變了常態，時時無端和我爭吵，我仍莫名其妙。這時莎拉竭力躲避我，但她和瑪麗卻更加親密。現在想來，莎拉那時，一定安排了詭計離間我的妻子，可惜我當時仍懵懵不覺。於是我因爲鬱鬱無聊的緣故，便放棄了約誓，重新縱酒，瑪麗便越發恨我，我們之間的間隙當然也越來越大。直到費派恩進我家來，那層層的黑幕便完全把我家罩住了。費派恩第一次進我的屋子，本是來瞧莎拉的。但不多久，他便和我們熟稔。他是一個圓滑而善於交際的人，並且也和我一樣在跑船。他的口才很好，不論什麼問題總能應對，所以到處都受人歡迎。當初相見時，我也覺得他是一個良伴，萬萬想不到有什麼毒害會從這個溫柔而謙和的人身上發生。但他在我家進出了一個多月之後，便引起了我的疑心，從那以後，我的平靜生活便永遠喪失了。一天，我偶然回家，當我進門時，見我妻子的臉上充滿了歡迎的表情，但等她瞧清楚是我後，臉上的表情立即改變，好似非常失望。我便明白她起先聽了我的腳步聲，一定誤認做是費派恩。那時候如果他在旁邊，難保我不會立刻將他殺死，因爲我的脾氣發時，會變得像瘋子一般。瑪麗見了我眼中的殺氣，急忙過來握著我的兩臂，說道：『不要這樣！不要這樣！』我問道：『莎拉在那裡？』她道：『在廚房裡。』我走進了廚房，便大聲叫道：『不許那個費派恩再進我的門來。』她道：『爲什麼？』我道：『因爲我吩咐不許他進來。』莎拉道：『唉，我的朋友既然不配進這屋裡。那麼，我當然也不能再留在這裡了。』我道：『隨你的便。但費派恩如果敢再上我的門，我一定把他的耳朵割下寄給你，當作紀念。』莎拉見了我的樣子似很害怕，一言不答，當夜就離開我的屋子。她從我家出去後，另在離我家兩條街的地方租了一宅屋子，也轉租給水手們寄宿。費派恩就住在她的屋中，因此，瑪麗往她姊姊屋裡去喝茶談話，總會和他相見。我不知她去了多少次，但有一天，我跟在她後面，破門進去，費派恩卻從後園中越牆而逃。我便向我妻宣誓，如果我再見到她和他在一起，我一定會殺死她。我把她領回家裡的時候，她哭著顫抖，臉色也變得像白紙一般。那時我們之間再沒有什麼愛情，我知她恨我又怕我，我一灰心，便也縱酒自放，而她也就越發看輕我。莎拉離開我們以後，在利物浦不能生存，就又回去羅伊登和她的姊姊同住。這樣過了好久，家庭中總算無事，直到了上一個星期，魔星忽然降臨，於是全局都毀壞了。那時我們的五朔節號輪船，本準備開出去七天，但船上的機器忽然壞了，只得重新駛回海口，須等十二個鐘頭方能修理好再度航行。於是我離開輪船，直接回家。且行且暗自思忖，我此刻回去，本是出於意外的，也許要使我妻子驚喜。可是這種想法正盤踞我腦海的時候，忽見一部馬車從我身旁經過。車中一男一女，說說笑笑，非常起勁，那男子是費派恩，女的卻就是我的妻子瑪麗。我老實告訴你們，自從那一刻起，我好似身不由己，進了夢境一般。因那時候我醉得非常厲害，本有幾分醉意，一受了這種刺激，我的自制力便完全喪失。那時我眼中彷彿有火，手中執著一根粗重的手杖，當我轉身從車後追上去時，恨不得立即舉起棒來撲擊，但追了沒幾步，便覺得不妥。於是就遠遠的跟在後面，不讓他們瞧見。一會兒那車子停在火車站門口，他們下車時仍舊沒有看見我。我雜在人叢中間瞧他們買票，見他們買了兩張往新布來頓的車票，我也照樣買了一張，但並不和他們同車廂。到了新布來頓站下車後，他們順沿著閱兵場走去，我跟在他們後面，相距不過一百碼遠。後來我見他們雇了一艘小船，似乎預備到河中去遊划。那天天氣很熱，他們必以為水面上比較涼快，所以雇舟遊戲。這明明是出於天意，因這一來，他們才能落到我手裡來啊！那時河面上有一層薄霧，一百碼之外便瞧不清楚。我也雇了一艘船，悄悄從後面跟上。他們划得很快，直到離岸很遠，我方才追近他們。那時那一層薄霧把我們罩住在河心，我的上帝！當他們瞧見我划近時的那種神情，我今生怎能夠忘掉？她首先呼叫，費派恩咀咒了一聲，也舉起槳來打我。他那時一定瞧見了我眼中含著殺氣，故而先下手了。我避過了他們的槳，舉起手杖，回打他一下。那杖打在他的頭上，眞像打一枚雞蛋一般。我那時本想饒赦她的，但一見她俯身伏在他的身上，悲聲呼喚他名字，我就忍不住再打了一記，於是她也就死在他的旁邊。那時我眞變成了飲血的猛獸，如果莎拉一同在場，那不用說也要做我杖下的冤魂了。當時我想起我曾對莎拉說過的那句話，我想假如把這一次的成績寄給莎拉，至少也足以使她驚悸不安。因此，我取出刀來，從他們二人身上各割了一隻耳朵，接著把他們的屍體放在船上，又在船底下鑿破一個洞，眼瞧那船直沉到水底。我預料這樣的安排，那船商必以為他們倆因著霧氣而迷路，漂流到海裡去了，決不會有人起疑。後來我把自己的身體清洗乾淨，回到岸上，隨即上了輪船，始終沒有一個人覺察或懷疑我的行徑。那天晚上，我把那東西包成了一個小包，第二天早晨，到了貝爾法斯特的海口，我就登岸郵寄。我的故事都說完了，如果你們要將我斬首，或讓我受別的刑罰，我都聽便，但你們決不要讓我再受我已經身受的折磨。我一閉眼睛，便見他們倆慘怖的表情。我殺死他們很迅速的，他們卻緩緩地將我折磨死。如果我這樣再過一夜，不到天亮，我一定要嚇死或發瘋了。先生們，你們可要將我拘禁在單獨的囚室嗎？唉，請你們發些慈悲心，不要讓我再受那無形的慘刑吧！」

福爾摩斯唸完，將供詞放下，嚴肅道：「華生，這是什麼意思呢？在這悲慘、兇暴，和恐怖的循環中，究竟有什麼目的？論理，總應當有一個歸宿，否則，我們的宇宙只是被偶然的機運所控制，那就太不可思議了。但什麼是歸宿呢？這個永久懸疑的疑問，憑著我們人類的智慧，至今還沒有解答呢！」

吸血婦（原名 The Sussex Vampire）

福爾摩斯把剛才那封從郵局送來的信，很不經意地讀了一遍，隨即近乎發笑地乾咳了一聲，就把那信拿給我看。

他道：「我想這件事的範圍，包含著中古和現代兩個時代，並且現實和幻想，也互相交錯著。華生，你瞧瞧內容。」

那信道：

「關於吸血鬼的事。

先生，我們的委託人富格森，本是敏興大街的茶商。近來曾寫信向我們詢問吸血鬼的事。但我們的營業，只限於機器估價的事情，富格森先生所問的事，實在無從答覆，因此我們已叫他造訪尊寓，向先生求教。我們對於你從前所辦成的布列克斯一案，至今還沒有忘懷呢！——十一月十九日，瑪契森自猶太街事務所寄。」

福爾摩斯等我讀完，說道：「信中所說的布列克斯，並不是一個少婦的名字，是一艘船名。這船曾和蘇門答臘的大老鼠有關。這個故事，世界上還沒有人知道呢！但我們對於吸血鬼的事，知道些什麼呢？這種事可也在我們的範圍裡嗎？不過總比閒著沒事好些，我們聽了這奇怪的名字，眞好像在閱讀格林童話。華生，你伸一伸手臂，把那『V』字母開頭的檔案拿出來瞧一瞧再說。」（按：吸血鬼一字，第一字母是『V』字。）

我轉身把他所指的那本厚大的紀錄取了下來，福爾摩斯將書接過攤在膝上。眼睛瞧在那一件一件的舊案上面，緩緩翻閱。

他口中唸道：「司各特船航行案，這是一件拙劣的案子。我記得你記載過的，但你記載的結果，我卻不能恭維。僞造維克多案、毒蜥蜴案——這是一件奇怪的案子。馬戲女子維都麗案、毒蛇案，還有鐵匠維高案。唉，很好的老紀錄索引，當眞是很有用的。華生，你聽這個，匈牙利吸血鬼案，還有德蘭西瓦尼亞吸血鬼案。」他讀到這裡，他的眼光很急切地看著他的紀錄。可是讀了一會兒，便把那本厚大的紀錄丟在一旁，似很失望的樣子。

他道：「華生，這眞是無稽之談！你想我們對於那傳說的吸血鬼能做什麼呢？據說制伏這種吸血鬼的方法，只有用木樁把他們穿心之後釘在棺中。這不是瘋話嗎？」

我道：「但吸血鬼的名字，似不專指已死的人，活的人也許有這吸血的習慣。例如我讀過一本書，據說一個老年人，因爲想回復他的少壯，竟吸取少年人的血。」

他的眼光很急切地看著他的紀錄

福爾摩斯道：「華生，你的話沒錯，那些參考書中也曾有過這樣的故事。但我們對於這樣的事，是否應加以重視呢？這個律師把這件事轉託我們，固然是鄭重其事。可是這樣大的世界，儘夠我們探索了，何必觸及到鬼的方面去。我們對於這位富格森，似不必過於重視。這裡還有一封

信，也許是他寄的。這裡面或許有什麼線索，可以在他所疑慮的事上，尋找一線光明。」

他把桌子上的第二封信取起，帶著笑容開始誦讀。忽然他臉上的笑容收斂，變成了一種專心一致的神情。讀完之後，他一邊將信拿在手中搖動，一邊卻深思出神。最後，震了一震，似從睡夢中驚醒一般。發聲道：「蘭伯利的奇士曼莊園。華生，蘭伯利在那裡？」我道：「在蘇塞克斯郡，霍爾舍姆的南面。」

福爾摩斯道：「距離很遠嗎？那奇士曼莊園又是什麼樣的屋子？」

我道：「福爾摩斯，這地方我很熟悉。那裡有許多古屋都用數百年前屋主的名字命名。你可聽過歐德利莊園、哈維莊園、凱立頓莊園等等？這些人早已不在，但他們的名字卻因為那些屋子而沿傳至今。」

福爾摩斯冷然答道：「是沒錯。」說時，他的態度很冷淡。這本是他那種傲岸而自恃的特別脾氣。有時他腦子裡對於所聽得的話雖已接受，但他總不肯表露出來。他繼續道：「我想我們在進行以前，對於這奇士曼莊園的情形還應知道得詳細些。這一封信果眞如我所料，是富格森寄來的。他還說和你認識呢！」我驚異道：「認識我？」「你自己瞧吧！」

他將那封信拿給我，那發信的地址就是剛才所討論的蘭伯利的奇士曼莊園。

那信道：

「福爾摩斯先生，我透過我的律師的推薦，特地來請教你。但這件事實在非常神祕，不容易商量。這是我一個朋友的事，我是代替他來接洽。他在五年前娶了一位祕魯女子，她是一個祕魯商人的女兒，我那朋友因為經營硝酸進口事業才和那個商人結識。這位女子是很美麗的，但因爲她是外國人，所奉的宗教又不相同，夫婦間的感情和興趣於是逐漸不融洽。因此之故，沒多久，他對於她的愛情開始有些冷淡，並覺得他們的結合也許是錯誤的。他覺得她的行爲，有許多地方他不能瞭解。但若從表面上觀察，她卻是很敬愛她的丈夫，可算是一個良妻。這就是使他更痛苦而難抉擇的一點。

現在我要說到本案的要點了。這一點等我們見面時也許可以說得更詳明些，這封信只能讓你知道一個大略的情形，方便你決定你在這件事上究竟有沒有興趣。這位夫人本來很溫柔可愛，近來忽發生了種種奇怪的行爲，和先前完全不同。這是我的朋友的第二次婚姻，前妻遺下了一個兒子，現在已十五歲，他在幼年時雖曾遇險受傷，但實在是一個可愛的孩子。但這位後母曾經兩次毆打這一個可憐的孩子，有一次，還用一根棒子痛打那孩子的手臂，並留下一個很大的傷痕。

這一件事，若和她對待那個親生且才週歲的孩子的方式比起來，還只算是一件小事。約一個月前，有一次那嬰孩從保姆懷裡只離開了數分鐘，忽聽得那孩子好似受痛一般的大哭起來，於是那保姆急急趕回房去。當保姆進房的時候，突見那位夫人正俯在孩子身上咬他的頭頸，頸上有一個小小的傷口，沁沁的血液從傷口裡流出。那時保姆非常害怕，本準備叫主人進來。誰知夫人著急苦求，叫她不要聲張，並給她五個金鎊作爲保守祕密的代價。她當時並沒有說出什麼原由，而保姆也沒有深究，這件事也就過去了。

雖然如此，從那一次以後，在保姆心中卻

已留下了一個可怕的印象。因此，她對於女主人的舉動隨時留意觀察，她防備那位女主人，那女主人卻也一樣地注意著她。有時她不得已暫時離開孩子，那孩子的母親便即急急的趕到孩子那邊去。這保姆日夜護視那個孩子，那孩子的母親竟也靜悄悄的日夜等候機會，眞像一隻餓狼守伺小羊一般。你讀了這一封信，或者要以爲是不可信的，但我請你全神注意，須知這一件事實在關係一個小孩子的性命，和一個男子精神上的安全。

最後，那可怕的日子果眞到來，這件事便再不能瞞過她的丈夫了。原來那保姆因時時處在緊張狀況下，終於崩潰，就把這件事完全告訴她的主人，他當時只當做是一個笑話，也許你此刻的感想也一樣。他知道他的妻子是一位溫柔的夫人，並且除了偶爾打打她的繼子以外，也是一個慈愛的母親。那麼，她爲什麼要傷害她自己的孩子呢？他當時認爲那保姆在說夢話，她的懷疑也只是瘋人的疑慮。並且她對她的女主人說這種無稽的毀謗也是不可原諒的。正當他們談話的當兒，忽而又聽得一陣因受痛而發的哭聲。那保姆和主人立刻奔到嬰孩的室中。福爾摩斯先生，你想當他看見他的妻子跪在孩子的床邊，那孩子的頸上和被單上面卻都染著血跡，他應當怎樣？他大叫一聲，當他妻子的臉轉到亮光下時，只見她的嘴上沾滿著血液。這時他才恍然明白，她當眞在那裡吸孩子的血了。

這件事的經過就是這樣。她現在被關在她的臥房裡，那丈夫差不多已瘋了一半，他就和我一樣，除了『吸血鬼』的名詞以外，實不知究竟是怎麼一回事。依我們從前的想法，一定以爲這樣的事只是外國地方的奇談，誰知在英國的蘇塞克斯也發現了這樣的事情。這裡面的一切詳情，等我們明天早上見面了再談吧！你會見我嗎？你憑著你傑出的才能，願意挽救一個精神錯亂的男子嗎？假使你允許，請你發一個回電給蘭伯利奇士曼莊園的富格森，以便我明天早晨十點鐘造訪。

再者，我記得你的朋友華生曾是布萊克斯橄欖球隊的隊員，而我是李奇蒙隊隊員，這是我唯一的介紹了。——富格森」

我讀完了信，說道：「我記得他的。他實在是一個足球好手，人家都叫他大個子。他的性情很好，像他這樣的人，才會對於朋友的事情如此關懷。」

福爾摩斯把深思的目光向我瞧著，搖頭道：「華生，我不知道你的意思如何，你的話往往有使我不可理解的地方。現在你且發一個回電，對他說：『很願意偵查你的案件。』」我驚異道：「怎麼說『你的案子』呀？」

「我們不應當使他覺得我們這裡都是沒腦子的人。這當然是他自己的案子，你姑且發了這個電報給他，其他的事明天早晨再談。」

第二天早晨十點鐘時，富格森已走進我們的屋子。我記得他是一個魁梧的人，他的四肢很長，反應靈敏。因此，在球賽中時常得勝，但這個壯健的運動家，這時候竟變成了很衰頹的樣子。這眞是使我痛心。他高昂的體格已摧衰了，頭髮稀少，兩肩也向前下垂。我想他見了我，再回想從前，未免要有所感慨吧！

他向我道：「你好啊，華生。」我覺得他的聲音仍很沉著而懇切，沒有什麼改變，他繼續道：「你已不像從前那個樣子了。你應還記得，當年我們在老鹿公園裡比拳，我曾把你丟到人叢中去。我想我自己也變了，但我這老態卻是在一兩天內就加增的。福爾摩斯先生，我讀了你的電報，深深覺得再不必委託別人了。」

福爾摩斯道：「是啊，直接接洽當然簡便得多。」

富格森道：「不錯，但一個人要請人偵查一個他本應保護的婦人，一時也委實難以啓齒。你想我應當怎樣處置呢？我能把這樣的故事去報警嗎？但另一方面，孩子們的性命也應當保護的。福爾摩斯先生，她瘋了嗎？或是血統的遺傳嗎？在你的經驗上，是否有過像這樣的案子？我實在已智窮計絕，請你瞧在上帝分上，為我想想法子吧！」

「富格森先生，那自然的。現在請坐下來，定一定神，再清清楚楚的回答我幾個問題。老實說，我相信總可以想出一個解決方法，第一，請告訴我，事後你有過什麼舉動？你的夫人仍繼續和孩子們接近嗎？」

「我實在已智窮計絕，請你為我想想法子吧！」

「我們的狀況是很可憐的。福爾摩斯先生，她實在是一個最可愛的婦人，如果世界上有一個女子，能夠盡她的精神靈魂愛她的丈夫，她就是這個樣子愛我，當我發現她這一件可怖而離奇的祕密，她的心差不多已片片碎了。當時她不開口，對於我的責罵也不回答，只用一種絕望的眼神向我瞧著。接著，她奔回她的臥房把自己鎖在裡面。自從那時起，她拒絕見我。她有一個侍女名叫杜洛爾。她在我妻未嫁時就服侍她的，所以她像我妻子的朋友不像僕人。我妻子這段時間的飲食就是由杜洛爾送進去的。」

福爾摩斯道：「那麼，眼前那孩子不會有危險嗎？」

「那保姆曼森太太發誓，無論日夜決不離開孩子。我可以完全信任她，不過我對於那可憐的小傑克更覺不安。我在信中已經說起，他曾兩次遭她的毆打。」

「有沒有受傷呢？」「沒有，但她打他時的確很野蠻，因爲他是一個不會得罪人的跛子，故而挨了打更覺得可憐。」富格森說到這裡，他強毅的臉上忽然柔和許多。他繼續道：「講到這個可愛的孩子的情形，誰也要覺得心軟的。他在孩提時跌了一跤，便傷到了脊骨，但他的心卻仍是誠摯可愛的。」

福爾摩斯把昨天的那封信重新讀了一遍，又問道：「富格森先生你家裡有幾個人？」

「有兩個剛來不久的僕人，還有一個馬夫名叫查爾——他也住在我家屋裡。此外除了我夫婦二人，便是那孩子傑克和小嬰孩，還有侍女杜洛爾和保姆曼森太太。此外沒有人了。」

福爾摩斯道：「你和你夫人結婚的時候，你似乎並不很了解你夫人，是不是呢？」

富格森道：「我只和她相識了幾個星期便訂婚。」

「那個侍女杜洛爾，和她相處了多少時候？」「好幾年了。」

「那麼，你夫人的品性，杜洛爾或許比你

更明白些。」「或許如此。」

福爾摩斯在日記簿上寫了一句。又道：「我想我如果要辦這一件事，必須親自到蘭伯利去偵查。你的夫人旣關閉在她的房裡，我們前去也不致打擾她。但我們打算住在旅館裡。」

富格森表現出安心的樣子，說道：「福爾摩斯先生，這就是我所盼望的。假使你願意去，午後兩點鐘有一班火車，將從維多利亞車站開出。」

福爾摩斯道：「我們自然願意去的，此刻還可以略略耽擱。我一定全力爲你辦這件事，華生醫生自然也和我們一同去的。但我在動身以前還有一兩個要點要問明白。我聽說這位不幸的夫人，曾虐待過你的大兒子和她親生的嬰孩。當眞如此嗎？」「當眞如此。」

「但虐待的情形相同嗎？目前所知，她曾毆打你的大兒子。」

「正是，一次用一根木棒，還有一次用手，也打得很兇。」

「她不曾說明爲什麼打他嗎？」

富格森道：「沒有，她只說恨他，這話她說過好幾回。」

福爾摩斯道：「這種情形在後母中不是沒有聽過。我們可以說這是一種對於死者的嫉妒，你夫人可是天性嫉妒？」

「是啊，她是嫉妒心很重的人。在她熱帶性格的熱愛中，也含著同量的嫉妒心。」

「但我知道那孩子已十五歲，他的身體雖因爲受傷而不能充分活動，但他的意志想必已漸漸成熟了。當他挨打以後，可曾說出什麼原因嗎？」「沒有，他是說沒理由的。」

「其他時候，他們的感情很融洽嗎？」「不，他們之間從來沒有愛。」

「但你卻說，他是一個可愛的孩子呢。」

「我認爲世界上決沒有像他這樣孝順的兒子。他把我的性命看做他的性命，無論我說什麼，做什麼，他總是一心信從的。」

福爾摩斯又在日記簿上記了一筆，之後又坐著尋思了一會兒。

他又道：「我想你在續娶以前，你的兒子一定是你的一個好同伴，彼此很親密。是不是？」「正是這樣。」

「那孩子既然天性溫和且孝順，那自然會時常想起他的母親。」「這也是實在的。他本很孝順他的母親。」

福爾摩斯道：「他是一個最值得注意的孩子。關於毆打的事，還有一個要點我要問。你夫人襲擊她的嬰孩和毆打你的兒子，可是在同一時候？」

「第一次是這樣的。那時好似有什麼魔鬼附在她的身上，她便在那兩個孩子身上發洩她的怨氣。第二次卻只有傑克受苦，曼森太太並不曾說那嬰孩受過她的襲擊。」

福爾摩斯道：「這一點，卻把這件事情弄得更複雜了。」「福爾摩斯先生，我不明白你的意思。」

「你或許不能。須知這種假設，不能不等待時機，或得到了更明確的證據才能夠透露。富格森先生，這固然是一種壞習慣，但人性是很脆弱的，誰也都有習慣。我想你的那位老朋友，對於我這種科學的偵查方法，也許正在言過其實地私下稱讚呢！就目前而論，你的問題在我看來並不是不可解決的，下午兩點鐘，請你在維多利亞車站等我們。」

那是十一月多霧的黃昏，我們到了蘭伯利，把行李安放在棋盤旅館後，就坐車子，直驅富格森先生的屋前。那是一所孤立的古式農舍，面積很大但新舊不一。中間的屋子已很古舊，左右兩翼卻是新的建築。哥德式煙囪高聳，霍歇姆石板鋪蓋的屋頂上蘚苔斑駁。門前的石階因年久磨損，而變得凹陷。走廊上面的古瓦上雕著一幅謎畫：一塊牛乳餅和一個男子，那是這屋子建築者的畫像。屋子裡面的天花板上，鑲著許多椽木的橫樑，地板也高低不平，有幾處已陷成崎嶇的凹形。並且，屋子的內部瀰漫著一種年久陳腐的氣味。

富格森先生領我們進中間的大屋，那裡有一座古式的壁爐，遮著一個鐵欄，爐簷上印著一六七〇年字樣，爐中燒著木塊，火光熊熊的照著。

我向四周瞧視，覺得室中的布置很奇特，年代也很複雜。那半截式的護壁板本是十七世紀農民的遺物，但下面卻點綴著近代的水彩畫，上面牆上刷著黃色的灰泥，並掛了許多南美洲的器物和兵器。這些東西，一定是樓上的那位祕魯夫人帶來的。福爾摩斯一見到，似乎就引起了他敏銳的好奇心，所以便站起來將那些東西仔細察驗。一會兒，他轉過頭來，眼神十分深沉。

他高呼道：「哈囉！哈囉！」

牆角邊有一隻籃子，本有一隻獵狗趴著，這時那狗緩緩向他的主人走來。我見那狗尾巴垂在地上，兩隻後腳向左右跛著，行步似很艱苦的樣子。那狗走近富格森的身旁，用舌頭舔他的手。

富格森問道：「福爾摩斯先生，什麼事

呢？」福爾摩斯道：「這隻狗為什麼這樣呀？」

富格森道：「獸醫也莫名其妙，大概是一種痲痺症。那獸醫認為是脊骨炎，但這症候已經過去，不久就可以好了——卡路，你是不是就要好了呢？」

這時那垂著的狗尾也動了一下，好似表示答應，那一雙含悲的眼睛向我們兩個人瞧著，似知道我們正在談論他的事情。

福爾摩斯道：「他的病是突然發作的嗎？」富格森道：「突然在一天夜裡發作。」「多久時候了？」「約已有四個月光景。」「那很奇怪，也頗耐尋味的。」「福爾摩斯先生，你在這一點上有什麼意見？」「我已得到了我的假設上的證實。」「福爾摩斯先生，你到底想到了什麼呀？對你或許只是一種猜謎，在我卻是有生死關係的。我的妻子是一個未遂的兇手，我的孩子時時在危險之中！福爾摩斯先生，請你不要和我玩笑。這件事實在太可怖了。」

這一個健壯的運動家，這時竟渾身顫抖起來。福爾摩斯把手按在他的臂上，表示懇切的安慰。

他道：「富格森，恐怕這件事無論怎樣解決，總免不掉會心痛。我一定竭力為你設法。此刻我還不能說什麼，但在離開這屋子以前，我希望可以有一個確定的答案。」

「謝謝上帝，但願如此。請你們原諒，我要上樓去瞧瞧我的妻子有沒有變動。」

他上樓了好幾分鐘。趁這時候，福爾摩斯重新察看那牆壁上的骨董。等到我們的主人回來時，光瞧他臉上喪沮的表情，便知他這一次上去仍舊毫無所得。同時帶著一個瘦長棕色膚色的女子一起進來。

富格森道：「杜洛爾，茶已預備好了，你去瞧瞧你女主人要什麼東西拿什麼給她。」

那女子用含怒的眼光瞧著她的主人，答道：「她病得很厲害，不要吃東西。瞧她的病情應當請一個醫生。假使沒有醫生，我很怕一個人陪在她的旁邊。」

富格森向我瞧著，好似要發問的樣子。我會意地答道：「你如果用得著我，我很願意效力的。」

富格森問那侍女道：「女主人可願意讓華生醫生看看？」

侍女道：「她既需要醫生，不必問她。我直接領這位先生上去便可。」我道：「那我就跟你走。」

我跟著那女子上樓，她似因刺激太大，行步時不住的顫抖。到了樓上，走進一條古式的走道，走道的盡端有一扇鐵色的大門。我暗想像這種房門，富格森假使強要進去瞧他的夫人的確是不容易。那侍女從袋中拿出一把鑰匙，接著，那厚重的橡木門板便軋軋作聲。我走了進去，她緊緊在後面跟著，隨即將房門關上。

床上有一個婦人躺著，一望便知她正在發燒。她那時半醒半睡，但我一走進去，她便張開眼睛，很害怕地向我凝視。她見我是一個陌生人，方才安心，隨即歎了一口氣，重新倒在枕上。我走近前去說了幾句安慰的話，便替她診脈，幫她量溫度。她的脈博很快，體溫也很高，但我覺得這種狀態與其說是生病，還不如說是精神上受驚嚇而產生的症狀。

那侍女向我道：「她這樣一天一天的躺著，我怕她要死了。」

那床上的婦人把美麗泛紅的臉龐轉過來看

我，問道：「我的丈夫在那裡？」我道：「在樓下，他很想見見你。」

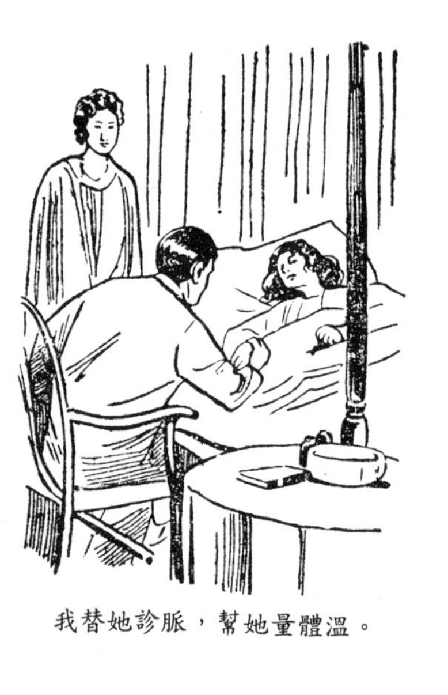

我替她診脈，幫她量體溫。

「我不要見他！我不要見他！」接著她彷彿神志不清，夢語似的說道：「惡魔！惡魔！我要如何對付這一個惡魔呢？」我道：「我能幫助你嗎？」她道：「不能，沒有一個人能夠幫我。這件事完了，一切都毀了！即使照了我的意思去做，也一樣要完了。」

我覺得這婦人的腦中，一定有什麼奇怪的幻想。因我瞧富格森這樣誠實的人，不像會有惡魔般行爲的人。

我又道：「夫人，你的丈夫很懇摯地愛你，他在這一件事上，覺得十分痛苦。」

這時她用那一雙美麗的眼睛瞧我，道：「他愛我，不錯。但我難道不愛他嗎？我爲了愛他，情願犧牲我自己卻不忍使他傷心。我是這樣愛他的，可是他竟會把我想成這樣，又說出那樣的話！」

我道：「他非常擔憂，但他實在不明白。」

「不錯，他當眞不會明白。但他應當信任我。」「那麼，你可以見見他嗎？」「不！不！我決不能忘記他可怕的話，和他臉上的那種神情，我不願意見他，你也不能爲我做什麼事，你走吧！

你對他說，我要我的孩子。我有權可以要我的孩子的，這是我要對他說的唯一的話了。」說完，她轉頭過去，再也不說話。

我回到樓下室中，福爾摩斯和富格森仍坐在爐前。富格森很注意地聽我報告。

最後，他道：「我怎能把孩子交給他呢？我那裡知道她發生了什麼異想？我又怎能忘卻那天她從孩子身旁站起來，嘴唇上染著血液的情形？」他想到這裡，打了一個寒顫，又道：「這孩子在曼森太太手中可以安全。我應當讓他在她的那裡。」

一會兒，那侍女杜洛爾送茶進來。我瞧這屋中的一切，要算這一個女子最時髦了。她在注茶的當兒，室門入口忽走進一個孩子來。他是一個奇特的孩子，面色白蒼，頭髮秀美，一雙淺藍而有神的眼睛，一見了他的父親，便熱情地奔到他的父親身旁，張開兩臂，抱著他的頭頸，做出一種女子撒嬌的狀態。

他叫道：「爸爸，我不知道你已回來了，我應當來迎接你。我見了你多麼快樂啊！」

富格森輕輕掙脫了那兩隻抱住的小手，彷彿有些不好意思。

他拍著那孩子的頭，說道：「好孩子，因為福爾摩斯先生和華生醫生，要和我一同到這裡來逗留一個下午，所以便早回。」「那個福爾摩斯先生是偵探嗎？」富格森道：「是啊！」

那孩子向我們瞧時，眼光顯得很銳利而不友善。

福爾摩斯問道：「富格森先生，你還有一個孩子不是嗎？我們可以認識一下嗎？」

富格森吩咐道：「去叫曼森太太把孩子抱下來。」那小傑克聽了，便一步一跛地出去。

這種樣子，瞧在我醫生的眼裡，顯然他是患了一種脊骨衰弱症。不一會兒，他又回來了，後面跟著一個高碩的婦人，手中抱一個秀麗的孩子。那孩子的眼珠如點漆一般，頭髮也是金色的。眞是個漂亮的混血兒。富格森分明很喜歡這孩子的，他接過來抱在手裡，很溫柔地撫弄著。

他的眼光落在那孩子咽喉上的紅疤時，忽喃喃道：「誰也想不到，竟會有人忍心傷害這樣一個孩子。」

這時我偶然瞧著福爾摩斯，見他的臉上露出一種特別注意的神情。他臉上的肌肉僵住不動，好像象牙雕刻的一般，眼睛卻凝視在那父親和嬰孩身上。一會兒，忽又回頭向屋子的另一面瞧去。我跟著他的眼光瞧時，似乎他正從窗口裡瞧那落寞園子。那窗口外面的百葉窗一半關著，遮住了外面的情景。可是福爾摩斯的視線，卻仍定在窗上。一會，他微微一笑，眼光又回到小孩身上，俯身檢視那小孩子頭頸上的疤痕。最後才拿起那孩子的小手搖了一搖。

福爾摩斯的眼睛凝注在那父親和嬰孩的身上，一會兒忽又回頭向屋子的另一面瞧去。

他說道：「小朋友，再會，你在生命的開始便遭遇這奇怪的事。曼森太太，我要和你私下說幾句，請。」

他領她走到一邊，很懇切地和她談了一會兒。我只聽到他最後的一句道：「我希望你的憂慮不久便可以消失了。」接著，那冷然沈默的婦人便抱了孩子出去。

福爾摩斯問道：「曼森太太是個什麼樣的人？」

富格森道：「她的外表看起來落寞不合群，但她的心地非常好，她很喜歡那個孩子。」

福爾摩斯突地轉身向那大孩子說道：「傑克，你喜歡她嗎？」孩子臉上頓時罩了一層不悅的神色，搖了搖頭。

富格森伸手把那孩子圍抱著，說道：「傑克這孩子的好惡很強烈的。我慶幸是他所喜歡的人。」

那孩子把頭偎貼著他父親的胸口，富格森又輕輕把他推開。

他道：「小傑克，去吧！」說時，他以慈愛的眼光送那孩子出去。又繼續道：「福爾摩斯先生，此刻我覺得我請你們來實在是沒意義的。因為你除了對我表示同情以外，還能為我做什麼事呢？在你瞧來，一定以為這只是一件極敏感而複雜的案子罷了。」

福爾摩斯含笑答道：「這件事當眞是敏感的，但若說複雜我此刻卻沒有這樣的感覺。這是一件需用智力推斷的案子。那最初的推斷，既因著各種線索的證明，已從假設變成了事實，所以我們也可以說已到了目的地了。其實我尚未離開貝克街前，早已料定，以後種種，不過是觀察和證實罷了。」

富格森舉起他的大手按在緊皺的額上，啞聲道：「福爾摩斯，請瞧上帝分上，你假使已瞧明了這事的眞相，請你不要再使我掛慮不定了。試想我現在的處境又應當怎麼辦？只要你明白這事的眞相，至於怎樣明白我卻不必深究。」

福爾摩斯道：「這裡面的眞相，我當眞應當替你解說明白的。但你允許我依照我的方法進行嗎？華生，我們可以上去瞧瞧那位夫人嗎？」我道：「她雖病著，但神志仍很清楚。」

福爾摩斯道：「很好，我們必須見她的面，才能把這事剖解清楚。讓我們上樓吧！」富格森道：「她不願意見我的。」福爾摩斯道：「唉，她願意的。」說著，他在一張紙上寫了一句，又道：「華生，至少之前她已願意見你，請你把這一張紙送給那位夫人。」

我重新上樓，把那紙條交給杜洛爾。一分鐘後，我聽得室中有一種驚喜的呼聲，杜洛爾又開門出來。

她向我道：「她願意見你們。她願意你聽們的話。」

富格森和福爾摩斯聽了我的傳話，便都趕上樓來。進房以後，富格森向他的妻子走近兩步，那時她已從床上坐起，揮手示意他走開。他就坐在一張扶手安樂椅中，福爾摩斯向那夫人鞠了一個躬，也就坐在富格森的旁邊。這時那夫人張大了眼睛，灼灼地向福爾摩斯瞧著。

福爾摩斯道：「我想我們可以把杜洛爾遣開。唉，夫人，也好，你既要叫她留在室中，我也不反對，富格森先生，我是一個忙人，造訪見教的人很多，故而我處案的方法也不能不採直截了當的手段。就像外科醫生動手術的時候越快痛苦越少。現在讓我先說一句可以使你安心的話，你的夫人實在是一個最好，最可愛，而卻最受委曲的婦人。」

富格森直跳起來，歡呼了一聲，忙道：「福爾摩斯先生，請你快證實這句話吧！我終身感福爾摩斯道：「這是一個南美洲人的家庭。當我的眼睛沒有親見以前，我的本能上早已猜到這裡的牆壁上定有許多兵器。早先我雖料也許有別種的毒藥，但卻沒有發現。但我一見了那鳥弓旁邊掛著的小箭袋，我的假設便成了一種證實。假使那孩子被一個浸過馬錢子或別的毒藥箭頭刺了一下之後，若不馬上把傷口裡的毒質吸去，那孩子的性命就保不住了。還有那一隻狗，假使有一個人，要利用那種含毒藥的箭頭，一定會先在別的地方試一試，瞧瞧究竟有什麼效力。我起先沒有想到這一隻狗，但一見之後，我便覺得和我的假設符合。此刻你明白了嗎？你的夫人知道了這一件事後，為了要救孩子的性命，便親自吸吮。但她還不敢把實情告訴你，因她知道你很愛你的大兒子，深怕因此使你心碎。」富格森失聲道：「哎喲，

激不盡的。」

福爾摩斯道：「我當然會證實的。但因著證實的緣故，在另一方面卻不免要使你心痛。」

「你如果能夠替我妻子剖辯明白，別的我都不顧。在我看來，世界上已沒有其他的事比這件事重要。」

「那麼，我來告訴你。須知當我在貝克街寓裡的時候早有腹案。我覺得那吸血鬼的說法實在不合情理，在英國的罪犯史中也從來沒有發生過這樣的事實。可是你卻親眼見你夫人從孩子的小床旁站起來時，嘴上染著血跡。」富格森道：「是啊，我當眞見到的。」

「但你可曾想到在一個流血的傷口上吮吸，除了吸取血液以外，還有什麼作用？你豈不知道在英國的歷史上，有一個皇后從流血的傷口上吸出毒質？」富格森驚道：「毒？」

那婦人本把臉伏在枕上，嚶嚶啜泣。這時轉過臉來，瞧她的丈夫。

她道：「大個子，我怎能告訴你呢？我覺得一說出來，一定要使你受打擊的。因此想，我不如等著，讓別人來告訴你，也許比我自己說出來你好受些。後來這位先生，彷彿有仙術似的寫一張條子給我，說他已完全知道，那我才放心些。」

福爾摩斯從椅子上站起來，說道：「如果要我替這位傑克先生開一張藥方，最好請他過一年的海上生活。夫人，還有一件事，我仍像在霧中一樣迷惑。我們已知道你為什麼要打傑克，這實在是做母親的忍無可忍了。但這兩天你怎敢放心讓你的孩子離開你呢？」「我已和曼森太太說明了，這一回事她已知道。」福爾摩斯點頭道：「這樣啊！我也料想如此。」

傑克！」

福爾摩斯繼續道：「當你抱弄那小孩子的時候，我曾仔細觀察你的大兒子。那時那一扇窗子的百葉窗關著，你兒子的面孔很清楚的從那面玻璃上反映出來。我見他臉上滿顯著嫉妒和兇恨。這種神情在人類的臉上，實在難得瞧見的。」「我的傑克！」

「富格森先生，這一個打擊你不能不忍受一下了。須知這件事的起因，無非是出於一種不正常的愛。他因為對你有一種瘋狂似的熱愛，便促使他做出這種可怖的舉動。他見了這可愛嬰孩康健、美麗，和他自己的軟弱恰正相反，於是他的靈魂都充滿了妒恨。」「上帝！這是不可信的！」

福爾摩斯對床上的婦人道：「夫人，我的話是真的嗎？」

富格森嗚咽地站在床邊，兩隻手向前伸著，卻不停地顫抖。

福爾摩斯附耳低聲道：「華生，我想此時我們可以走了。你去挽著那忠誠的杜洛爾的那隻手臂，讓我來挽另一隻吧！」說著，我們便一起出來。福爾摩斯轉身把室門拉上的時候，又說道：「我想其餘的事情，讓他們自己去安排！」

在這件案子裡，還有一節我應當記述的，那就是福爾摩斯對於此案一開始時那封信的最後的回覆。那信道：

「關於吸血鬼的事。

先生，我接到你本月十九日的來信，承你把明星巷茶商富格森的事情委託給我，這事幸已得到圓滿的解決。謝謝你的介紹。——歇洛克・福爾摩斯自貝克街寄。」

專制魔王（原名 Wisteria Lodge）

這件案子據我日記中的記載是發生在一八九二年三月底，風凄雨冷的一天。那時我和福爾摩斯正在進午餐，他接到一張電報，且又發了回電，整個過程他都沈默不發一言。一會兒，他走到壁爐前瞧著裡面的爐火，嘴裡啣著煙斗，緩緩吐吸，有時會撇過臉瞧那張電報。忽然他回過頭來，用眼睛向我眨了一眨。

他說道：「華生，你是個善於遣詞用字的人，那一個 grotesque 字，怎樣解釋呢？」我道：「奇怪——異常。」

他搖搖頭，似乎不贊成我的解釋，答道：「我認爲這個字還有更重要的意思，它引申有悲慘和恐怖的意思。你回想你歷來記錄的許多案子你便可以明白，grotesque 一字往往意味著犯罪。試想那件『赤髮團』的案子，起初也是這樣，結局時才知是一件蓄意行劫的奇案。還有『橘核案』，也是從這一個字上查出了一樁謀殺的計謀。因此，我對於這一個字，再也不敢隨意輕視了。」

我道：「那麼，你那電報中，可是又有這一個字呢？」

他就把那電報高聲唸給我聽：

「我經歷了一件奇怪(grotesque)而不可思議的事情，容我登門請教嗎？——史高德・艾格爾斯自查林格洛斯街郵局。」

我問道：「這是個男人還是女人？」「當然是個男人。女人決不會預付了電費等我回電的，要是女人早就自己來了。」我道：「你願意見他嗎？」

福爾摩斯道：「親愛的華生，你當知道自從我捉住了卡魯塞斯上校以後，直到如今，日子是多麼無聊。我的腦子正像一部旋動不停的機器，機器如果沒有工作，任自無聊停擺，便有生鏽的危險。我久感我們的生活平庸又無味，報紙也全登些枯燥的陳舊東西。日子眞是無聊極了！所以，如果有新案子發生，無論怎樣細小，你都不用問我幹不幹。且慢，我如果沒有聽錯，我們的委託人已來了。」

這時果然聽見樓梯上有腳步聲，一剎那間，便見一個高大，留著灰鬍鬚，容態莊嚴的人被我們的僕人引領進來。他的身世背景可以從他的面貌和矜持的態度上觀察而得。從他腳上的鞋套，到他臉上的金邊眼鏡，便知他是一個保守派，守舊派的人。但那時他似乎因爲某種驚奇的事情，把他安閒鎭靜的態度破壞殆盡。他的頭髮雜亂，滿臉通紅，並且舉動非常驚慌失措。他一踏進來，便馬上說明他的來意。

他道：「福爾摩斯先生，我遇到了一件非常奇怪的事情，我生平沒有這樣的經驗。這件事實在是太越法違例了，我須找一個解決的方法才是。」他說時滿臉漲紅，怒氣上升。

福爾摩斯溫聲答道：「艾格爾斯先生，請坐。我先問你爲什麼到我這裡來？」

「先生，我覺得這件事似不便直接去請警察幫忙。但你若聽我說完了全部的過程，你必也承認，我不能置之不管。那些私家偵探，我不敢信任，我是久仰大名……」

福爾摩斯道：「這樣——但你既有意要來見我，爲什麼不立即來見我呢？」艾格爾斯道：「這句話什麼意思？」

福爾摩斯取出錶來瞧瞧，他答道：「現在已是兩點十五分了，你的電報是一點鐘發的。但瞧你的打扮，誰都能猜到那件事在你早晨醒來的時候便發生了。」

那人舉手摸摸他的亂髮，又在沒有刮過的下巴撫摸了一下。

「福爾摩斯先生，你的話沒錯。我當時因急著要離開那宅屋子，並沒有想到我的裝飾。至於我到你這裡來以前，的確已往各處探問過一回。我先到房屋經理人那裡，據說賈西亞先生的租金並沒拖欠，並且惠司特里亞寓所一切如常。」

福爾摩斯笑道：「先生，好了。你和我的朋友華生醫生一樣，說話時喜歡倒果爲因，令人聽了不解。現在請把你的思緒整理一下。那件事的起端是怎樣？你爲什麼如此匆忙，連鞋鈕和衣鈕都參差扣錯？這裡面的詳情是怎樣？你慢慢逐節說給我聽。」

那人低垂了頭，瞧瞧他自己不整齊的裝束，似很不好意思。

他道：「福爾摩斯先生，我這種樣子當然是不雅觀的。但我所遇到的事情實在是我生平從沒有經驗過的。等到我把這件奇事全部告訴你之後，那你也許可以體諒我了。」

他的故事還沒有開始，外面忽然傳來一陣聲響，哈德遜太太開門引進兩個人。那兩個人的身材都很壯碩，一見便知是官方的人員。其中一個是蘇格蘭警場的偵探葛萊生，他是一個勇敢而幹練的人，這是我們素來知道的。他先爲福爾摩斯介紹他的同伴，據說是休雷警局裡的偵探貝納司。

葛萊生道：「福爾摩斯先生，我們正在追

組一個人，一路跟蹤，便找到這裡來了。」說著，他以那獵犬似的眼睛向我們的客人瞅了一眼。問道：「你是不是住在里街波漢公館的史高德・艾格爾斯先生？」

「是。」「我們找了你一個早上。」

福爾摩斯插口道：「你大概是靠著電報的線索，才找到這裡來的。」

葛萊生道：「正是憑這線索。我們從查林格洛斯街郵局裡查到，接著就趕忙追蹤到這裡來了。」

艾格爾斯道：「你們爲什麼要追蹤我呢？你們要做什麼？」

「艾格爾斯先生，我們要問你惠司特里亞寓所的賈西亞致死的緣由。」

那委託人一聽，坐直了身子，瞪大兩眼，臉上毫無血色。驚問道：「死了？你說他已經死了嗎？」「先生，正是，他已死了。」「怎樣死的呢？是遇到了什麼意外嗎？」「如果世上有所謂的謀殺，那麼這就是一件謀殺案。」「好上帝！這多麼可怖啊！但你可是以爲——你可是以爲我殺的？」「我們在屍體身上搜到你給他的一封信，我們瞧了那信，才知你昨天晚上要在他屋裡過夜。」艾格爾斯道：「我的確在他那裡過夜。」

「哦，你當眞住在他的屋裡？」那偵探取出一本筆記簿來。

福爾摩斯插嘴道：「葛萊生，等一下。你此刻所要的，是不是他的供詞？」

葛萊生道：「正是，我還應當告誡艾格爾斯先生一聲，這份供詞可以用來控告他。」

福爾摩斯道：「當你們沒有進門的時候，艾格爾斯正要開始陳說他的故事。華生，請你幫他倒一些白蘭地和蘇打。先生，現在請你定一定神，不要把這突來的事放在心上，將你方才要說的故事從頭說起。」

那來客飲完了白蘭地後，臉色果然恢復紅潤。他朝那偵探手中的筆記瞥了一眼，便開始陳說。

他道：「我是一個單身漢，我很喜歡旅遊，因此，結識了許多朋友。其中有一個休業的釀酒商名叫梅維爾，住在肯辛頓的阿索麥廣邸中。數星期前，我在他家遇見一個名叫賈西亞的少年，他是西班牙人，據說和西班牙公使有些關係。他能說純熟的英語，相貌佳，態度又溫文儒雅，是我生平少見的。我和他見面以後覺得很投機，他似乎也很欣賞我，兩天以後，他就到我的寓所裡來拜訪我。這樣往來了幾次，他就請我到他位於何樹和歐克斯蕭特之間的惠司特里亞寓屋中去玩幾天。所以昨天早晨，我就依約到他那裡去。在我沒有到他寓所去以前，他曾把他屋中的情形告訴我。他和一個忠實的僕人同住，那僕人也是西班牙人，他能說英語，屋中的一切事情都由他掌管。此外還有一個廚子，是個混血兒，是他在旅行時遇到的，據說能做很棒的菜餚，他自認像他這樣的家，在薩雷地方可算是少見的。這話我也贊成，其實據後來證實，他的家比我當初意想的更奇特好幾倍。我往他家去時，知道他的屋子在何樹的南方。屋子和馬路距離很遠，門前有一條彎徑，徑的兩旁種著高大的長青樹。屋子的年齡已老，因年久失修的緣故，外觀非常蒼涼。當我的馬車駛過了那條亂草沒徑的車道，停在那扇風雨剝蝕的大門口時，我忽然覺得，我和他的交情不深，怎麼就這樣來拜訪。他自已出來開門，那種歡迎的樣子顯得十分至誠。接著他吩咐他的僕人替我提了皮箱，領我進我的臥室裡去。那僕人的面容憂鬱、黝黑，讓人見了就不喜歡。那屋子的氣氛也只能以慘淡來形容。饌餚也不精美，主人雖竭力勸進，但他的情緒似乎正游蕩不安，他的話空泛而無趣，竟使我不能了解，他不時輕敲著桌子，顯然他心神不寧。加上食品的烹調不適口，那厭憎的僕人又站在我們面前，更讓我覺得鬱鬱不樂。那時我好幾次想託故回去，覺得無法再留在他那裡作客。啊！我想起一件事，也許與兩位先生的偵案有些關係，但當時我卻毫不在意。晚餐將結束時，那僕人送一張字條進來，我的朋友看了以後，樣子越顯得詭異。他已不再假意和我敷衍，只靜坐著吸煙，並且深思得出神。但那字條中說些什麼他卻絕口不提，到了十一

點鐘，我便回房睡覺。過了好久，賈西亞忽到我的臥房門口來窺探。那時室中全黑，他問我是否按鈴，我回答沒有，他於是向我道歉，並說不應在這樣的深夜打擾我，那時已將近一點鐘了。不久我就合眼入夢，直到天明。現在我要說到我故事中最奇特的一部分了。當我醒來的時候，天已大亮，我取錶瞧視已近九點，我曾吩咐僕人叫他在八點鐘時進來叫我，沒想到他竟忘記。起床後我按鈴呼僕也沒有回音，再按了幾次仍舊無效，我以爲那電鈴壞了，所以就穿了衣服，匆匆下樓，預備親自喚僕人取熱水上來。你可以想像當我發現屋中沒有一個人時，我是多麼的驚訝。我先在大廳中呼叫，沒有回應，隨即往各室裡去瞧視，結果也一樣空無一人。昨晚賈西亞曾指出他的臥房是那一間，這時我走過去敲門，也沒有回音，我推門

進去，房內也空無一人，床上也沒有睡過的痕跡。我才知那個外國的主人、外國的僕人，和那外國的廚子，已一齊乘夜逃走。這就是我在惠司特里亞寓所故事的始末了。」

福爾摩斯邊聽邊搓他的手，又不時乾咳幾聲，似很注意那來客的奇特故事。

他道：「據我看來，你這一次經歷眞的很奇怪的。但你當時如何處置呢？」

艾格爾斯道：「我起初怒極了，以爲他們設了這個圈套，故意要戲弄我。因此我匆匆把攜帶的東西裝好，提了皮箱從老屋中出來，直向何榭前進。我先到村裡的租屋經紀人愛倫那裡，查知那屋子的確是向愛倫租的。我當時又想這不像和我開玩笑的，也許他欠了房租，藉此要脫身。因爲這時已三月底，收租的時間到了。可是這假設也沒有成立，因那經紀人告訴我，他們的租金是預先付的。第二步我又到西班牙大使館查問，結果他們並不認識那個賈西亞。接著我又趕去見梅維爾，因爲我是在他家裡和賈西亞相識的。但梅維爾也說賈西亞是他的初交，和我一樣不知他的底細。最後我想到你是一個善於解決難題的人，所以就發電求見，等到接了你的回電，我就直接到這裡來了。警探先生，我聽了你剛才的話，知道你可以把這件故事接下去講。你剛才說這裡發生了慘劇，是嗎？至於我的話，句句實在，除此以外我完全不知道。我很願意盡我的力，讓這件事水落石出。」

葛萊生聽完，便很和婉地答道：「艾格爾斯先生，我很相信你的話，因你所說的一切情形，和我們所發現的完全相符。譬如你說那天晚餐時有一張紙條送來，這當眞是實在的。但你當時可看見他把那一張紙放在那裡？」「有的。賈西亞把那紙搓成一個小團，丟到壁爐裡。」

「貝納司先生，你以爲如何？」

貝納司的體格高大壯健，臉色紅潤，兩隻銳利的眼睛，深藏在顴骨和眉毛中間。他微微笑了一笑，就從衣袋中拿出一張摺疊過，變色的紙條來。

他道：「福爾摩斯先生，那是一個闊口的壁爐，他把那紙團丟在爐角，竟沒有燒去，因此被我拾起來了。」

福爾摩斯點頭微笑，表示他的讚許道：「這可見你已在屋中察驗得非常仔細了。」

貝納司道：「正是，這是我的本分。葛萊生先生，我現在要把觀察所得唸出來嗎？」

葛萊生點點頭。

貝納司道：「這紙是普通沒有水印的淡綠色紙，曾經用短鋒的剪刀裁剪過，剪成了四分之一。紙摺疊成三摺，外面有紫色的火漆封蠟，封蠟時似很急促，並有平圓的東西壓過。上面寫著惠司特里亞寓所賈西亞先生收字樣，信中寫著：『我們的顏色綠和白。綠開，白合。大樓梯，第一層，右邊第七，綠布門簾。火速D。』這是女人的筆跡，用尖筆頭寫的。但外面的姓名住址的筆畫比較粗闊，若不是換過一支筆，一定是另外一個人寫的。」

福爾摩斯在紙條上瞧了一遍，說道：「這眞是一張奇怪的字條。貝納司先生，我很佩服你，你竟能觀察的這樣仔細。但還有遺漏的兩點，我幫你補充，那壓火漆的平面圓形的東西就是袖口的鈕扣，還有那剪紙的剪刀，乃是彎頭的。你見一節節短距離的剪痕便可證明那剪刀的刀鋒很短，每一節的開始，都略有同樣的彎曲，你再仔細瞧瞧，很淸楚的。」

那鄉村偵探乾咳了一聲。

他道：「我以爲我的觀察已很周密了，誰知還有這兩個漏點。但我除了知道這一事和一個女子有關係外，還不知道其中的眞相到底是怎樣。」

當福爾摩斯和貝納司交談的時候，艾格爾斯先生很怔忡不安。

他接口道：「眞高興你發現這張紙，因爲這事和我的話相印合。但賈西亞和他的僕人後來的遭遇究竟怎樣，我還不知道。」

葛萊生道：「那是很容易回答的。今天早晨，有人在離他屋子一哩路的歐克斯蕭特，發現賈西亞的屍體。他的頭顱已經破碎，好似被什麼沙囊或重器擊碎。那個地方非常僻靜，附近沒有屋子，他似乎是先被人從後面打了一下，打死以後，那兇手還繼續猛擊了幾下。這是一件兇殘的謀殺，但兇手並沒有留下腳印或其他的線索。」艾格爾斯道：「有東西被劫嗎？」

葛萊生道：「沒有，毫無盜劫的跡象。」

艾格爾斯喃喃自語道：「這實在是很可惡的，並且很不利於我。我不知道賈西亞爲什麼要半夜出去，更沒料到他怎麼會遇著這慘痛的事。你們何以找到我身上來？」

貝納司道：「這很簡單。我在死者身上搜到了你給他的一封信，裡面有說到你昨天晚上要去住在他家。也就是從那信封才知道他的姓名地址。我找到惠司特里亞屋子去時已過了九點，你既不在屋中，也沒有其他人。我就一面打電報給葛萊生先生，叫他在倫敦偵查你的蹤跡，一面又重新往屋子裡去搜查。後來我到了倫敦，會見葛萊生先生後，就一同到這裡來了。」

葛萊生站起身來，說道：「我想這件事我們應當照手續辦的。艾格爾斯先生，請你跟我們往警察局走一趟。我們必須把你的話記錄下來。」

艾格爾斯道：「好，我立刻就來。福爾摩斯先生，這事仍舊要煩你相助。請你盡力偵查，幫助我。」

我的朋友向薩雷郡的偵探瞧看道：「貝納司先生，我想我和你合作，你不會反對吧？」

「先生，那是我的榮幸。」

福爾摩斯道：「我看你辦事，知道你是很敏捷老練的。但你從這裡面有沒有發現什麼線索足以證明被害人死亡的時間呢？」

貝納司道：「昨晚一點鐘時他必已倒在那裡。因那時曾經下過雨，瞧他致死的樣子，我想一定在下雨以前。」

我們的委託人艾格爾斯插口道：「貝納司先生，這是不可能的。我敢發誓他在昨夜一點鐘時還在我臥室的門口和我交談。我親耳聽見他的聲音，決不會錯。」

福爾摩斯微笑說道：「這眞是奇怪，但也不是不可能。」葛萊生忙問道：「你已有線索了嗎？」

福爾摩斯道：「從表面上觀察，這案子雖然有幾個奇怪的疑點，卻也不見得怎樣複雜。但我在沒有仔細調查以前，還不敢發表我的意見。貝納司先生，當你在屋中察勘的時候，除了那一張紙條以外，還有其他奇怪的東西嗎？」

貝納司道：「有一兩樣東西非常奇怪。等我把公事料理好了，你可以和我一同去瞧瞧。我還要請教你的意見哩。」

「那很好。」福爾摩斯說著，按一按鈴，又道：「哈德遜太太，請你送這幾位客人出去，並把這張電報拿給那孩子叫他去發電報。提醒他應先付五先令的回電費，我要等回音的。」

客人走後，我們倆靜坐了好久。福爾摩斯吸了很多煙，低垂著頭，銳利的眼睛上面雙眉緊鎖。這就是他構思時特有的狀態。

他突然回過頭來，問我道：「華生，你認爲這案子怎樣？」

我道：「我對於艾格爾斯所說的那個神祕的故事，實在無法理解。」他道：「關於那件兇案呢？」我道：「那人的同伴已經失蹤，似乎表示他們和這件兇案有關係，所以才畏罪逃走。」

「這當然是一種可能的假設。但你再想一想，那兩個僕人如果串通想謀殺他們的主人，任何時候，只要是主人單身獨居，他們就有下手的機會，爲什麼偏偏選那主人留客的晚上動手呢？」

「那麼，他們爲什麼要逃？」「不錯，他們何以要逃實在是一個重大的疑點。還有，我們的委託人艾格爾斯所經歷的事也是不容易解說的一點。華生，要對這兩種狀況同時提出合理的解釋，實在是超乎常人的智力限度。故而假使我們有一種假設，足以先解釋一個疑點，同時也可以把那祕密信的疑問包含進去，這假設就可以暫時成立。如果新發現的事實情況能夠和這假設符合，那麼，這暫時的假設也許可以漸漸暫時變成固定的解釋方法了。」我道：「但我們假定的假設，又是什麼呢？」

福爾摩斯把身體靠在椅背上，眼睛瞇著，說道：「華生，你想必也認爲艾格爾斯所認爲是『惡作劇』的假設是不成立的。我們瞧後來的結局便可知艾格爾斯被誘到惠司特里亞寓所，實在是出於預先計劃的。」我道：「那是怎麼樣的計劃呢？」

「我們姑且一節一節的推想。第一步，那西班牙少年和史高德·艾格爾斯相交未久便進入很親密的狀況，不用說這是不自然的。爲何他和艾格爾斯才初次見面，就表現得如此熱情，且邀他到何樹的寓裡去？。他爲什麼要引誘艾格爾斯到他家呢？那艾格爾斯有什麼可以讓人利用的地方？我瞧艾格爾斯的模樣，不像是有智慧的人，以他的智力和那西班牙少年相較，一定敵不過。雖然如此，他的品性堅毅而謹慎，眞可代表不列顛民族的特性。假使有人利用他做證人，他的言語表情，是很足以感動人的。」「但賈西亞要利用他證明什麼呢？」

「很明顯，從各件事上逐步推想，便不難知道他的目的。」

「我明白了，那人也許要利用他作爲他不在場的證明。」

「對，華生，他的確是需要一個不在場的證人。我們姑且假設惠司特里亞寓所中的主僕三人都是同黨。他們蓄意要謀成一件事，並且必須在昨天晚上一點鐘前動手，因此他們預先把時鐘撥快，所以艾格爾斯上床的時候他自以爲已十一點鐘，其實卻還早些。由此推想，可見賈西亞到他房門口去告訴他已經一點鐘了的的時候，實際上一定還沒有過十二點鐘。假使賈西亞趁那個時候出去幹了什麼勾當，一點鐘前準時完成回來。那麼，即使事後爆發，也有那個艾格爾斯替他作證，證明他一點鐘前確實在屋子裡，那不就是一種最有力的保障？」

至於那個D字，不用說就是那個引線的人。」

「那男子既是西班牙人，那女子也許也是同國人。我認爲西班牙婦女的名字有D字起頭的要算『迪洛兒』最普通了。」

「華生，你的推理很好，但和事實並不相合。一個西班牙女子寫信給一個西班牙男子，當然要用西班牙文，但封那信卻是英文，可見寫信的人是一個英國人。現在我們姑且忍耐一下，等貝納司回來了再說。在我們空閒無聊的時候，忽然發生了這件事情，幫我們消磨了幾小時，可算是我們的幸運！」

貝納司回來以前，福爾摩斯得到一個回電。福爾摩斯讀了一遍之後，正要把電報藏進日記冊裡去，忽見我渴望的眼神，便笑了一笑將電報拿給我瞧。

那回電是一張許多姓名、住址的單子：

「是啊，是啊！我也明白了。但另外兩個人爲什麼失蹤？」

「我還沒有明白全部的事實，故而還不能逐節解說，不過我不相信這其中有什麼特殊的難點。現在我們所得的事實線索有限，我們的假設自然也應當有一個限度。假使你硬把事實套進去，勉強符合你的假設，那就難免會走到迷途上去了。」

「那麼，你之前說『祕信』也包含在你的假設之中，怎樣解釋呢？」

「那信上說：『我們的顏色綠和白』這很像賽馬場中的話。『綠開，白合』分明是一種暗號。『大樓梯，第一層，右邊第七，綠布門簾，』表面看起來是一種男女的祕密幽會，而且可能有一個善妒的丈夫，所以這事還帶著冒險性質。我們只須瞧最後的『火速』字樣便知道了，哈林勃爵士，住丁格爾。

喬治．佛利奧爵士，住歐克斯蕭特塔樓。

海尼斯先生住帕弟普雷斯。

威廉斯先生住福頓赫爾。

亨德森先生住海伊加布爾。

約舒亞．斯通牧師，住在內特瓦蘇林。

福爾摩斯道：「這一種調查，可以使我們的探索有一個範圍。我認為貝納司的頭腦很清楚，他大概也有想到這一個方向了。」「我還是不太明白。」

「我告訴你，我們起先假設賈西亞在晚餐時接到那張紙條，是要去赴祕密約會，或是男女的幽會。所以現在試讀那字條中『大樓梯，第一層，右邊第七』的句子，可見那幽會的地點一定是一宅廣大的屋子。寫信的人怕赴約的人走錯，所以才寫得很清楚。照這情勢推想，

那屋子一定就在何樹境內，相距至多不超過一二哩路。因為賈西亞既然預先安排了時間的證人，準備在一點鐘前料理完畢，回到惠司特里亞屋中，可知地點決不會過遠。但在何樹境內的大房子沒有幾間，於是我打電報給艾格爾斯，請他告訴我那個房產經理人，並請他把附近大屋子的住戶名單給我。這就是他的回電。我猜此案的那個不知是誰的關係人，大概就是這幾個姓名中的一個。」

那天將近六點鐘，我們和警探貝納司一同到薩雷的何樹。

福爾摩斯和我都帶了過夜的東西，並在一家叫做蒲爾的小旅館中住下。布置完畢後就和貝納司一同往惠司特里亞寓所。那是一個寒冷黑暗的黃昏，強風細雨，一路陪著我們到悲慘的空屋。

我們走了約兩哩路，就到一扇高大的木門前面停下。門裡面有一條暗曚的曲徑。我們循徑而進，直達一宅黑暗的矮屋，屋子左面的窗戶露出一絲微光。

貝納司道：「這裡有一個警察守著，我來敲他的窗。」他走過了草地，伸手在玻璃上彈了兩下。我從霧氣迷濛的玻璃上瞧去，見有一個男子坐在火爐旁邊，他突然從椅子上跳起來，同時傳來一陣尖叫聲，一個臉色灰白呼吸急促的警察開門出來，顫動的手裡執著一枝蠟燭。貝納司忙問道：「華爾德，發生什麼事？」

那警察用手帕抹抹他的額頭，又呼了一口長氣，似表示他這時才稍稍安心。

他道：「先生，你們來了眞好！這眞是一個漫長的黃昏，我怕我的神經支撐不住了。」

貝納司道：「爲什麼？你爲什麼如此恐懼？」「先生，這裡很冷淸，廚房那裡又有奇怪的東西，所以剛剛你在外面敲窗的時候，我以爲那東西又來了！」「什麼東西又來了？」「先生，是一個鬼，就在這扇窗外。」「什麼樣的鬼？什麼時候出現的？」

「約兩個鐘頭以前。那時天色漸漸暗，我坐在椅子上看書，當我抬起頭來，忽見下面的一塊玻璃上貼著一個臉孔。啊，先生，那是一個多麼可怖的面孔啊！我今天晚上一定要做惡夢了。」

「哦，哦，華爾德，這樣的話，可是一個當警察該說的？」

「先生，我知道，我知道，但那東西實在太令我吃驚了。那東西的顏色非黑非白，我簡直無法形容，正像一塊黑色的爛泥，攙和了些牛乳在裡面。至於那臉的大小足有你的兩倍

當我抬起頭來，忽見下面的一塊玻璃上貼著一個臉孔。

大，兩隻眼睛又大又圓又黑，兩排雪色的牙齒，好像一隻飢餓的野獸。先生，我老實說，當我瞧見的時候身體都不能動彈，呼吸也差不多停止。直到那東西不見，我才敢走出門口來瞧瞧。感謝上帝，他已經完全無影無蹤了！」

「華爾德，要不是你平素的品行不錯，在

這一件事上，少不得要給你處分。即使那東西是一個鬼，當警察的沒有將他捉住，怎麼還說得出感謝上帝的話呢？我想這件事不會是你的幻覺吧？」

福爾摩斯插嘴道：「這一點不必多問，很容易解決的。」說著，他取出懷中的手電筒，在草上照了一會兒。便道：「沒錯，這裡當眞有一個人來過的。那人穿了一雙十二號的大皮鞋，若從這腳的大小上推想，那人的身體的確很龐大的。」

貝納司道：「那麼，你看他之後又往那裡去了呢？」

「他似乎穿過曲徑旁邊的小樹林到大路上去了。」

貝納司沉吟了一下，便道：「無論這個人是誰，以及他到這裡有什麼目的，此刻既已走了，我們不妨先把更緊要的東西察勘一下。福爾摩斯先生，請跟我來。」

那屋子的臥室和起居室似乎都沒有仔細察驗的必要。瞧屋中的各種器具和零星的東西，顯示那租戶逃走的時候並沒有帶什麼東西。屋裡留著許多衣服，標籤上寫著馬克思服飾店。貝納司曾發電去詢過，據說，只知他是一個不計價格的闊客，此外就什麼都不知道了。另外還有幾個煙斗，幾本小說，其中兩本是西班牙文的，還有一把老式的左輪手槍，和一把吉他。

貝納司拿著蠟燭，一間一間的陪我們察勘，說道：「這些都沒有幫助的。福爾摩斯先生，現在請你注意這一間廚房。」

廚房的後面非常暗，牆角有一張草薦，看起來像是廚子睡覺的地方。桌子上堆滿了殘餘的食物和用過的盤碟，這是昨天晚餐後所留下的。

貝納司道：「請瞧這個，你認為這個是什麼東西？」

他拿著蠟燭照櫥櫃的後面，我們便發現一個奇怪的東西。那東西皺縮而乾癟，一時竟瞧不出究竟是什麼。我初看以為是黑皮革製成的

那東西好像是黑皮革製成的人形，就像是經過乾燥保存的黑種嬰孩，仔細一瞧卻又像一隻猴子。

人形，就像是經過乾燥保存的黑種嬰孩，仔細一瞧卻又像一隻猴子，我開始懷疑這究竟是人還是獸。那怪物的身體中間還繞著一串白色的貝殼。

福爾摩斯在那怪物身上瞧了一會兒，連聲道：「這眞是很有趣，很有趣！還有其他的東西嗎？」

貝納司又領我們到一個汚水桶前。蠟燭一照，便見桶上有一隻白鳥的骨骼和翅膀，翅膀上還附著羽毛，似乎是活的時候被殺的。福爾摩斯察驗了一下鳥嘴下面的垂肉。

他道：「這是一隻白雄雞。太有趣了，這的確是一件離奇的案子。」

貝納司又展示了幾種更奇怪的東西。他從汚水桶的底下取出一個鉛桶，桶中盛了許多血液。又從桌子下面取出一隻瓷盆，盆裡另有一堆小塊的焦骨。

貝納司道：「一定有什麼東西被殺，且又有什麼東西被人燒了。這焦骨是我們從火裡取出來的，今天早晨，已經由一個醫生檢驗過，據說不是人類的骨頭。」

他取出一個鉛桶來

福爾摩斯微笑地搓著兩手。他道：「貝納司先生，恭喜你經手這一件有趣味的案子啊！」

貝納司的眼睛眨了一眨，似很快樂。

他道：「福爾摩斯先生，你說的沒錯。這樣的案子的確是一個難得的機會，我很希望我能夠勝任。但你對於這些焦骨有怎樣的見解呢？」「我認爲是小羊的骨。」「白雄雞呢？」「這就非常奇怪，我還不能回答。」「正是，先生，這實在太奇怪。瞧瞧屋子裡這幾個人的種種舉動，簡直可以把他們稱做怪人。現在三人之中死了一人，難道是那兩個同伴殺死他的嗎？如果眞是這樣，各處的海口都已派人監守，他們絕對逃不出我們的掌握。不過我不這麼認爲。」

福爾摩斯道：「那麼，你可有什麼假設？」

「福爾摩斯先生，我有一個想法。但這一次我準備自己動手，此刻還不便宣布。你應該知道你的名譽已經很高，我也很想利用這一次機會揚揚我的微名。故而我認爲必須等我獨立辦成以後，才能把這裡面的眞相宣布出來。」

福爾摩斯縱聲大笑道：「很好，警探先生。我們儘可分道揚鑣。你走你的路，我幹我的事。但我偵查的結果決不保密，假使你想來問我，我仍可竭誠奉告。這屋中的情形我已不必再瞧，我的時間尙有他用。祝你成功，再見。」

我從各方面觀察，知道福爾摩斯正不遺餘力想找到這奇怪案子的線索。他那時仍舊保持著老臭脾氣，絕口不提這事，但我從他的舉動揣測，就知道他正全神貫注。我也並不發問，因爲我知道如果有需要我的地方，到了適當的時機，他自然會向我說明。我若在他運思的當兒問些無聊的問題，只會打擾他的思緒，對案情無益，我當然不敢冒然嘗試的。

因此之故，我就耐著性子等待。可是我們在村中待了幾天仍舊不見他有什麼顯著的進展，不禁使我有些失望。有一天早晨，我知道他去倫敦的大英博物館。除此以外，他只是一個人在外面走走，有時則和村裡的無聊漢談論些村中的閒話。

他說：「華生，我相信在鄉村中住的這一個星期對你一定很有益處。你見到那樹上的嫩枝，和圃田中的新蔬菜剛長出的嫩芽，必覺得非常有趣。你若隨身帶了一把鐵鍬，一個鉛匣，和一本初級的植物學書，就儘夠你消磨幾天了。」他說著，就把他自己所搜集的植物標本，取出來給我賞鑒。其實他所搜集的只有幾種，並不足以傲人的。

我們在村中閒步的時候，有時也會順便去瞧瞧警探貝納司。他和我們打招呼的時候，那個肥大紅潤的臉上總堆滿了笑容，小而銳利的眼睛也閃閃發光。但對於那件案子，他絕不多講，從他的口氣猜度，似乎他進行得非常順利。誰知五天以後，無意中得到一件消息，使我大吃一驚。因為那天晨報的大標題寫著：

「歐克斯蕭特兇案偵破
捕獲一個嫌疑犯」

福爾摩斯一聽我讀出這個標題，忽從椅子上跳起來，好似被什麼東西刺了一下。

他驚呼：「哎喲，你是說這案子已被貝納司破獲了嗎？」

我答道：「當然是他。」接著就唸下面的記載：

「昨天晚上，賈西亞兇案的嫌疑犯被捕的消息一經傳開，附近居民便驚喜若狂。自從賈西亞先生的屍體在歐克斯蕭特地方被發現以後，大家都盼望早日破案。但他的僕人和廚子都已連夜逃走，一時無從著手。據猜測，死者可能藏有什麼値錢的東西，那兩個僕人因財起意，就將他謀殺。警探員納司對於偵探此案不遺餘力。據他推想，那二人不會跑遠，必在他們事前預備好的地方躲藏。因此，當時便預料這案子不難破獲。因爲曾經有人見過在逃廚子的特殊面貌，他是個混血兒，臉闊，膚色偏黃，眼睛圓大，和黑人有點像。事發以後，他曾冒險到屋子，被華爾德警察瞧見，警探貝納司料定那人所以重來，一定有某種緣故，但一次旣沒有如願，也許會再來第二次。於是他把看守屋子的警察撤去，另外叫一個人躲在樹叢中。昨天晚上，那廚子果眞自投羅網，就被那守伏的警察唐寧捉住。捕捉的過程，那警察被廚子咬傷了好幾處，顯見那人十分兇殘。現在這犯人在警察的要求下，暫時拘押候審。捕獲此人於案情上必有重大的幫助。」

福爾摩斯等我讀完，急忙取起帽子，呼道：「華生，我們應立刻去見貝納司。快點，他此刻應該還沒有

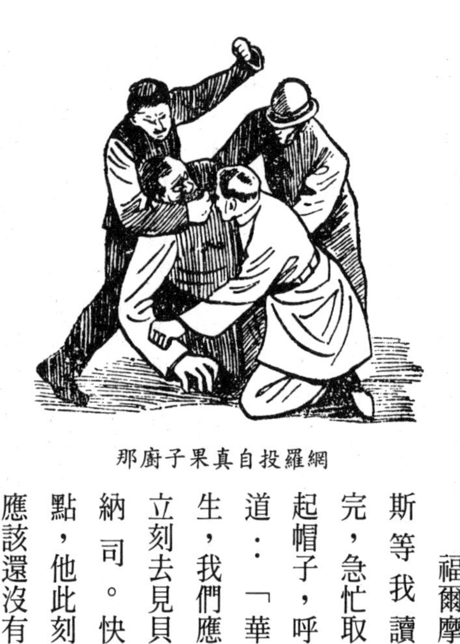

那廚子果真自投羅網

出門。」接著，我們就從旅館匆匆出外，走過了幾條村路，奔到貝納司的門前，果見他剛要出門。

他先問道：「福爾摩斯先生，你見過今天的報紙了嗎？」說著，把手中的報紙舉示給我們看。「貝納司，我見過了。但我此刻想盡朋友

之情說一句忠告，請你不要見怪。」「福爾摩斯先生，你有什麼忠告？」「我在這件案子上曾經下過一番研究，覺得你所進行的路並不是一條正路。所以你如果還不確信，我勸你最好不要固執地繼續下去。」「福爾摩斯先生，謝謝你的好意。」「我向你保證，我是爲你好。」

貝納司的表情顯得似乎很不以爲然。他道：「福爾摩斯先生，我們曾經說過，我們倆各走各的路。這就是我走的路啊！」

福爾摩斯道：「那很好，但你以後不要怨我。」「先生，我決不會怨你，我也相信你是好意。但我們各有各的方法，你有你自己的路線，我也有我的方向。」「那麼，我們不必再說了。」

貝納司道：「但你如果想知道有關我捉到那僕人的消息，我也很歡迎。這個人眞是一個蠻子，兇猛得像魔鬼一樣，在動手的時候，警察唐寧的大拇指幾乎被他咬掉。他不會說英語，並且除了呻吟以外不作一聲。」

「那麼，我想你已有證據，可以證實他謀殺他的主人了？」

「福爾摩斯先生，我沒有這樣說過。我們彼此各有見解，你照著你的假設進行，我也照我自己的假設進行，這是我們當初約定的。」

於是我們就和他告別。福爾摩斯聳著肩膀說道：「我眞勸不醒他，他此刻就像在懸崖上馳馬。現在我只能照著他的話各走各路，等待最後的結局。但貝納司究竟抱持什麼假設，我還不能完全了解。」

我們回到旅館以後，福爾摩斯又向我道：「華生，你坐下來，我要把這件事和你討論一下。因爲今天晚上，我也許要借重你的助力。現在我先把我對於這案子的完整推論告訴你。

首先，應當著眼在賈西亞臨死前得到的那張字條，決不可信從貝納司的意見，認爲那兩個僕人和這兇案有關。我們之前已假定那史高德·艾格爾斯之所以會往惠司特里亞屋裡去，是因爲賈西亞誘騙他，想把他當做一個不在場的證明。那麼，可知賈西亞是事先預謀好的。至於他的動機，不用說一定是有犯罪的企圖，否則也用不著要找不在場證明了。但就在他實施他的計劃的晚上，他自己竟喪了命。他是被什麼人殺死的呢？就情勢而論，大概就是賈西亞計劃中寫信給他的那個人了。現在我們再推想賈西亞的僕人爲什麼要逃走。他們起先應該是一起幹那祕密勾當的，如果那計劃能夠成功，賈西亞也能安然回去，這樣事後就算有嫌疑，但有艾格爾斯替他作證，他們自然都可以高枕無憂。但那計劃也有可能會失敗，假使賈西亞到了某個時間還沒有回去，便可知他已經失敗喪命了。爲著這層顧慮，他們一定預備了一個地方，一但失敗，那兩個僕人就可以暫時藏匿，不被警探們查到，等時機一到，再重新進行他們的計畫。華生，你想這一種推論合理嗎？」

這一件複雜幻祕的案子，經他這麼一說，果然清楚多了。但我暗自詫異，我自己怎麼弄不清楚。

我問道：「那個廚子爲什麼還要回去？」

「大概因爲他們逃遁地太匆促，遺留了什麼貴重或不能捨棄的東西，所以才又回去。你贊不贊同？」「嗯，還有呢？」

「第二步再從那『字條』的本身著手。有人寫了一張字條給賈西亞，顯見是賈西亞的同黨。從字條的語氣上推測，那同黨就和賈西亞的敵人在一起，也一定就在那幾宅大屋之中。

這幾天我在村中閒行，一面收集植物標本，一面乘機探聽這幾間大屋子住戶的背景資料。其中有一宅座落在海伊加布爾的雅哥賓老莊園和發案的地點相距不過半哩。那屋子的主人名叫亨德森，他比其他大屋的住戶古怪而神祕得多。所以我就特別注意他這一家的情形。華生，那個人實在是很奇怪的。我曾經託故和他見過面，他是一個五十歲左右的人，頭髮帶些灰色，但仍非常矯健，行動靈敏如鹿，談話的氣概彷彿專制帝國的皇帝。總而言之，他的一切行爲都充分證明他是一個非常凶暴的人。他深陷的眼睛十分敏銳，因我和他一見面後他似乎就已瞧破我有什麼用意。他是一個外國人，或許久居於熱帶地方，所以肌膚粗黑而厚，和尋常人不同。他有一個兼做特別助理的朋友名叫羅凱斯，也不是英國人，皮膚是巧克力色，說話善於假意獻殷勤，非常狡黠伶俐。華生，你想，惠司特里亞寓所的主僕三人都是外國人，而這兩個也是他國的僑民，這裡面的關係是不是又更近一步了？這兩個男子交情深厚，是雅哥賓老莊園的中心人物。此外還有一個人，與這件事的關係也許更加重要。那亨德森有兩個女兒，一個十三歲，一個十一歲，這兩個孩子有一個保姆，名叫鮑妮特。她是一個英國女子，年紀約四十。還有一個心腹的男僕，也時常追隨在亨德森的左右。這幾個人組成了一個家庭。每逢亨德森遊行各處，他們總全隊同行。亨德森可稱是一個大旅行家，一年前他本住在別處，直到前幾個星期才回來。他很富有，故而他不論想做或想要，憑著他的金錢，都可以使他滿足。除此以外，他還有許多男僕女僕和看門人等，這也足以證明他的富有。這些事我一半從村人嘴裡探聽出來，一半靠我自己的觀察。你當知從一個因失歡而被革職的僕人口中探聽眞相，是一種最快速的方法。貝納司說過，我們各有各的方法，這話說的眞不錯。我依照我的計劃果眞尋到了一個被辭退的園丁，他名叫魏納，因爲觸怒了亨德森而被逐出，因此非常恨他的舊主人。他有幾個同事雖然至今仍在雅哥賓老莊園中，但一說到他們的主人，也是個個畏懼而怨恨。我利用魏納探得了這個家庭的種種秘聞，那實在是僥倖的。他們屋中的情形也奇怪得很。那雅哥賓老莊園分成兩棟。剛才所說的那幾個人住在一宅，其餘的僕人都住在另一宅。除了亨德森的那個親信僕人每天往來送飯以外，兩方幾乎是彼此隔絕的。在兩宅屋子的中間以一扇門爲界，各種事情都在這個門口交授接洽。那兩個孩子和保姆平日也只在園中散步，不輕易出大門，亨德森也絕對不一個人獨行，那黑臉祕書好像是他的影子，時常跟來跟去。據魏納說，亨德森之所以如此，是在怕什麼人。他道：『他的金錢來源一定不是正當的，所以他刻刻都怕有什麼人來和他算帳。』但他們倆究竟是什麼樣的人，又從那裡來的，沒有一個人知道，只知他們兩個實在是惡魔。這亨德森曾好幾次用鞭狗的鞭子鞭打鄉人，全憑著財富和巨額賠償才沒被訴訟。華生，現在我們就把這種情形和案情對證一下。我認爲那張字條一定是從雅哥賓老莊園發出來暗通消息給賈西亞，以便他實施他預定的計劃。這字條是誰寫的呢？那字的筆跡是一個女子的，這屋子除了保姆鮑妮特小姐以外，還有別的女子嗎？所以從現狀推測，我們不得不假定寫信的就是這個女子。不過我起先料想這裡面有感情糾紛。現在從鮑妮特小姐的年齡和品行上觀察，這假設已不能成立了。因爲我們進一步推想，假使寫信的果眞是她，不用說她一定和賈西亞有交誼了。那麼，她聽到了賈西亞的死耗之後有什麼繼續的動作？我想，她雖然知道賈西亞計劃失敗，已被害，爲了她本身的利害關係，一時也不敢聲張，但她一定會懷恨在心，且設法報復那殺死賈西亞的人。我們如果能接近這女子就好了，我當初本有這個意思，但是好像太遲了。因爲案發以後，沒有一個人見過鮑妮特小姐，她是否還活著？或是她在賈西亞被殺的晚上也遭遇了同樣的結果？或者她此刻只是被人拘禁著，還沒有性命的危險？這些問題正等著我們解決呢！華生，你現在應明白我們要做什麼了。我們的假設雖然切合，但在法律上還沒有充分的根據，勢不能就去請求逮捕狀。這女子雖然有喪命的可能，但像這樣的人家，離開屋子一二星期，原是常有的事，也不能就此證明他們有犯罪的行爲。故而這幾天來，我不能有什麼具體的進展，只派了那園丁魏納悄悄在雅哥賓老莊園的門外盯著，靜待時機。不過這種情形不能再繼續下去了，如果法律上還不能有正式的舉動作，我們只能冒一冒險了。」

我道：「你有什麼方法呢？」「我已知道她的臥室是那一間，可以從外面一間屋子的屋頂進去。我想今天晚上就由我們親身去探一探，或者就可以解決這一件祕案。」

這種計劃我不能不承認是冒險的。那大屋中既然住著這樣奇怪的人，一定到處伏著危機，四處瀰漫著兇殺的氣氛。一想起我們沒有確切的證據卻要憑空冒險，不禁使我的勇氣減退幾分。可是福爾摩斯的意志非常堅決，他是決定要幹且又需要我的助力。無論如何，我勢不能夠畏難退縮。據他斷定，只有這一條路可以走，我們當然不能不冒險嘗試一下了。

我們倆已商量妥定，卻忽然發生了一件事情，使我們預定的計劃完全變更。那天傍晚五點鐘左右，忽見一個鄉人慌慌忙忙地闖進我們的房間。

那人道：「福爾摩斯先生，他們走了，他們全都坐末班車走了。那位姑娘中途脫逃，我將她接到車中，此刻已在樓下。」

福爾摩斯驚喜：「魏納，幹得好！華生，我們的假設已有一部分得到證實，距離結束案子也更近一步了。」

旅館外面停了一部馬車，果眞有一個女子在裡面，但因受驚過度暈過去了。瞧她灰白的臉色，便知她已飽受驚恐。她的頭沒生氣地垂在胸口，抬起來時，卻張著呆滯的眼睛向我們直瞧。我見她瞳孔變成了眼珠中的兩個小黑點，便知道她服下了鴉片。

園丁魏納一邊解釋道：「福爾摩斯先生，我照你的話守在門外。今天中午，忽見一部馬車出來，我就跟在後面直到車站，她那時是似醒非醒。到了車站以後，他們硬將她送進火車裡，但她似回復了神志竭力掙扎，便從他們的手中逃出。我急忙去接她，將她送進了我的車子，接著就直接送到這裡。但我接她的時候，那黃臉可怖的魔星已瞧見我了。他此後如果得志，我就要沒命了。」

我們將她扶到樓上，讓她坐在一張沙發上，又灌了兩杯濃咖啡，藉以解除醉麻的藥力。貝納司接到福爾摩斯的通知，這時也已到場。

我們就把經過的情形告訴他。

貝納司很眞誠地和我的朋友握手，說道：「福爾摩斯先生，恭喜你，你竟先得到了我所要的證據。其實我和你本走在一條路上啊！」

福爾摩斯驚道：「什麼！你也盯上了亨德森？」「是啊！當你匍伏在雅哥賓老莊園門前的小樹中時，我就躲在距離較遠的一棵大樹上。我們倆的目的既然相同，所爭的只是誰先得到證據罷了。」「那麼，你又爲什麼捉住那個廚子？」

貝納司咳了一聲，道：「我確信那個自稱亨德森的已知道他自己處於被懷疑的地位。所以他若不確信他的安全無慮，決不敢輕舉妄動。我錯捉那個廚子，無非想藉此使他相信我們走錯了路。那時他必以爲險境已過，也許要脫身遠颺。我們也可以乘機找到這一位鮑妮特小姐了。」

福爾摩斯舉手拍著那偵探的肩膀，說道：「你眞是一個有腦子的人，我想你不久就可以升官了。」

貝納司漲紅了臉，似很得意。他又道：「我派了一個便衣偵探在火車站守候，已有一個星期了。我曾囑咐他如果看到雅哥賓莊園的人出去，就須馬上悄悄跟蹤。而鮑妮特小姐在車站脫逃的時候，他一定分不開身，所以才被你所派守的人接進了車子。現在她既到了這裡，我們工作的一部分總算完成。此刻不要耽擱，快叫她直供出來，以便我們進行第二步計劃。我們若沒有她的供詞，就不能夠動手逮捕。」

福爾摩斯瞧著那保姆說道：「她漸漸地醒了。貝納司，那個亨德森究竟是誰，你知道嗎？」

貝納司答道：「他本名叫唐・莫里羅，大

家都稱他做聖佩德羅之虎。」

聖佩德羅之虎！我一聽這個名字，他的歷史便馬上在我腦中湧現出來。他是聖佩德羅一個專制的魔王。他執政時期的種種暴政虐跡在所有文明國家從來沒有見過。他在位約十年到十二年，他的名字是中美洲一種恐怖的象徵。後來全國人民都起來反抗他。他非常狡猾，一得風聲，便悄悄把他的財富交給他的心腹運到船上。等到第二天，反對軍進攻的時候，他和他的祕書兒女們及所有的財寶早已逃避一空。從那時後起，他就消失了，不過歐洲的報紙有時仍引用他爲評論的體裁。

貝納司道：「他在聖佩德羅掌過政權，聖佩德羅的國旗就是綠色和白色，和字條中所說的相同，所以他雖改名叫做亨德森，我卻直接聯想到他，並追究他的歷史，從巴黎、羅馬、巴塞隆那和馬德里等地方偵查，才知一八八六年，他私逃的船到達了巴塞隆納。有許多人都恨他入骨，故而四處找尋他的下落，預備復仇。直到這時，他才被他們尋著了。」

這時鮑妮特小姐已完全清醒。聽了貝納司話，便續道：「他們在一年前就找到他了。他已被暗殺過一次，但他似乎被什麼魔鬼保護，竟沒有喪命。這一回由勇敢的賈西亞做第二次的嘗試，卻不幸反而送了性命，而這魔王仍逍遙自在。雖然死了一個，一定還有人會繼續，我相信，他總有受公道裁判的一天。」她邊說邊用兩隻瘦弱的手握著拳頭，憔悴的臉上也露出怨恨的表情。

福爾摩斯問道：「鮑妮特小姐，但你怎麼會牽涉進去？你是一個英國人，爲什麼也參加這件謀殺的勾當呢？」

「因為那人實在太殘暴了，如果沒有我從中幫助，就沒有方法可以使他受公道的裁判。你想他在多年前曾讓許多人流無辜的血，又搜刮了許多民脂民膏供他一個人享用，英國的法律可以制裁他嗎？你們雖也知道他是作惡的暴徒，但如隔岸觀火，根本無法體會我們親身的深切痛惡。所以，這個殺人的魔王唐·莫里羅一天不死，那些受害人的怨氣一天不出，我覺得我的生活也就一天不能安寧。」

福爾摩斯道：「的確是一個萬惡的暴徒，但你怎麼會到他家裡去當保姆？」

「他是一個天性好殺的人，只要見了優越的人才，深恐將來和他作對，必先設計將那人殺死方才安心，我的丈夫杜來多——那也就是我的眞姓名——本是駐倫敦的聖佩德羅大使。我在倫敦和他相見以後，不久便結婚。他是一個正直勇敢的男子，不料這正直的名聲傳進了唐·莫里羅的耳裡，便託故召他回去，並馬上將他殺死。當我丈夫回去以前，似已預知他的命運，所以不肯帶我一同回去。接著，他的財產也被那魔王吞沒，我就成了一個零丁傷心的寡婦。後來那魔王的地位傾覆，私下逃出去，但那些身受殺父滅親慘痛的被害人，不願就此甘休。他們組織了一個協會，約定不把那魔王殺死，決不解散，而我也是團體中的一分子。後來我們查出他已更名叫做亨德森，我就故意到他家裡幫忙，為伙伴們暗通消息做內應。我做了他家的保姆，天天和他共桌而食，他卻完全不知道我就是他所害死的人的妻子。我外貌並不特殊，對於他兩個女兒也小心服伺。我們在巴黎的時候，得到了一個好機會，那是伙伴們第一次動手。雖不幸失敗，他仍沒有懷疑我。

接著，我又跟著他在歐洲兜了一個圈子，想藉此避去協會的跟蹤。最後，就逃到這裡，當他第一次到英國的時候，就購買了這一宅屋子以備隨時藏身之用。不過在這個地方，也早有那公道裁判的執行人等候著他。賈西亞本是聖佩德羅一個貴族的兒子，還有另外兩個抱著同樣報復思想的伙伴。他們在這裡等候了好久，終於等到唐·莫里羅回來了。但他白天並不外出，即使散步，也必有那個羅凱斯跟隨在旁。夜裡他是獨宿，比較容易下手。後來我們選定了一個日期，知道他在當天晚上要睡在那一個房間——因他平時刻刻防備，所以臥室也不時更換。我一面通知賈西亞，一面又將大門打開，並在窗口裝設一種綠和白的燈光，以便暗示賈西亞是否可以動手。不幸這計劃忽然生變，那時我的舉動有些驚惶不定，因此引起了羅凱斯的疑心。當我正在寫那張字條的時候，他走到我的背後把我捉住，接著唐·莫里羅和他的秘書二人將我嚴刑拷打。起先要將我處死，後來覺得不妥，就強制我說出賈西亞的地址。那時羅凱斯扭轉我的手臂，我痛不欲生就據實說明。假使我知道他們要這樣殘害賈西亞，我寧願讓我的手臂被扭斷，也不會說的。羅凱斯就在那字條外面寫了住址，又用他袖口的鈕扣在火漆上印了一下，隨即叫一個僕人送出。他們後來怎樣將賈西亞處死，我不知道。但這一定是唐·莫里羅親自動手的，因爲自從寄信以後，羅凱斯始終守著我沒有離開。我記得他們起初曾打算讓賈西亞自己進去，然後把他當做一個盜賊當場殺死。後來他們又覺得不妥，深恐案發以後，不免要到公堂上去對質，這樣，只要他們姓名一被公布，對於他們本身越發危險。

所以就決定躲在屋外的樹叢中，等賈西亞走過的時候乘機下手。這樣一來，就可以殺一儆百，他們此後的性命也可以比較安全了。他們種種的安排固然是十二分周密的，不過還有我這一個活口清楚知道他們的眞相。他們雖不敢直接把我處死，但卻用種種恐嚇和慘酷的舉動對待我，似乎要藉此使我的神經崩潰，變成一個瘋人。你們試瞧我身上的各處刀傷；嘴巴也痛得厲害，因我曾在窗口呼喊過一次，而被他們強塞東西。我一共被他們拘禁了五天，不但受苦且沒有東西吃，實在是再也不能支持了。可是今天中午他們忽給我一頓豐盛的午餐，等到飯後，我才知道中了他們的迷藥。我的神志昏迷，便任他們擺佈。直到快上火車的時候，我忽然驚醒，從他們手中脫逃，但若沒有這位好人的幫助，我的體力既不能使我遠逃，不用說一定要被他們捉住的。唉，謝謝上帝，我此刻已永遠脫離他們的掌握了！」

大家都聽了出神。等到說完，福爾摩斯首先打破沈默。

他搖頭道：「如此看來，我們的難題還沒有解決。我們的偵探手續雖已完畢，但法律問題還不容易解決。」

我道：「是啊，他雖然犯了種種的罪，但除了這一件，其餘的在法律上都不能成立。就算這一件案子，假使他聘請一個狡猾不德的律師，也可以拿自衛殺人的理由替他辯護。」

貝納司卻很滿意地說道：「我認爲我們的法律，決不會放過他的。很明顯他是設計誘騙而殺人，不能和自衛的舉動一概而論。我深信只要捉住他，他就無計可施了。」

那唐・莫里羅果然非常狡猾，這一次他當

面，可說是複雜極了。但這曲折的案情，因有貝倍納司的助力，還是讓我們達到了目的地，其實也不能不說是僥倖的。現在你對於整個案情還有什麼不清楚的地方嗎？」

我道：「那黑人廚子爲什麼還要回去呢？」

福爾摩斯道：「我想他是爲了廚房的那個『怪物』。他本是聖佩德羅森林中的一個土人，那怪物就是他的崇拜物。當他們逃到那個預先布置的地方時，他的同伴一定是勸他不要把那奇怪的東西帶著一起逃，所以就留在屋裡。但黑人很迷信，他不忍心捨棄，第二天就又冒險回到屋子裡去。那時他見有警察守著，便離開，隔了三天，他又被迷信心所驅，所以又再去，於是就踏進了貝納司的圈套。此外你還有其他的疑問嗎？」

「那廚房中還有幾件奇怪的東西，例如：眞沒有伏法。他和同伴在半路上進了一所屋子，同時又從後門逃走，於是跟蹤的人便跟丟了。從此以後，他就不曾在英國露面。六個月後，有一個慕達爾法侯爵和他的祕書羅列在馬德里的一個大旅館中被人謀殺。大家認爲這案子是無政府主義的傑作，兇手也始終沒有捉住。警探貝納司曾經把這個消息帶到我們貝克街寓裡。他有一張被殺人的照片。那祕書的臉是黑色的，主人濃眉大眼，明明就是那兩個惡魔。於是我們才知道他們終於受到了公道的裁判了。

一天晚上，福爾摩斯啣著煙斗和我閒談。他道：「華生，這眞是一件繁複的案子。你如果要記載下來，實在也不容易下筆。這裡面關涉到兩大洲，牽連了兩組祕密的人物，並且還有我們忠直的朋友史高德·艾格爾斯夾雜在裡撕碎的白雞，鉛桶中的血，和瓷盆中的焦骨等等，又該怎樣解釋呢？」

福爾摩斯笑了一笑，取出他的紀事簿來，道：「一天早晨，我去大英博物館，從歐克門所著的《伏屠教和黑人的宗教》一部書裡，查出了一節記載：『那些信從伏屠教的人，在獻祭的時候，有種種奇怪的禮節，都是我們所沒見過的。最虔敬的禮節就是拿人體當作祭禮，祭後大家分食人肉。但尋常的祭品大概就是些活撕的白雞和黑羊等物，羊死以後，須把羊骨燒焦了才能供獻。』華生，你瞧了這位野人朋友這麼注重迷信的禮節，你想必也要用 grotesque 一字來形容他了。」福爾摩斯邊說邊把日記合上，緩緩說道：「我早說過的，這 grotesque 一字，不但解作奇怪，並且還含有恐怖的意思。」

網中魚（原名 The Maqarin Stone）

華生非常高興自己又回到了貝克街二層樓上的那間不整潔的屋子，這個地方，實在是種種冒險成績的發祥地。科學圖表掛滿著四壁，一張試驗化學用的桌子，已經被酸素染成許多黑斑。此外提琴匣仍豎在壁角，還有兩隻煤桶放著煙葉和煙斗。接著，華生的目光移到弼雷含著微笑的臉上。他是一個年輕的侍者，他靈敏機智的態度，總爲這大偵探的沉默氣氛，和寂寞神情中，增添一些生氣。

華生道：「弼雷，這種種的狀況，好像都不曾變動過，就是你也沒有什麼改變，我更希望他也仍舊如此。」

弼雷躊躇道：「我想此刻他還在睡覺呢。」說時，瞧著那扇關上的臥室門。這時正是宜人舒爽的夏季晚上七點。華生素來知道他老友起居的習慣沒有固定的時刻，所以聽了這話，並不覺得詫異。

華生道：「據我推想，他一定又承辦了一件案子了。」

弼雷忙答道：「正是，先生，他正全神貫注地在那裡進行，我倒是非常擔憂他的康健問題，他越來越慘白消瘦了，並且連飮食也不正常。哈德遜太太問過他：『福爾摩斯先生，你幾時才肯進餐呢？』他卻回答道：『後天七點半。』這一種怪脾氣，在他盡力辦理案子的時候，是時常有的。先生大概也是淸楚的。」華生道：「沒錯，弼雷，我知道的。」

「他正在跟蹤一個人。昨天化裝成一個工

人模樣，像出去尋覓什麼工作似的，今天又扮成一個老婆子。這些事他沒有瞞我，我也已經懂得他的意思了。」弼雷一邊說著，一邊笑指著椅子旁邊的一把小傘，繼續道：「這正是他化裝老太婆的一件重要用品。」

華生問道：「弼雷，是什麼案子？內容究竟怎樣？」

弼雷貞像是在開國際祕密會議似的，低聲說道：「先生，我本不想說給你聽，然而到底不能永遠守密，就是那皇冠寶石的案子。」

華生大驚道：「什麼——價值十萬鎊的皇冠失竊案嗎？」

「是的，先生，前提是一定要將原物追回，首相和內務大臣都已來過，他們就是坐在那沙發椅上的。福爾摩斯先生很殷勤的接待他們，說了許多安慰的話，並且應允他們竭力偵查。可是那甘特爾瑪貴族……」「唉！」華生不由得歎了一聲。

弼雷道：「是啊，先生，你也應知道這是什麼意思。我說，他實在是個冥頑不化的人物。我認為首相還好，就是內務大臣也很不錯，可算得是和藹而有禮貌的君子。只有那貴族的氣焰，最難忍受。其實福爾摩斯先生也受不了。他完全不信任福爾摩斯先生，反對聘用他受理這件案子，甚至希望他此次失敗哩。」「這層意思，福爾摩斯先生有感受到嗎？」

弼雷道：「當然有，福爾摩斯先生一定知道的。」

華生又道：「希望如此。但願我們這一次不會失敗，讓那甘特爾瑪貴族知道福爾摩斯的厲害。弼雷，我再要問你，那窗前為什麼掛著幃幕呢？」

「這是福爾摩斯先生在三天前掛的。幕後面還藏著一件很有趣味的玩藝兒哩。」弼雷說著，就走過去將窗前的幃幕拉開。華生一見，不由得詫異起來。原來幃幕後正是他老友的蠟像，穿著衣服、領帶等物，低垂著頭，臉部正對窗口，像是在讀一本不容易看得淸楚的書一般。蠟像的身子，放在一張安樂椅上，弼雷卻把他的頭舉起來搖了一搖。

弼雷將幃幕拉開，原來幃幕後正是他老友的蠟像。

弼雷又道：「我們時常幫他改換地方，使得他像活的模樣。但是窗簾沒有放下來的時候，我卻不敢去動一動，因爲窗簾一打開，你走到下面路上，就可以完全瞧見了。」

華生道：「這個玩藝兒我們從前已經使用過了。」

「在我沒有到這裡以前嗎？」

弼雷說完，把窗簾揭起了一部分，向下面路上瞧了一瞧。

「先生，那邊的窗前有一個人正注視著我們，你過來瞧瞧。」

華生正想過去。忽聽得臥室門打開，從裡面走出來的，正是那瘦長身材的福爾摩斯。他的面容，灰白而沈鬱，但行動舉止，卻仍舊不脫敏捷的本色。他躍步走到窗邊，將窗簾放了下來。

福爾摩斯開口道：「不要再動了，弼雷，剛才你的性命眞的非常危險。好孩子，你對於我還有許多用處呢！華生，太好了，你竟在這千鈞一髮的時候到來。」我忙道：「我已經明白了。」

「弼雷，你去吧。」福爾摩斯見弼雷去後，又繼續道：「華生，我對這孩子有份歉疚。我讓他在危險的環境中生活，這不是我的罪嗎？我即使想要爲自己辯護，也不可能！」

華生道：「他危險？有什麼危險？」福爾摩斯答道：「他隨時會死。我正嚴備著，大約今天晚上就會發生了。」「你防備著什麼？」福爾摩斯淡淡的答道：「暗殺的陰謀。」

華生道：「別開玩笑了！福爾摩斯。」

「我雖然不善於說笑話，也會找得出比剛才高明的滑稽話題。但此刻我們儘可以無憂無慮的靜養一會兒。你要喝酒嗎？雪茄和酒仍舊在老地方，我眞想再見你坐在那往常坐慣的扶手椅。還希望你不要鄙視我的煙斗煙絲，我這幾天全靠他來代替糧食了。」

華生道：「你爲什麼不進食呢？」福爾摩斯道：「如果你讓你的身體饑餓，那麼，你的才幹便越發老練。親愛的老友，你是一個醫生，當然明白消化完全是血的功能，換句話說也就是損耗養腦的原素。華生，我所憑藉的，單單是一個腦，其他的都只是些附屬品罷了。因此，我絕對注意的東西也只是腦。」

「福爾摩斯，你所說的危險，究竟是怎麼一回事？」

「哦，假使那危險果眞降臨到了我的身上，說不定要借重你的記憶力了。你要謹記著那兇手的姓名、地址，到警局裡去報案，順便還替我向他們告辭一聲。兇手名叫席維福斯——是瑞格雷特·席維福斯伯爵。將他記下來，老友，記好了，慕珊花園一百三十六號。都寫下來了嗎？」

忠厚的華生臉上，不由得流露著憂急的臉色。他已經完全了解，福爾摩斯所處的境地一定非常危險。因他素來知道他朋友所說的話只有不及，決不會過分的。然而華生到底是個有作爲的人，就也站起身來。

他道：「福爾摩斯，我也要加入，請你答應我，我這兩天也正閒著沒事，想找個消遣方法呢！」

福爾摩斯道：「華生，你的人格依舊沒有長進，反道是又加了一種說謊的習慣。我瞧你的舉止神態，簡直是個大忙人，大概每一小時，都有病人來找你。」

「雖然如此，卻沒有比這件事重要。你有把握將他拘捕嗎？」

「華生，可以的。就是因爲這樣，使他格外的擔憂。」

華生忙道：「那麼，你爲什麼不馬上拘捕他呢？」

福爾摩斯道：「因爲最緊要的問題，就是要知道那寶石的下落。」

「瑙雷曾告訴我——就是那被竊的皇冠寶石嗎？」

福爾摩斯道：「是的，我正爲了那顆深藍色的寶石，撒下了一個網，那魚兒已經在網裡面游泳了。可是寶石還沒有著落，即使將他捉住，也是枉然。如果我們把他們上了腳鐐，關進監獄裡去，當然可以使社會寧靜一些，可是仍算不得是我的完全勝利。須知我唯一的目的，卻是那寶石啊！」

華生道：「這麼說，那席維福斯伯爵，也

是在你網中游泳的一條魚?」

福爾摩斯道:「不錯,他簡直是一條鯊,會傷害人的。還有一個拳擊手,叫做塞爾姆登。他本不算是惡徒,可惜已經受了伯爵的利用。所以他不是鯊魚,是一條笨拙不靈的白楊魚。然而他們都是我網中物了。」

「你可知道,那席維福斯伯爵此刻在那裡呢?」

福爾摩斯道:「當然知道的。今天早晨我一直跟在他的左右,一刻也沒有離開。華生,你也曾見過我化裝成一個老太婆的。這一次成績比之前更圓滿,他竟沒有一絲的懷疑。有一回,他替我將小傘拾了起來,並說道:『對不起,夫人』。大概他是意大利人,所以他說話時的神情,還帶著南歐溫文的風度,只是在別種舉動上,卻要流露出他兇惡的本性來了。華生,每一個人的一生,都充滿著奇怪的經歷。」華生道:「這也許是一齣悲劇。」

福爾摩斯道:「哦!也許。我跟蹤他到米納街的史特・維彭傑開設的工廠。我知道那史特・維彭傑老人,善於製造汽槍,他的產品非常精良。據我的推想,現在那對面的窗裡,就有他的一把汽槍架著。你看見了那個蠟像沒有?弼雷當然已讓你瞧過了。我認爲總有一天,會有一顆子彈把那漂亮的頭顱打破。弼雷,什麼事呀?」

這時弼雷托著一隻盤進來,盤中盛著一張名片。福爾摩斯一眼瞧見,眉飛色舞地對那名片微笑,臉上露出快樂的神情。

「這正是他,我眞想不到他會來。華生,你也是一個有心人,想必你已經聽人家談起過,他是獵取猛獸的好手,名望不小。如果他把我捉住，裝入他的皮囊之中，那麼，在他的打獵史上，倒是一個最輝煌的紀錄。但這時候他會來見我，可想而知他也已經覺察我在跟蹤他了。」華生道：「那麼，去通知警察來捉他。」

福爾摩斯道：「我也許遲早會這麼辦，不過目前還嫌太早。華生，你到窗前，往街上仔細的瞧一瞧，可有什麼行跡可疑的人。」

華生聽了，便到窗戶旁邊向外張望，說道：「有的，門前另有一個粗壯的男子。」

福爾摩斯道：「此人便是塞爾姆登——又誠實、又愚笨的塞爾姆登。弼雷，客人在什麼地方？」弼雷答道：「先生，他在會客室裡。」

福爾摩斯道：「你現在出去，一聽到我按鈴，便引他到此地來。」弼雷應道：「是。」

福爾摩斯又道：「即使我不在此，你也把他領進來。」

弼雷又應了一聲，便即退出。華生將門關好，才很誠懇地向他的同伴道：「福爾摩斯，你千萬不要讓他進來。他原是一個亡命之徒，心裡根本沒有懼怕的觀念，他此次的來意，也許就是要行刺你啊！」福爾摩斯道：「那是當然的。」

華生道：「那麼，我一定要留下來陪你。」「不行，你會礙事。」「你說我會妨礙他嗎？」

福爾摩斯道：「不，不是，我親愛的老友，老實說，你會妨礙我。」

華生道：「唉！可是無論如何，我決不能離開你的左右。」

福爾摩斯道：「華生，隨你便吧。你對於這種事向來熱誠的，我相信這件案子你也一定會幫到底。現在他的到來，自然爲了他自己的目的，不過或許他反而會被我利用呢。」

福爾摩斯說著，從身邊掏出一本筆記簿來，寫了幾行字，說道：「華生老友，你可坐馬車往警署去，將這字條交給偵探組尤翰先生，教他帶幾名警察來拘捕他。」華生道：「這一個任務，我很樂意接受的。」

福爾摩斯道：「在你沒有回來的以前，我希望我有機會查出寶石的下落。」

他說到這裡，一邊按著電鈴，一邊繼續道：「我們就從這臥室的門出去吧，這個旁門的確很有用。我希望那鯊魚沒有瞧見我們，你也應相信我自有對付他的手段。」

當彌雷把席維福斯伯爵引進去的時候，那房裡已空無一人。這位大名鼎鼎的狩獵家，是個時髦的人，他的皮膚略黑、體格壯碩，黑色的鬍鬚覆在薄薄的嘴唇上面，令人覺得非常兇惡。加上那長而彎勾的鼻子，真像鷹鷲的曲喙一般。他穿著很現代的衣服，鮮豔的領帶上扣著晶瑩奪目的飾針，還有那光彩燦爛的金戒指，都可算他物質奢華的明證。他反手關上了門，那目光先向房裡搜尋一圈，兇狠的眼神中似蘊含著遲疑，又像嚴防埋伏似的。他瞧見了窗前安樂椅背上露出的蠟像，不覺一怔。起初的反應是驚懼，接著他烏黑的眼裡，受到強烈攻擊慾望的影響，便露出可怖的兇光來。這時他又朝四面察看，確定室中有無埋伏。便躡著腳尖，舉起了手中又重又粗的手杖，輕輕地向那蠟像走去。他剛將身子蹲下，預備撲過去攻擊的時候，臥室的門口，突然傳來冷澀的譏笑聲。

「伯爵，不要打破這東西，不要打破這東西。」

伯爵頓時向後退了幾步，那抽搐的臉上，

滿顯出驚駭的樣子。忽然他又將手杖舉起，好像要把剛才對付蠟像的手段，用到來人身上一般。但福爾摩斯靜穆的灰色眼珠，在譏諷的微笑中，卻有一種魔力足使伯爵的手垂了下去。福爾摩斯走過去用手指著假人。

「伯爵，不要打破這東西！」

他道：「這是很有趣的小玩藝兒，是法國模型製造家道溫乃的作品。他製蠟像的手法很高明，正和你那位朋友史特・維彭傑善於製造汽槍一般。」

伯爵道：「汽槍？你在說什麼？」

福爾摩斯道：「請把你的帽子和手杖放在那邊的桌子上。謝謝你，請坐下來。也把你的手槍放在外面好嗎？哦！假使你寧願坐在那裡，也好。這時候承你駕臨，再巧沒有了。須知我正想和你閒談幾分鐘呢。」

伯爵直豎著他的眉毛，怒容滿面，道：「福爾摩斯，我有幾句話要和你談談，所以特地到此地來。老實說，我此次的來意，是想殺了你。」

福爾摩斯翹起一隻腿擱在桌角上，一邊緩緩說道：「我早看出你的企圖了。可是你爲什麼這樣注意我呢？」

伯爵道：「因爲你惹得我夠了。你派兩個人跟蹤我，已經越出了職責範圍。」

福爾摩斯道：「你說我曾差兩個人跟蹤你

嗎？我可以老實對你說，沒有這一回事。」

伯爵道：「胡說，確實有人跟蹤我。福爾摩斯，這種把戲兩個人串演就夠了。」

福爾摩斯道：「席維福斯伯爵，這原是小事，不過你叫到我名字的時候，還請你給我一個相當的稱呼。我想你總該明白，雖然我常和流氓打交道，不太拘泥小節，但稱呼上似不宜過分忽略不講。你當然也能理解，若非如此，那就很容易得罪我了。」伯爵道：「哦！福爾摩斯『先生』。」

福爾摩斯道：「這就好了。不過我還是要解釋清楚，你說我叫人跟蹤你，實在是誤會。」

伯爵作譏笑狀道：「別人的觀察力，未必一定比你低弱。昨天一個老運動家，今天又有一個老太婆，他們倆整天在我的左右啊！」

福爾摩斯道：「伯爵，你眞是太過獎了。那道森老男爵在就刑的前一天晚上，也曾向我說道：『你從事這行，對維護法律固然有功，舞臺上卻失掉一個名角了。』這一點小小的化裝術，想不到竟也得你這麼稱賞？」伯爵驚道：「那是你……都是你自己嗎？」

福爾摩斯把兩肩聳了一聳，說道：「你瞧那壁角的一把小陽傘，就是承蒙你在米納街親自拾起來還我的。那時候你大概還沒有起疑心吧！」

伯爵道：「如果我曉得就是你，那你決不……」

福爾摩斯插口道：「決不會再出現在這一間小室裡了。我也懂得這個意思，我們常因疏忽的緣故，錯失難得的機會。那時你沒有覺察，竟失之交臂。因此，我們才得以在此地重聚。」

這時伯爵的眉頭緊皺，眼睛發出狠狠地兇

席維福斯伯爵臉上露出一種獰笑，但仍坐了下來，說道：「喔，原來如此。」

福爾摩斯道：「你既已知道我是爲了那個寶石，才這麼注意著你。所以你今晚的來意，應該是要探察我在這件事上到底知道到什麼程度，並且我以後會有什麼行動。這是你覺得最重要的事。因爲我除了一件事情外，別的已完全知道了。如果你肯告訴我，最好。」

伯爵道：「你說的是眞話嗎？可是你所不曉得的又是什麼？」「就是那皇冠上的寶石此刻在那裡？」

伯爵兇狠狠瞧著福爾摩斯道：「唉！你眞的想知道？但我怎麼有辦法告訴你寶石在那裡呢？」

福爾摩斯道：「你絕對能告訴我，並且你也願意告訴我。」

光，煞是可怕。他說道：「你這麼說，卻把這事情弄得更糟了。原來那兩個人不是你的夥伴，是你自己親自扮演的把戲？你又說你要獵捕我，爲什麼？」

福爾摩斯道：「伯爵，我聽說你善於狩獵阿爾及利亞獅子。」伯爵道：「哦，是啊。」「爲了什麼呢？」伯爵道：「這其中有遊戲、興奮、冒險……」

福爾摩斯忙道：「還有一個原因，要爲人除害。」伯爵道：「也對。」福爾摩斯道：「那麼，我的目的恰巧和你相同。」

伯爵直跳起來。不由的將手移到後面，插進褲袋裡去。

福爾摩斯道：「請坐下，伯爵，請坐。此外我還有一個比這更重要的目的——就是那藍色寶石。」

伯爵道：「你這麼有把握？」福爾摩斯道：「席維福斯伯爵，你決不會欺騙我的。」他說這話的時候，兩眼發出堅凝的眼神，猶如兩條尖的綱條，直穿到伯爵身上。又道：「你就像一塊玻璃，我可以瞧見你心底的隱處。」

伯爵道：「這麼說，你當然已經瞧見寶石的下落了。」

福爾摩斯一聽，忽拍手大樂，翹起一隻指頭，作譏笑聲道：「好，好，你已經懂得，你也已承認了。」伯爵道：「我什麼也沒有承認啊！」

福爾摩斯道：「伯爵，你若講情理，我們還有交易的空間。否則，你將要吃虧了。」

席維福斯伯爵仰起頭來，望著天花板，道：「你在恐嚇我嗎？」

福爾摩斯默默瞧著他，陷入鎮靜的沈思，就像下棋的好手，深謀遠慮地搬動他的棋子一般。接著，他打開寫字檯的抽屜，從裡面取出一冊厚而小的日記簿來。他道：「這一本小簿子上，所記的是些什麼事情，你可知道？」伯爵道：「我不知道。」福爾摩斯道：「那就是你。」「我？」「伯爵，正是你，你生平惡劣的作爲和不法的勾當，全都記載在這一本小冊之中。」

伯爵兩眼冒火似地呼道：「福爾摩斯，你下地獄吧！我再不能忍受了。」

福爾摩斯道：「這裡面都是你的事蹟。譬如黑羅德夫人死亡的眞象，她遺下那柏利墨的財產，一落到你的手中，就全輸在賭博上面。」

伯爵道：「你在做夢。」

福爾摩斯繼續道：「還有皇琳德小姐的一

生遭遇……」

伯爵怒斥道：「不必多說了。你也說不出什麼。」

福爾摩斯道：「還多著呢！這裡記著一八九二年二月十三號，里維埃拉火車上的一件盜案。還有，同一年中，里昂銀行被假支票取款的一件詐欺案。」伯爵道：「沒有這事，你誤會了。」

福爾摩斯道：「那麼，其它都是實情囉？伯爵，你是玩紙牌的老手，人家既然已經得到了好牌，爲了節省時間，你就束手就伏吧。」

伯爵道：「可是你說了這麼多，跟你那件寶石案又有什麼關係？」

福爾摩斯道：「伯爵，你不要急躁，姑且忍耐些，待我用呆板的法子，慢慢地將我意思明白告訴你。因爲我已得到了許多憑證，足以處置你。單就寶石案而論，也儘夠對付你和你那笨拙的同伴了。」「眞的嗎？」

「我已找到那個載送你到白金漢宮的車夫。在案發的當時，有個親眼瞧見你犯案的送信人也已在我掌控之中。那個爲了寶石而不願和你罷休的埃奇・桑恩特也已經告發你。你實已處於完全失敗的地位了。」

這時伯爵額頭突暴青筋，一雙粗黑的手，也握得緊緊的，力圖鎭定他恐懼的情緒。他雖然想反駁，可是一句話也說不出來。

福爾摩斯道：「就像我在攤牌的時候，我將一副牌全部放在桌上，卻失掉了一張K牌。那一張就是『藍寶石』，現在我仍究不知道那寶石究竟落在那裡。」

伯爵開口道：「你永遠不會知道了。」福爾摩斯道：「眞的嗎？伯爵，你應該明白這其中的利害關係，好好地思量一下才是。須知這案子一經審判，你至少會有二十年的監禁，塞爾姆登也是同罪。那時你即使有那個寶石，對你還有什麼益處呢？不是等於無用嗎？然而現在我們不妨條件交換，只要你肯將寶石交出，我就不要你和塞爾姆登的人。我只求歸還寶石，以後便任憑你自由，也不再干涉你的行動。你如果爲本身自由問題著想，這是最後的機會了。因爲我只負責取回寶石，並不想逮捕你的人。」

伯爵道：「假使我不接受呢？」福爾摩斯道：「唉！——這個——那麼，只得丟開寶石，要你的人了。」

這時電鈴聲響了，侍者弼雷走了進來。

福爾摩斯又道：「伯爵，我想請你的朋友塞爾姆登一同上來和我們談談。嗯，這個辦法似也應當，因爲他也有一份應盡的義務啊。弼雷，有一位粗陋而壯碩的先生，你瞧見了嗎？他在樓下門口，你將他請上來。」弼雷道：「假使他不願意來呢？」

福爾摩斯道：「弼雷，你不要勉強他，也不要失你的禮貌。你好好地和他講，只說席維福斯伯爵請他，他自然肯上來了。」

弼雷出去之後，伯爵問道：「此刻你想怎樣？」

福爾摩斯道：「方才我和我友華生談話，我說我的魚網中，已有了一條鯊魚和一條白楊魚。此刻我的網快要拉起了，他們也一定會同時出水。」

伯爵忽從椅子上站了起來，將他的手伸到背後去。福爾摩斯也揷手在衣袋裡，似乎握著一樣東西，一部分凸出在外面。

伯爵道：「福爾摩斯，你一定會不得善終。」

福爾摩斯道：「這一點我也時常想到的，然而這不過是小事。伯爵，就目前情勢而論，你的下場恐怕是躺著比站著的可能性大些。但這只是預測的話，未必一定確切。我們不如各尋自己眼前的快樂。」

霎時間，那作惡多端的伯爵，烏黑的眼睛中，射出野獸般的兇光。福爾摩斯也小心防備，覺得自己全身肌肉緊繃。

他仍很鎮靜的說道：「朋友，沒有用的。你應該很清楚，即使我讓你有取出槍的機會，你也沒有膽量開槍的。伯爵，手槍的噪音是很大的，不如用汽槍吧。唉！我似乎聽到貴友的腳步聲。塞爾姆登，今晚天氣如何？一個人在街上很無聊吧！」

這時有一個壯年的大漢，側著身子站在門前，臉上露出愚蠢而剛愎的表情，他很驚疑地注視著福爾摩斯。像福爾摩斯對他如此客氣的態度，真還是第一次見。他顢頇的頭腦，雖知道仇敵在眼前，然而卻不知道怎樣對付，於是他就向那比他更有幹才而狡猾的夥伴詢問。

他發出一種粗啞的聲音問道：「伯爵，那一件事怎樣？這個人要做什麼？有別的事嗎？」

伯爵只將兩肩聳了一聳。

福爾摩斯代答道：「塞爾姆登先生，我可以簡單的告訴你，我應當說『一切』事都辦好了。」

可是這位拳擊手仍向他的夥伴問道：「這個人在和我開玩笑嗎？或是真有其事？但我並不覺得有可笑之處啊。」

福爾摩斯道：「不！我想這不是笑話。等

到黃昏過後，你一定會明白我並不是和你說笑。席維福斯伯爵，請你原諒，我是很忙的人，不能隨便虛擲光陰。我要回我的臥室去了。失陪，失陪。其實你們儘可以輕鬆一點，不要拘束。趁我不在的時候，你們大可以細談一切。

福爾摩斯道：「我要回我的臥室去了。失陪，失陪。」

現在的事情已到了怎樣地步，你應當告訴你的同伴的，我要去練練小提琴了。五分鐘後，我再來聽你們最後一次的答覆。你們對於我先前提議的兩種辦法，還不會有仔細討論的機會，你們要讓我們捕人呢？還是交出寶石？」

福爾摩斯說完話，從屋角取了提琴走到臥室裡去。一會兒，琴聲幽揚，已從那關著的門隙中透出，非常動聽。這時伯爵望著塞爾姆登，塞爾姆登卻又冒失的發問。

「那件事弄得怎樣了？關於寶石的事，他知道嗎？」

伯爵道：「這事的詳情大概被他看透了。我不能斷定他是不是完全知道。」

塞爾姆登喊道：「唉！上帝。」他說著，那淺黃的臉上便馬上發白。

伯爵道：「埃奇‧桑恩特壞了我們的事了。」

塞爾姆登道：「他……他竟和我們作對？我要給他一點厲害，我一定要加倍的報復他。」

伯爵道：「那對於我們也沒有益處，我們應當決定怎樣繼續。」

伯爵道：「那麼，你去將幃幕扯掉了吧。須知我們不應再浪費時間，他已在這寶石案上逐步進行了。」塞爾姆登道：「他準備怎麼做？」

伯爵道：「我們若把藏寶石的地方告訴他，他也會放我們自由。」

塞爾姆登道：「這麼說，要捨棄那寶石？也就是把十萬鎊價值的到手寶物丟掉？」伯爵道：「若不如此，要怎麼辦？」

塞爾姆登搔著剛修剪的頭髮道：「此刻他只有一個人，我們去擺平他。假使他房裡已熄滅了燈光，我們就完全沒有顧忌了。」

伯爵搖著頭，說道：「他戒備森嚴，如果我們動手開槍，也很難從這個地方逃出去。況且他所得的證據，早已報告警署了。唉！那是什麼？」

這時靠窗的那邊，有一些細細的聲響，他

拳擊手忽道：「且慢。」他一邊說，一邊將兩眼注視在臥室門上，又疑惑不決的說道：「我們應當留心那個人——我想他會來竊聽我們的談話。」

伯爵道：「他既已在那裡彈奏樂器，又怎能分身來偷聽呢？」

塞爾姆登道：「話是沒錯，但也許另有一個人藏在幃幕裡，這裡的幃幕不是很多嗎？」

他又在四面瞧了一下，忽瞧見窗口有一個蠟像，嚇得張口結舌的伸手指著，連話都說不出。

伯爵道：「不要多疑，那不過是一個蠟製的假像。」

塞爾姆登道：「又是他的奸計嗎？倒使我吃了一驚，但瞧他穿的衣服竟和他本人一樣。伯爵，這麼多的幃幕有什麼作用？」

們倆不禁同時站了起來。可是室中仍沉靜如常，不見有什麼動靜，只有那蠟像安坐在椅子上，此外完全是空空的。

塞爾姆登道：「這聲音是從街上來的。伯爵，你有靈敏的腦筋，一定可以想出一個計策。惡門既然無效，那只得由你謀劃了。」

伯爵道：「我曾經愚弄過許多比他更靈敏的人，我決不會讓我祕密囊中的寶石離開我。今晚寶石便可以運出英國國境，不到一個星期，便可在阿姆斯特丹分割了。他還不知道范塞達是什麼人。」塞爾姆登道：「范塞達是下星期動身嗎？」

伯爵道：「他是下星期動身，但他只得乘坐第二批的船了。我們倆總該抽出一個人來，悄悄地帶了寶石，到萊姆街去會他。」塞爾姆登道：「可惜還沒有預備好假的。」

伯爵道：「哦！我們只要爲寶石製造一個機會，並不需要製造假的。」

他說完這話，忽又覺得危險似的，停頓了不說。他又向窗前窺瞧，確定那細微的聲音，果是從外面街上來的，才繼續道：「那個福爾摩斯我們也容易對付。你等著瞧，這該下地獄的傻子，只要我們願意交出寶石，便不會捕我們了。我們不妨先答應把寶石歸還他，藉這幌子，將他引到錯路上。等他覺得有問題時，那寶石早已到了荷蘭，我們也離開英國了。」塞爾姆登笑道：「這話很有道理。」

伯爵道：「你現在快去叫那荷蘭人將寶石悄悄運出去。我還要跟這個傻瓜周旋一下，騙他寶石此刻在利物浦。唉！怪可惡的，那抑抑揚揚的琴聲，使我的神經都緊起來——等到他明白了受騙，知道寶石不在利物浦時，那寶石已被分割成四塊，我們也已安安穩穩的在那蔚藍的海面上了。你過來，不要站在那鑰匙孔中瞧得見的地方。寶石在這裡呢！」

塞爾姆登道：「想不到你竟敢將這東西放在身上。」

「除了身上，還有什麼地方更安全呢？我既能夠從白金漢宮裡竊取出這寶石，當然也有人能夠從我的寓所裡取出去的。」「那麼，讓我瞧一瞧。」

席維福斯伯爵用一種鄙夷眼光瞧著他的同黨，對塞爾姆登伸著的那隻不潔的手，毫不理會。

塞爾姆登道：「怎樣？你怕我從你手中搶去嗎？先生，你這種態度，我實在也有些厭倦了。」

伯爵忙道：「唉！你不要見怪，我們倆決不能鬧意見的。你若要瞧瞧這寶石美麗的顏色，走到這邊來。寶石在這裡，你拿到窗口的亮光下去瞧吧。」

就在這時，福爾摩斯突然從蠟像的安樂椅裡跳起身來，一手將寶石搶起，嘴裡嚷道：「謝謝你！謝謝你！」這時，他一手握了寶石，另一隻手卻握著一把手槍，瞄準那伯爵的頭部。那二人都大驚失色，不由得向後倒退。在他們驚慌的時候，福爾摩斯又按了按電鈴，說道：「先生們，請不要驚慌，留心這室中的東西。你們一定明白你們此刻的處境，是不允許任意妄動的，須知警察們早已在下面恭候了。」

伯爵這時十分驚訝，竟不再那麼憤怒和恐懼。他氣咻咻的問道：「但你怎麼會……」

福爾摩斯道：「這一著自然要使你驚奇的。我臥室的第二扇門，本就可以通到幃幕後面的。當我把那蠟像移開的時候，已被你們聽見，誰知我非常好運，還是讓我能夠聽得你們有趣味的談話。如果你們知道我在這裡，那當然不肯說這些話了。」

伯爵似很佩服的樣子，點頭道：「福爾摩斯，我們竟落進了你的圈套。你簡直是一個魔鬼！」

福爾摩斯微微笑了一笑，說道：「無論如何，總也差不多了。」

塞爾姆登遲鈍的腦筋，一時似乎還不能明瞭這其中的情形。他聽到有重濁的腳步聲，從樓梯上傳來。他道：「但那提琴聲還在？我還是聽到那抑揚的聲調啊！」

福爾摩斯道：「不錯，就讓它繼續吧！我不得不承認那近代的留聲機，實在是一種神奇的發明。」

這時警察們已一擁而入，立即將兩人上了手銬，押解下樓，送到外面等著的馬車裡去。

華生和福爾摩斯仍留在室中。當華生在向他的老友說幾句讚美的話時，那個彌雷又托著名片盤進來，道：「甘特爾瑪貴族求見。」

福爾摩斯道：「彌雷，請他上來。他是和寶石最有關係的人。他本來是個傑出的人物，可惜太固執守舊了些。這一次我們能讓他心服嗎？我們的態度可以略略放縱些嗎？我料剛才發生的事，他還完全不知道。」

一會兒，有一個瘦小嚴肅的人，走進我們的室中。他的臉是尖形的，黑色下垂的鬍鬚，還保持著維多利亞時代的式樣，但配上那瘦削的肩膀，和文弱的姿態，似不相稱。

福爾摩斯迎上去和他握手，說道。「甘特爾瑪貴族，您好啊！今天的溫度很低，室內卻很溫暖，可要我爲你脫去大衣？」甘特爾瑪道：「多謝你，我不用脫大衣。」

福爾摩斯伸手按在貴族的袖口上，又道：「請你答應吧。我的朋友華生醫生，一定也會贊同，這種忽冷忽熱的溫度變化，是非常危險的。」

甘特爾瑪似很不耐，推開他道：「先生，我覺得很舒適。我也不打算在這裡久留，我只是來問問你那件承辦的案子，進行得怎樣了。」「唉，難得很——難得很。」

「我早料你要說這樣的話了。」甘特爾瑪說時，他的聲調和姿態，都帶著一種鄙夷的樣子。他繼續道：「福爾摩斯先生，一個人的才幹究竟有限制的，這一次至少也可以教訓我們不應當自滿了。」「貴族，正是，我很惶恐。」「我早說過了。」

福爾摩斯道：「現在我有一個疑問，你也許可以幫助我吧？」

甘特爾瑪貴族道：「你此刻求人，不嫌太遲了嗎？我以爲你憑著你自己的方法，已儘夠應付哩！雖然如此，我卻仍準備幫助你。」「甘特爾瑪貴族，我們如何處置賊徒呢？」「等你把他們捉住了再說。」「是啊，但我的疑問就是怎樣處置那個偷東西的人。」「現在談這問題未免太早了。」「話雖如此，我們早一點預備，也不會壞事。你想應有怎樣的證據，才能處治那個偷取寶石的人的罪呢？」「必須證明那人確實偷走寶石。」「一經證明，就可拘捕他嗎？」「那當然無疑。」

在華生的記憶中，福爾摩斯的笑容是難得見的，這時他竟縱聲大笑。

他道：「我親愛的貴族，這樣，我不得不

福爾摩斯道：「請你伸手到你大衣右邊的口袋裡去。」

甘特爾瑪似疑惑不解，問道：「這句話是什麼意思？」福爾摩斯道：「來！來！請依我的話做吧。」

幾秒鐘後，那粒大而深藍色的寶石已承在甘特爾瑪顫抖的手掌中。他張大了兩眼，彷彿身入夢境般，說不出話。

他吶吶然道：「爲什麼？福爾摩斯先生，這是怎麼一回事？」

福爾摩斯道：「甘特爾瑪貴族，對不起，我這裡的那位老朋友必能告訴你，我有一種喜歡戲弄人家的壞習慣。當我和你開始談話的時候，我已大膽把這東西放在你口袋裡了。」

那老貴族呆木的目光，在寶石上瞧了一會兒，又移到福爾摩斯含笑的臉上。

聲明要拘捕你了。」

甘特爾瑪一聽，淡黃色的臉上，頓時泛出了一陣怒紅。

他道：「福爾摩斯先生，你眞是太放肆了。我在政界裡服務了五十年，從不曾遇過這樣的事。先生，我是個忙人，有許多重要的公事，正等著我去辦，實沒有功夫和你開這種沒意義的玩笑。我老實說，我始終不信任你的才能，我常想這件事若交給一般的警察們去辦，或許可以更妥當些。此刻你種種的舉動，都足以證明我料想的沒錯。先生，再會。」

福爾摩斯立即跨前一步，擋住甘特爾瑪的去路。他道：「貴族，且慢，你須知帶了寶石出去的罪名，比暫藏寶石的罪更加重大。」

甘特爾瑪道：「先生，讓我出去，我沒耐心再和你周旋了。」

他道：「先生，我的神志眞已昏亂了。可是——是啊——這正是那顆皇冠上的寶石。福爾摩斯先生，我們實在很感激你。雖然你的幽默方式，果眞如你所說有些兒出乎常規，且那玩笑的舉動，也很不恰當，但我先前對於你偵探才能上的批評，這時應收回了，不過這其中究竟怎麼……」

福爾摩斯插嘴道：「這案子此刻只結束了一半，其餘的情形，我們等一會兒再說吧！甘特爾瑪貴族，你回去時若把這一個勝利的結果告訴他們，大概總可以贖我亂開玩笑的罪了。弼雷，你送這貴族出去，並向哈德遜太太說一聲，若能趕快爲我們弄來兩客晚飯，那我眞非常感激的。」

郡主的失蹤

(原名 The Disappearance of Lady Frances Carfax)

福爾摩斯的眼光凝注在我靴子上面，忽問道：「為什麼是土耳其的？」那時我正斜靠在一張籐製的椅子上，我翹起的兩隻腳竟引起他如此敏銳的注意。

我略帶詫異地答道：「這是英國的，我在牛津大街的拉第瑪鞋店裡買的。」

福爾摩斯微微笑了一笑，露出一種不耐的樣子。

他道：「我說的是洗澡！你為什麼不在自己家裡洗，卻要去花那麼貴的代價洗土耳其浴呢？」

我道：「因為我前幾天風濕痛，精神有些不振。大家都知道土耳其浴有療效，足以清理身體各部，讓人覺得清爽。」

接著，我又道：「福爾摩斯，且慢，我雖然相信像你這樣敏慧的頭腦，一見了我的靴子，便能聯想到我的土耳其浴，但你如果能夠把這裡的理由說明一下，我會更感激的。」

福爾摩斯頑皮地眨了眨眼，答道：「華生，這個思考的過程，是非常簡單，又容易明白的。憑著這同樣的推斷方法，我還可舉一個例證，當作我的說明。試問今天早晨，那一個人和你同車呀？」

我悻悻然答道：「我不認為這一個新的例證就算說明。」

福爾摩斯道：「好，華生！你抗議的這一

點很合理。現在你要我說那幾點呢？姑且先說明最後一點——就是那部馬車。你自己瞧瞧，你左邊的衣袖和肩膀上，都留有泥濺的痕跡。假使你坐在車子的中央，當然不會有什麼泥跡。即使濺泥，也應當是兩邊勻稱，決不會只偏於一邊，因此可知你只坐在車子的一邊。更進一步說，有一個同伴和你同車。這不就可想而知了。」我道：「那果然是很明顯的。」「並且也平常得很，不是嗎？」「但那靴子和洗澡，又怎麼解釋呢？」

福爾摩斯道：「那也像兒戲一般容易。你平常總會將鞋結打成一種特殊的樣子，我是見慣了的。今天我偶然見你的鞋帶，打成一個很精緻的雙弓結，這不是你尋常的習慣。因此可見你曾經把你的靴子脫去，將結重新打過了。那麼，誰幫你結的呢？若不是靴匠，就一定是浴室中的侍者。但你的靴子還差不多是新的，不見得會去找靴匠。所以，便可知是在浴室裡打的了。這樣是不是很淸楚了呢？但我卻不知你去洗土耳其浴，卻是有目的的。」我道：「什麼目的？」

「你不是說你要讓你的身子舒爽一下，才去洗土耳其浴的嗎？現在我也有一種讓你放鬆的方法。華生，假使有人提供你頭等的車票，和一切充足的費用，請你往洛桑一趟，你會答應嗎？」「那眞是好極了！但爲什麼要請我去呢？」

福爾摩斯將身子仰靠著扶手椅的椅背，從袋中拿出一本日記簿來。

他道：「世界上最危險的人物，要算是飄泊孤獨的女人了。她本身雖然不會害人，有時還有益於人，但往往也容易引起人家對於她的覬覦，而釀成犯罪的事件。她無依無靠，並且漂泊不定，但她很有錢，足以讓她周遊各國。她在各大旅館中進出，好像墮入了迷陣裡，又像一隻迷途的小雞，處在狐狸世界之中，一旦那些狐狸將她攫奪吞噬，她當然就不能倖免了。因此我深怕那位法蘭西絲·卡菲克絲小姐，也許已遭到什麼不幸的事。」

我聽了這一番突如其來的話，精神上陡地振奮起來，福爾摩斯仍舊瞧著他的日記簿。

他繼續道：「法蘭西絲小姐，乃是已故的羅甫登伯爵惟一的血親。伯爵的不動產已歸族中男性承襲，而她本人，只得到有限的嗣產。但她有不少的古西班牙銀飾，和許多琢磨精巧的稀奇鑽石。她非常喜愛這些東西，所以，不願存儲在銀行中，竟隨身帶著出門。她是一個美麗而多愁的中年女子。二十年前，她家族裡的人丁本是很興盛的，說也奇怪，這時候竟只剩她這最後的一支系了。」

我問道：「那麼，她到底出了什麼事呢？」

福爾摩斯道：「唉，法蘭西絲小姐遇到什麼事？她活著嗎？或是已死了呢？這就是我們所要探究的問題啊！她是一個生活規律的女子，這四年來，她每隔兩個星期，就會寫一封信給她的老保姆杜貝娜小姐，從來沒有間斷過。這位杜貝娜小姐退休已久，住在坎伯韋爾。她已經五個星期沒有收到法蘭西絲小姐的信，不禁替她擔憂，所以特地來請教我。據說最後的一封信是從洛桑國家旅館裡發出的，這時法蘭西絲小姐似已離開那個旅館，但並沒有留下其他地址。她的家人都很著急，他們非常富有，如果我們能夠把這件案子探明，費用他們是不吝惜的。」

我道：「能得到她的消息的人，只有杜貝娜小姐一個人嗎？我想她應該還有其他通信的人吧！」

「的確另有一個和她通信的人，那就是她的銀行。她把錢存在西爾維斯特銀行——我已先把她的帳調查過。她開過一張支票，是在付帳時用的，數目很大，可能她在付帳之後，還想留下些現款。從那張支票以後，只再開過一張支票。」

我道：「那張支票給誰？是在那裡開的？」

「那支票是給一個瑪麗·凱文小姐，但不知道是在什麼地方簽發。這支票是三星期前，在蒙彼里埃的立奈銀行被兌現，數目是五十鎊。」

「那麼，這個瑪麗·凱文小姐又是誰呢？」

「這我也查出來了，她是法蘭西絲小姐以前的女僕。但法蘭西絲小姐爲什麼付她這筆款子，我們還不知道。雖然如此，我深信只須你費一些偵查工夫，便可立即明白的。」

「我去偵查？」「是啊！你既要往洛桑散心，那自然要託你擔任了。你知道的，此刻老亞伯拉罕深怕他的性命發生危險，我勢不能離開倫敦，況且還有一些別的事情，也都使我不能分身。再說蘇格蘭警場沒有了我，未免會覺得孤寂。而且那些作惡的罪徒，也許因此要蠢動起來。我親愛的華生，去吧。如果我提供的淺見，能夠值得你花兩便士一個字的高價，那我會日夜等待你歐洲大陸回來的電報，準備隨時把我的淺見和你交換。」

兩天以後，我已到了洛桑的國家旅館。那著名的旅館經理麥歇·莫瑟對我非常殷勤。他說法蘭西絲小姐曾在那裡耽擱了幾個星期，見過她的人，都對她非常讚賞。她不到四十歲，風韻猶存，從她的姿態上瞧察，足見她年輕的時候必是一個十分可愛的女子。至於她攜帶的名貴珍飾，莫瑟並不知道。據僕役們說，她有一隻重大的箱子，平日總牢牢鎖著的。那侍女瑪麗·凱文小姐也和法蘭西絲小姐一樣受人歡迎。她已和一個旅館侍者領班訂婚，所以她的住址並不難得到。後來我把那住址抄了下來，她就住在蒙彼里埃的德拉琴路十一號。我把這事探明了以後，私忖不虛此行，即使福爾摩斯親自到來，也未必能夠探聽得比我更詳細。

可是還有一點，我仍摸不著頭緒，我不知道那法蘭西絲小姐爲什麼突然離去。她在洛桑本很快樂，人家都以爲她要在那裡住一季，因爲她的臥室很華美，窗口恰臨河畔，風景也好，十分愜意。不料她在預定的隔天知會了一聲，就翩然離去。因爲她的旅館租金，是每星期預付的，她突然離去，就白白浪費了一星期的住宿費。對於這一件事，只有那侍女的未婚夫費白特略提出一些看法。他說法蘭西絲小姐離去，一定和那個兩星期前到旅館來找她的男子有關。他說那是個英國人，不知姓名，高大而面黑，頰上鬍鬚濃密，不知他住在什麼地方。他第一次來見法蘭西絲小姐的時候，是在河邊的小徑上談話，樣子非常誠懇。第二次他到旅館裡求見，法蘭西絲小姐就拒絕不見了。接著，法蘭西絲小姐就匆匆離去。所以據費白特和那侍女認爲，那個有鬍鬚男子的造訪，一定就是法蘭西絲小姐離去的原因。不過有一件事，費白特竟不願討論，就是他的未婚妻瑪麗·凱文，爲什麼離開她的女主人。這一點他既不肯說清楚，我如果要查究明白，只能親自往蒙彼里埃去見瑪麗了。

我第一回的探問手續總算已結束了。第二步就是要偵查法蘭西絲・卡菲克絲小姐離開洛桑後，究竟往那裡去的。關於這一點，很明顯地她想保密。就情勢推測，她既要保祕行蹤，勢必是爲了避去什麼人的追跡。否則她的行李上爲什麼不清楚貼明往巴登去呢？據我向當地的庫克輪船公司詢問，法蘭西絲小姐的行李，都是繞道往巴登去的。我把這些事報告了福爾摩斯，得到了他的一張半詼諧的回電後，我也隨即往巴登去了。

到了巴登，一切進行得還算順利。我探聽到法蘭西絲小姐在英國旅館中住了兩個星期。她在那裡結識了一位史雷星博士和他的夫人，他們都是從南美洲來的傳教士。法蘭西絲小姐本是一個孤零的女子，所以想在宗教上尋得慰藉。史雷星博士的人格高尚，一心一意致力於宗教。他因爲傳教的緣故害了疾病，那時正在旅館養病。法蘭西絲小姐很憐惜他，所以時常幫著史雷星太太，護視這一位生病的傳教士。那旅館經理告訴我，他天天躺在陽台的一張躺椅上，他的夫人和法蘭西絲小姐二人，陪在他的左右。他正預備畫一張米迪安天國聖地的地圖，還附上相關的參考資料，因爲他準備在這一個題目上，發表一篇論文。後來他康復了，就同他的夫人回到倫敦，法蘭西絲小姐也跟著他們同行。這是三星期以前的事，從此以後，那經理不曾得到什麼消息。至於那女僕瑪麗，在法蘭西絲小姐動身前往倫敦前幾天便揮淚別去，臨行時法蘭西絲小姐曾對她的女僕們說，永遠不必再服侍她了。史雷星博士在動身的時候，連法蘭西絲小姐的帳款也一起付清。

最後，那旅館經理又道：「等一等，自從

法蘭西絲小姐離去以後，到這裡來打聽她的朋友不只你一個人。大約一星期前，已有一個人到這裡來問過。」我問道：「他可曾留下姓名嗎？」「沒有，他的樣子雖然特別，但仍可確定他是英國人。」

我學著我朋友一慣的口氣，問道：「可是一個野蠻人？」

「是啊！這個形容的字眼眞恰當。他是一個身材高大、留有鬍鬚、久經日曬的人。瞧他的相貌，像是住在農村小旅館裡的人，不像是在這種高級旅館裡進出的。這個人看起來很兇暴，像這樣的人，我是不敢得罪他。」

這一件複雜的案子，已漸漸兒有些端倪，就像空中的霧障既消，遠處的人物便也逐漸的明晰。我猜想這位有宗教狂熱傾向的善良女子，正被一個陰險兇惡的人物到處追逐著。她一定很畏怕他，否則她不會從洛桑逃出來，而他卻仍追隨不捨。就情勢而論，她遲早終會被他追上的。但此刻她已被他追到了嗎？難道就爲了這個緣故，她才至今還沒有消息？她那兩個善良的同伴，對於那惡徒的兇暴或詐索行爲，難道也不能夠反擊嗎？並且這個人這樣追來追去，到底在安排著什麼毒計呢？這都是我要尋究的問題。

我在報告福爾摩斯的信中，提到我已用多麼迅速和準確的方法，把這事實的根由完全探明，他卻回電叫我再把史雷星博士的左耳仔細查明。福爾摩斯的幽默感本就很奇怪，有時也頗令人難堪。當他的回信到時，我已到了蒙彼里埃，著手偵查那女僕瑪麗的蹤跡，所以對於他這個好笑的問題，置之不理。

我並不怎樣費事，就把那女僕找到，並且

問明了她所知道的一切事情。她是一個很忠誠的女子，據她說，她離開法蘭西絲小姐，一則因法蘭絲小姐已有那兩個善人作伴，一則她自己的婚期將近，已不得不走。她又鬱鬱不樂地說，當她們住在巴登的時候，法蘭西絲小姐忽變得容易動怒，還曾盤問過她，似乎對於瑪麗的忠誠，有所懷疑。但這一來，她們倆要分離，也就容易得多了。法蘭西絲小姐曾給過她一張五十鎊支票，當做她結婚的禮物。瑪麗和我有一樣的見解——深信那位逼法蘭西絲小姐離開洛桑的男子不是好人。她親見他在湖邊的小徑上強拉著法蘭西絲小姐的手腕，樣子非常粗暴，實在是一個可怖的兇徒。她也贊同法蘭西絲小姐之所以要和史雷星夫婦一同往倫敦去，無非就為了那個男子的緣故，法蘭西絲小姐雖然沒有向瑪麗提起過這件事，但據瑪麗的觀察，隨處都足以表示她精神上有什麼恐懼。她的故事還沒有說完，忽然，她從椅子上跳起來，臉上露出驚訝和恐懼。她驚呼道：「瞧啊！這個惡漢，就是我剛才所說的那人！」

我從那開著的窗口瞧去，見到一個高大而鬼祟的男子，馬鬃似的黑鬍鬚，繞著他的兩頰。他緩緩地從街的中心走過來，正在瞧屋子上的門牌，不消說，他一定是和我抱著同樣的目的，也要來找瑪麗的。我一時氣盛，便奔出去攔住他。

我問道：「你是英國人嗎？」那人也厲聲答道：「如果我是，又怎樣？」「請問你的姓名？」他很堅決的答道：「不告訴你！」

這時的情勢，非常窘迫。但我想與其說任何的空話，還不如直直截截的問他。我道：「法蘭西絲小姐在那裡？」他很吃驚的瞧著我。我又道：「你把她怎麼樣了？你爲什麼跟蹤她？你回答啊！」

那人被激怒，竟像猛虎般的直撲過來。我從前和人打架，不曾失敗過，但這人拳頭像鐵，兇暴得像魔鬼，竟使我不能抵抗。他的手扼在我的頸上，我幾乎失去知覺。幸虧有一個穿藍色長褲的法國工人，手中執著一根木棒，從對街的一間酒店中直奔過來，在這個粗人的手臂上重擊了一下，才讓他放鬆了手。那惡漢站定後，還兇狠狠地向我瞧著，似在考慮應否再向我攻擊。一會兒，才怒吼了一聲，轉身走進我方才出來的小屋裡去。這時我回頭向我旁邊的救星道謝。

這人卻說道：「好了。華生，這一個岔子，是你自己弄出來的。我想你還是跟我坐夜班車回倫敦去吧。」

一個小時後，歇洛克・福爾摩斯已換好他平常的裝束，坐在下榻的旅館房間裡。他把這一次突如其來的情形，簡單地說給我聽。我離開後不久，他覺得自己可以暫時離開倫敦，就決定比我先到蒙彼里埃。他扮成工人模樣，坐在那小酒店中等我到來。

他又說道：「我親愛的華生，我沒料到你此次的偵查，竟鬧出了這許多笑話。論你的成績，只是到處驚動人，卻沒有查明什麼。」

我悻悻然答道：「你未必會比我高明。」

「我想你用『未必』是不恰當的，我的方法，確實比你高明些。這裡有一位斐立・格林貴族，就是你同旅館的房客，我們不如先見見他，以便另尋一個偵查的方向。」

這時有一個侍者送進一張名片，接著，那個多鬚的流氓，忽也跟著進來——他就是在街上打我的人。一見了我，也非常驚訝。

他道：「福爾摩斯先生，這是怎麼一回事？我收到了你的字條，便立刻過來。但這個人和這件事有什麼關係呢？」

福爾摩斯道：「這是我的老朋友助手，華生醫生。他也準備幫我們偵查這件案子。」

那人伸出一隻大而飽受日曬的手，又說了幾句道歉的話。

「我希望剛才沒有打傷你。當我聽到你誣我傷害了她，竟使我不能克制。老實說，這幾天我像失了魂，神經不能自主，就像電動機器一般身不由己。但是我不明白，福爾摩斯先生，你怎麼會知道我呢？」

福爾摩斯道：「我從法蘭西絲小姐的老保姆杜貝納小姐那裡知道的。」

「唉，那個戴頭巾式帽子的老杜貝納，我還記得她呢！」

福爾摩斯道：「她也一樣記得你，那是好多年前的事，那時你還沒有到南非洲去呢！」

「唉，我想你對於我的事已完全知道了，我也不必瞞你。福爾摩斯先生，我敢向你發誓，世界上沒有一個男子，像我那麼用心愛著法蘭西絲小姐的。我知道我是一個放蕩不羈的人，也比其他年輕人更壞，而她的心像雪一般的純潔，承受不了一些粗魯的事，她一聽說我所做的事情，便不願再和我見面談話。最奇怪的一點，就是她後來始終過著孤單而聖潔的生活，我想無非就是因爲她愛我。她這樣過了幾年，而我也在白伯頓掙下了些財產，又聽說她沒有嫁，便決定找到她，希望她回心轉意。後來我在洛桑找到了她，把我的意思向她傾訴，我瞧她似已有些軟化，但她的意志仍非常堅定。但我第二次去找她，她已不在，我追到巴登，仍舊不見她的芳蹤。最後聽說她的侍女住在這裡，就也急急趕來。我是一個粗人，聽了華生醫生的話，便不由得發怒。請你們瞧在上帝分上，把法蘭西絲的下落告訴我吧！」

福爾摩斯莊容道：「這也就是我們要著手偵查的。格林先生，你倫敦的住址在那裡？」

「我住在崙海姆旅館。」

福爾摩斯道：「那麼，請你先回到那裡去，我也許有需要你的地方。我不願你空抱什麼願望，但凡是和法蘭西絲小姐的安全有關的，我們一定都會盡力去做，這一點你可以放心的。現在，我沒有別的話要交待了，這裡有一張名片，你可留著以便和我們通信。華生，你去收拾你的行裝吧。我好打個電報給哈德遜太太，叫她在明天早晨七點半，預備兩個飢餓的旅客的早餐。」

我們回到貝克街寓所時，早有一張電報在那裡等。福爾摩斯讀了一遍，歡呼一聲，便扔給我瞧。電報上只有一句，道：「有缺口的，或是破裂的。」再瞧那發電的地方就是巴登。

我問道：「這是什麼？」福爾摩斯答道：「這是最重要的一點。你還記得我那看起來似乎和本案無關的問題嗎？我要你告訴我那位傳教的史雷星博士的左耳是什麼樣子，你卻沒有回答。」我道：「那時我已離開巴登，來不及查問了。」「巴登？所以我又發了一個同樣的電報，給英國旅館的經理，這就是他的回答。」

我道：「這封電報說明了什麼呢？」

「我親愛的華生，這回電已告訴我們，那對手之一乃是一個危險的惡人。這個自稱傳教士的史雷星博士，其實就是澳大利亞最狡猾的匪棍——森彼得。這種新興國家，本來就容易造就這種特殊人物。他的特殊本領，就是利用婦女們對宗教的熱情，詐取這些孤零女子的人和錢。扮做他妻子的那個英國婦人，名叫佛蘭絲，是他的得力幫手。我知道他的身上有一個特徵：一八八九年，他在亞得拉地方，和人在酒店中打架，他的耳朵被人咬了一口。這一次我既懷疑是他，所以就想證明他的特徵。華生，此刻這一位可憐的小姐落到了這兩個賊徒的手裡，是很危險的，因爲他們是無所不爲的，法蘭西絲小姐有可能已遭了不測。如果她還沒有死，那她一定被拘禁在什麼地方，所以不能和杜貝納小姐或她其他的朋友通信。就情勢推測，他們可能沒有來倫敦，也可能是經過倫敦往別處去了。但第一個假設不容易成立，因爲他們往來各地，必早在動身前就辦好註冊手續，像他們這樣的外國人，若沒依手續到達目的地，是瞞不過英國警察的；後一個假設，也有不可能處，因爲這兩個惡賊，若要在離開倫敦後，在其他地點找一個地方將一個人拘禁，那也不是易辦的事。所以據我猜想，她此刻一定還在倫敦，只不過不知道在倫敦什麼地方。這時我們只能按步進行，吃飽飯，養精蓄銳地耐心等待。傍晚時，我要往蘇格蘭警場和我們的朋友雷斯特拉談一談。」

無論是警察或是福爾摩斯，此時都還不能把這一件疑案調查清楚。在這數百萬人的倫敦城中要找尋那三個人，竟全無功效，好似這三個人並不存在世上一般。我們也曾登過廣告，但沒有效力。有時循著幾條線索進行，也沒結果。總之，那些史雷星時常到的詭祕場所都已搜過，也一樣落空。我們又監視他們的老同黨，把她拘禁著。因為他們如果一放她走，他們就會有危險了，但我們也須提防最壞的狀況。」格林道：「我此刻可以做些什麼？」「他們這幾個人不認識你吧？」「不認識的。」

「我想，他以後也許會到別的當鋪去典當，這樣，我們就必須另想方法尋找。但細想，他上一次所得的典價既高，也沒有人詢問過他，因此，他如果再需要現款，或許仍舊會到比溫登當鋪去。我給你一張字條，你送到當鋪去，他們就會讓你留在鋪中。如果那傢伙再來，你可以跟蹤他，但切不可冒然行事或和用武。我現在完全信託你人格的保障，若沒有我的允許，決不可有什麼動作。」

這樣過了兩天，這位斐立．格林貴族（他的父親是一個海軍大將，在克里米亞戰爭時，統率阿查甫艦隊，所以稱他貴族。）都沒有消但他們並沒有和他接觸，這樣過了一個懸疑而失望的一星期，忽然我們發現了一線光明。在威斯敏斯特路的比溫當鋪裡，接收了一隻古西班牙式的銀耳環。據說當這件東西的人，是一個高大而修剃整潔的人，模樣兒像一個教士，那人的姓名地址都是假的，耳朵的形狀沒有瞧見，但他大致的相貌，就是史雷星。

那個住在崙海姆旅館的斐立．格林，曾經三次到我們住所裡來打聽消息。他第三次來時，我們恰巧得到了新的消息。我見他的衣服寬鬆很多，我想他因為憂念的緣故，逐漸憔悴。他悲聲說道：「我只希望你們給我些事做做。」

福爾摩斯道：「他已開始典當珍飾了。」

格林道：「這樣是不是就是表示法蘭西絲已經遇害了？」

福爾摩斯嚴肅的搖頭答道：「他們也許還

息回報。第三天晚上，他忽闖進我們的起居室，渾身不住戰慄。

他高呼道：「我們找到他了！我們找到他了！」瞧他的模樣，分明已驚駭過度。福爾摩斯溫言安慰他幾句，又扶他坐在安樂椅中。

他道：「現在你定定神，把這件事情從頭說給我聽。」

格林道：「她在一點鐘左右到當舖裡來的——這一次是他的妻子。但所當的耳環，卻是和上一次那一枚配對的。她很高，臉色蒼白，眼睛像老鼠一般。」福爾摩斯道：「不錯，就是這個女人。」

「她離開當舖，我就跟在她後面，直到肯辛頓路，她竟然走進了一間店舖裡去。福爾摩斯先生，那是一間喪用品的店舖。」

我的朋友不禁驚跳起來，詫異道：「什麼？」我一聽他顫抖的聲音，便知他嚴冷而灰色臉的背後，他的心情正如同火燒一般。

格林繼續道：「她進了店，便和一個櫃檯後面的婦人談話。我也悄悄進去，我聽到她說：『已經逾期了。』那舖子的婦人道歉似的答道：『這本應當早已送到，但這東西是特別訂做，故而多費些工夫。』那時他們倆都停止了談話瞧我，我假意問了幾句，便從那舖子裡出來。」

福爾摩斯道：「這件事你辦得很好。以後又怎麼樣呢？」

格林道：「那賊婦隨即出來，我卻早已躲在一道門後。我瞧她好似已產生懷疑，因爲她離開店時向左右探望，接著，她便叫了一部馬車，幸虧我也叫到一部車子跟在她的後面。到了布里斯頓的包爾特廣場三十六號，她就停車下來。我的車子直駛過她的門前，到轉角才下車，然後，我走回來偷瞧她的屋子。」福爾摩斯道：「你可曾見到什麼人？」

「那屋子的窗口除了下層的一扇以外，完全黑暗，且窗簾都放下，我瞧不見什麼。我站在那裡，正不知道如何是好，忽見一部蓋蓬的貨車，停在那屋子門前，車上有兩個男子從貨車上搬了一樣東西下來，走上門前的石階。福爾摩斯先生，那卻是一口棺材！」「唉！」

「在那時候，我本打算直衝進去，忽見前門被打開，那兩個人抬了那棺材進去。那開門的，就是那個賊婦。但我站在那裡，被她一眼瞧見，她似乎認出了我，我見她怔了一怔，便急急把門關上。我也記起你囑咐的話，不敢擅動，便趕到這裡來了。」

福爾摩斯道：「好，好，這件事你當眞幹得不錯。」說著，他隨手在半張紙上寫了幾個字，又道：「我們若沒有拘票，便不能有合法的舉動。你此刻快取了這一張字條，到警察局去領一張搜捕證來。這其中也許有些困難，但那珍飾的典質已儘夠當作證據。我想雷斯特拉一定會幫你辦妥當的。」

格林道：「但也許就在這個時候，他們會殺了她。你想那一口棺材，除了安放她之外，還有什麼用途呢？」

「格林先生，我們必盡力做去，決不會坐失一分鐘的時機。你放心，這一切請交給我們吧。」等到格林匆匆奔出去後，福爾摩斯又道：「華生，此刻那正式的手續，已由他去承辦了。我們也應依循老例，進行我們非正式的手續。我覺得此刻的情況萬分危急，我們應該立刻趕到包爾特廣場，分秒不容遲緩。」

當我們的馬車經過了議院，向威斯敏斯特

大橋急進的時候，福爾摩斯乘間說道：「我們姑且把這件事重新推想一下。這兩個惡徒先把那一個忠心的女僕設法離間了以後，便把這不幸的小姐騙到倫敦。她或許寄過什麼信的，但一定被這兩個猾賊從中扣住了。他們必有同黨的助力，才能租得了一所有家具的屋子，進屋以後，便把法蘭西絲拘禁起來，同時也取得了法蘭西絲名貴的飾物。這些東西大概就是他們惟一的目的，也就是這一次罪惡的源頭。接著，他們就把那飾物公然典當。他們以為沒有人會關懷法蘭西絲小姐的命運，所以將她的東西典當，也不見得有什麼危險。但他們如果將她釋放，她勢必會告發他們的，那時他們就有危險了。因此，無論如何，他們決不會放她自由。可是他們若要將她永遠拘禁，也是辦不到的。於是『謀殺』，就是他們惟一的解決方法了。」

我道：「你的推想似乎很有道理。」

福爾摩斯道：「我們還應換另一種可能想想。華生，你如果循著兩條不同的推論進行，你便可以得到一個交叉點，這一個叉點，就能合符事實的眞相。我們姑且逆著推論，不要從法蘭西絲身上去想，從那棺材上開始。從這東西上瞧來，恐怕法蘭西絲已經死了。所以他們已準備正式殯殮，並已得到了醫生的死亡證書和官方的執照。但是法蘭西絲是被他們謀殺的，他們儘可以在後門掘一個洞埋起來，而他們卻敢公開，這其中有什麼企圖呢？大概他們用什麼方法瞞過了醫生，譬如用了什麼奇妙的毒藥致她死命，表面卻瞧不出來。但如果如此，他們去請醫生勢必要冒著危險，除非那醫生是他們的同黨才行。」

我道：「也有可能假造一張醫生開的死亡

證明。」「太危險了，華生，這樣做很危險。我料他們決不會如此。車夫，停一停！我們已過了那間店，這就是喪用品店了。華生，你進去問一問，你的外表老實些，不會使人家生疑。你問他們包爾特廣場三十六號的喪事，明天什麼時候舉行。」我依言下車，進了店舖，向那店裡的婦人詢問，那婦人毫不疑遲，回言明天早晨八點鐘舉行。

福爾摩斯聽了我的報告，便道：「華生，現在你明白了吧，他們一切的手續，完全是採公開態度。他們一定已得到了合法的憑照，所以毫無忌憚。現在沒有別的法子，只能夠直前進攻。你有帶武器嗎？」我道：「我只有我的手杖！」

「好，好，我們的力量已儘夠對付了。古諺說：『理直便氣壯』。我們不必等警察到，也不能拘泥於法律的範圍——車夫，你可以把車子開走。華生，我們就照著我們常做的老法子進去碰一碰運氣。」

我們到了包爾特廣場一宅黑暗的大屋子前面，福爾摩斯上前去按鈴，立即有一個婦人出來開門。那高個子的婦人在門口站定，我們往內望去，裡面的燈光，顯得非常幽暗。

她在黑暗中向我們打量了一下，厲聲問道：「你們來幹什麼？」福爾摩斯道：「我要和史雷星博士談話。」

她答道：「這裡沒有這樣的人。」說著便想關門，但福爾摩斯早把一隻腳跨進去阻止。

福爾摩斯很堅定地說：「好，無論他叫什麼名字，我只要見見住在這裡的男子。」

她躊躇了一下，隨即把門開著，說道：「好，進來吧。我的丈夫決不會怕見世界上任也就是自稱在南美洲和巴登傳教的史雷星博士。這一點我自信不會錯，正像我知道我自己的名字叫做歇洛克·福爾摩斯一樣。」

這一個自稱彼得的，震了一震，睜大了眼睛瞧著他的可怕的敵手。冷冷說道：「福爾摩斯先生，我想你的名字，並不足以令我害怕，須知一個心平氣和的人，你是不能隨便嚇倒他。你到我屋裡來幹什麼？」

福爾摩斯道：「我想知道你從巴登帶來的那位法蘭西絲小姐，現在怎麼樣了？」

彼得仍冷然答道：「你如果能告訴我這個女子在什麼地方，我也很感激你。因爲我曾爲她付清一筆帳款，差不多將近一百鎊，她只給了我一副不值錢的耳環。在巴登的時候，她和彼得太太與我住在一起——那時我的確用了其他名字——後來她跟著我們到倫敦，我爲她付何人的。」我們進去後，她隨手將門關上，又將我們領到客廳右邊的一間起居室中。她把煤氣燈旋亮，說道：「彼得先生即刻就來。」接著就轉身出去。

她的話果真沒錯。因爲我們在那一間積塵蛀蝕的屋裡還來不及仔細瞧察，已見房門口有一個身材高大、修剃整潔的禿髮男子，輕輕走進室來。他臉大而紅，雙頰豐滿，外貌似很和藹。可是配上一張兇惡而奸詐的嘴，令人覺得很不相稱。

他裝出一種很溫和的聲音，說道：「先生們，這一定弄錯了。我想你們一定是聽了人家錯誤的指引，走錯了屋子。你如果向街的那邊去……」

我的朋友很堅決地道：「這樣好了，我們不要多費工夫。你就是亞得拉的亨利森·彼得，了旅館費，又幫她購買車票。但到了倫敦，她竟不告而別，只留下那過時的首飾，抵償她的帳款。福爾摩斯先生，你若能夠找到她，那我還要向你道謝呢！」

福爾摩斯道：「我一定會找到她，只需在這屋子裡搜一下，一定能找到的。」「你的搜捕證在那裡呢？」

福爾摩斯從衣袋中拔出了手槍，答道：「這東西姑且代替一下，那正式的搜捕證，待會自然會送來的。」「哼，那麼，你只是一個尋常的強盜。」

福爾摩斯仍很溫和的說道：「隨你說，我的同伴也是一個危險的流氓，此刻我們準備一起搜查你的屋子。」

我們的敵人把門開了，叫道：「安妮，去叫警察來。」接著，便聽得一陣衣裙摩擦聲，和前門的開關聲。

福爾摩斯道：「華生，時間不多了。彼得，你如果想阻擋我們，那你一定免不了要受傷。先前送進來的那一口棺材在那裡？」

「你要那棺材做什麼？那棺材已經用了，裡面裝著一個屍體。」「我就是要瞧瞧那個屍體。」「我不答應。」

「不答應也不行。」福爾摩斯說完，陡地把那人一推，急向客廳中奔去。我急急跟著，走到一扇半開的門前，便跨步進去。那是一間餐室，在那半明的煤氣燈底下，便見那口棺材放在一張桌子上面。福爾摩斯把煤氣燈旋亮，揭開棺材蓋，只見棺材裡面，躺著一個枯瘦的屍體。上面的燈光，照在那屍體的臉上，顯得年老而枯悴。我暗忖即使那美麗的法蘭西絲小姐受了虐待、飢餓，或疾病等等，也決不會變成這種衰老枯瘦的樣子。福爾摩斯的臉上，先是驚訝，接著又出現一種安慰的神色。

他喃喃自語道：「謝謝上帝，這是另一個人。」

彼得這時，也已跟著我們進來。說道：「福爾摩斯先生，這一次你實在太鹵莽了。」福爾摩斯道：「這個老婦人是誰？」

彼得道：「你如果一定要知道，我也不妨告訴你。她是我妻子的老保姆，名叫史本特，我們在布里克斯頓救濟醫院裡找到了她，就將她載到這裡，又請了賈明別墅十三號的霍沙醫生來診治——福爾摩斯先生，你可以記下這地址。我們這樣小心照料她，原是基督徒應盡的義務，但不料第三天她就死了。那證書上說是老年衰頹，但這只是醫生的意見，你一定可以更明白些。我們已叫肯辛頓路的施鐵森公司辦理她的葬務，定在明天早晨八點鐘安葬。福爾摩斯先生，在這裡面你可找得出我們有什麼錯誤嗎？你已鑄下了一個大錯，也顯示出你的頭腦顢頇了。你打開棺蓋，希望發現的是法蘭西絲小姐，卻只見一個九十歲的窮老婦人，我眞該爲你那時那種驚惶失措的神情，拍一張照片。」

福爾摩斯聽了他的敵手的嘲笑，臉上雖沉著不露，但他的兩手緊緊握著拳頭，已足表示他心中的惱怒。他道：「我還是要在你屋子裡搜一搜！」

彼得怒聲道：「你敢？」說時，忽聽到沈重的腳步聲和女子的談話聲，從通道中傳進來。彼得又說道：「好！好！這件事我們可以解決了。警察先生，請到這裡來。這兩個人擅自闖了進來，我竟不能叫他們出去。請你們幫我把他們趕出去。」

這時有一個警長和一個警察站在門口。福爾摩斯從名片匣中取出他一張名片來。

他道：「這是我的姓名、住址。這位是我的朋友華生醫生。」

警長道：「先生，我們雖然認識你，但你既沒有搜捕證，所以不能留在這裡。」福爾摩斯道：「當然不能，我也知道。」彼得在旁呼喝道：「把他捉起來！」

警長莊容對福爾摩斯道：「你如果有需要這一位先生的地方，我們深信隨時可以逮捕他。福爾摩斯先生，你此刻應當出去了。」福爾摩斯道：「正是，華生，我們走吧。」

一會兒，我們已重新到了街上。福爾摩斯的神態仍冷淡如常，我卻怒火直冒，覺得羞辱難忍，那警長仍跟在我們後面。

他道：「福爾摩斯先生，我很抱歉，但這是法律所規定的。」

福爾摩斯道：「你沒有錯，警長，論你的職守，原也不得不如此。」

警長道：「我想你到這裡來，一定有緣故。假使有我可以效力的地方——」

「警長，我們是爲了尋找一個失蹤的女子。料想她就在他們屋子中，我盼望立刻有一張搜捕證送來。」

警長道：「那麼，福爾摩斯先生，我們可以派人盯著他們。如果有什麼變動靜，一定向你報告。」

這時才晚上九點鐘，我們仍朝著目前的方向——派人盯著他們——努力進行。我們先到布里克斯頓的救濟醫院。一經詢問，果眞和彼得的話相符。據說幾天前，有兩個慈善的夫婦到醫院裡去，聲稱那一個衰老的病婦是他們的舊僕。他們得到了醫院的許可，就把那老婦領了回去。後來院中聽得老婦的死訊，大家都不以爲怪，因爲那老婦的狀況，本就凶多吉少的。

第二步，我們就去找那個醫生，他曾被請去看診過那個老婦。她死的原因，完全是由於衰老，而那醫生是親眼看見她斷氣的，所以就簽了一張病死亡證書。他又很堅信的說道：「我敢保證，她的確是自然老死，決沒有什麼謀害的內幕。」此外，他對於屋中的一切情形，也沒有覺得有什麼可疑之處，只覺得像他們這樣的人家，竟沒有一個僕人，似未免有點奇怪。這就是我們在醫生那裡所探得的情形。

最後一步，我們又到蘇格蘭警場去。才知關於簽發搜捕證的事有些延擱，必須等到第二天早晨，才能得到長官的簽字。所以警署約定福爾摩斯明天九點鐘再去拿，而雷斯特拉也可一同前去執行。因此，這一天的工作不得不暫告結束。但到了半夜，那個包爾特廣場的警長忽來報告。他見那黑屋的各窗口，有燈光閃來閃去，可是沒有一個人進出，我們也只得耐著性子等明天的來臨了。

那夜福爾摩斯因爲情緒煩躁不能入睡，卻又悻悻然不願談話。當我和他道晚安的時候，他正拼命地吸煙，兩條黑濃的眉毛攢蹙在一起，他那長而筋絡暴露的手指，不停地在椅子的手把上敲著。我知道他這時正尋思什麼解決方法，就也不理會他。這一整夜，我不斷聽得他在室中踱來踱去的腳步聲。直到清早，我才被僕人叫醒，這時他忽然奔到我房間裡。他身上雖穿著睡衣，但一瞧那凹陷的眼睛，及慘白的臉色，便知道他一夜沒睡。

他急切問道：「什麼時候出殯，是不是八點鐘？唉！此刻已七點二十分了。華生，上帝所賦給我的腦子，此刻是怎麼回事啊！朋友，快些！快些！這實在是生死關頭，現在只有百分之一的生機了。如果我們這一次去得太遲，我決不能寬恕我自己的！」

五分鐘後，我們已上了一部馬車。我們雖然如此急促，但經過大鐘的時候，卻已是七點三十五分，車到布里克斯路時，八點的鐘聲已響。幸虧辦喪事的工人，也像我們一樣遲到，八點過了十分，見那載棺材的車子，還停在門口。直到我們那匹口沫橫飛的馬停了蹄子，才見那棺材被三個人抬著從門口裡出來。福爾摩斯突然跑過去，阻擋他們的出路。他一邊伸手抵住最前面一人的胸口，一邊大聲喊道：「抬進去！快抬進去！」

這時，那彼得漲怒的紅臉，便從棺材後面探頭出來，厲聲喊道：「你又想怎樣？我再問你一句，你的搜捕證在那裡？」

福爾摩斯道：「搜捕證已在路上！這棺材要退進去停在屋裡，等那證件來了再說。」

福爾摩斯的命令果然見效，那三個抬棺材的工人都不敢違抗。彼得卻忽然轉身退進屋子裡去。那幾個抬棺材的工人就也照著新的命令把棺材抬進去。等到那棺材重新放在桌子上時，福爾摩斯大聲叫道：「快些，華生，快些！這裡有螺絲起子。朋友，這一個給你！如果能在一分鐘內，把材蓋弄開，賞你一個金鎊！不要多問，快動手！好啊，還有一枚螺絲釘！還有一枚呢？完全拔去了！趕快打開！趕快打開！唉，終於打開了！」

這時我們用力把棺材蓋移開，頓覺有一股

猛烈的氯仿氣味直撲鼻子。棺內有一個人，頭部完全用棉布包著，那棉布上卻浸透了麻醉藥水。福爾摩斯把那棉布拉開，便露出一個美麗的中年女子的臉孔。一剎那間，他早已伸手下去把她撐扶起來。

他急問道：「華生，她可是已死了？是否還有一點生機？我們不會來得太遲吧！」

在之後的半小時中，福爾摩斯所說太遲的話兒，幾成事實。因為那法蘭西絲小姐中了氯仿的毒氣，又因為窒閉的緣故，幾乎已沒有復甦的希望。最後，我們施行人工呼吸，又注射乙醚，還用了種種科學上所有的方法，她才漸漸兒有些生氣。起先見她的眼瞼微微顫動，又拿鏡子在她口鼻上測驗，竟也起了一些薄霧，才確定她眞的已活過來了。這時候，有一部馬車停在門前，福爾摩斯拉起窗簾向外一瞧，歡呼道：「雷斯特拉已帶了搜捕證來了，但他的鳥卻早已飛走了。」說時，又有沉重而急促的腳步聲，從通道中走來。福爾摩斯繼續道：「唉，有一個人來了。他來服侍這位小姐，當然比我們更恰當些。格林先生，早啊！我想我們應當立刻將法蘭西絲小姐送出去，越快越好。但這殯葬的事，仍須繼續進行，你們快把那一位躺在棺材中的可憐老婆子，送到她最後的休息地去吧。」

那天晚上，福爾摩斯向我說道：「親愛的華生，你如果要把這一件案子加入你的紀錄，這案子只足以做一個例證：證明無論怎樣傑出的腦子，也難免有糊塗的過失。這種過失在人類中原是常有的，但若能夠自己覺悟，並馬上挽救，那就是大人物了。這樣的覺悟和補救，我自己還有幾分把握。昨晚我想來想去，總覺得好像在什麼地方發現過一個線索、一句奇怪的話、一個特別的跡象,可是竟將它忽視遺忘。後來,直到灰白的曙光發露,那個疑點,才又從我腦海中湧現出來——那就是斐立・格林的報告中說過的,那喪用品店裡的婦人曾說過:『這本應當早已送到,但這東西是特別訂做,故而多費些工夫。』這兩句話就是指棺材。她既然說那棺材是特製的,勢必指那棺材是照著特別的尺寸製造,和尋常的不同。但爲什麼呢?爲什麼呢?於是我想起到,那天所見的棺材很深。試想,這樣一個枯瘦老婦的瘦小身體,爲什麼需要訂製一口大棺材呢?便知那一定還預備放另一個屍體——原來他們打算藉一張死亡證明,同時把兩個人一起安葬。假使當時我的腦子清楚,這種疑點原很容易發現的,但是直到後來才覺悟,我知道八點鐘法蘭西絲小姐就要殯殮,惟一的機會,只有在棺材未出門前從中阻攔。法蘭西絲小姐復活的機會,我早知道只有萬分之一的希望,但這究竟是一個希望,後來果眞成功了,實在是僥倖。我知道這兩個惡徒沒有殺人的紀錄,所以我確定他們不會用用暴力的手段。他們用迷藥後,將她葬入棺材,自然就不會留下任何謀殺的痕跡,即使她後來被人發掘也不用擔心,我料他們起先一定這樣想,所以沒有下更毒的手段。至於他們當時動手的情形,也不難推想而知。你已見過樓上的一間暗室,那就是法蘭西絲小姐被拘禁的地方。他們一定是突然進去,用氯仿將她迷倒,隨即抬下樓去。等到裝進棺材以後,爲防她甦醒,又放了些迷藥,然後再將棺蓋釘住。華生,還眞是一種最靈巧的計劃,在我的罪案紀錄中也算是別開生面的。如果我們這兩位傳教士,這次逃出了雷斯特拉的掌握，那麼，不久一定還會有一些關於他們的新奇事件，要傳到我們耳朵裡來。」

怪教授(原名 The Greeping Man)

福爾摩斯常叫我把普雷司貝教授經歷的一件怪事披露出來，以便止息一些難堪的流言。這流言在二十年前，曾經引起倫敦學術界的震驚。可是因為某方面的阻力，這一件怪案的眞相，一直深藏在我那個儲存著許多奇案紀錄的鉛皮箱裡。但現在我們已得到了發表這事的許可。這本是我的朋友在退休前最後經手的一案，我此刻雖然已得到許可，但在記述的時候，仍舊是非常的謹愼。

一九〇二年九月初的一個星期日傍晚，我接到福爾摩斯的一封信。那信道：「如果可以，立刻就來，假使不便，也一定要來的。S. H.」我們倆從前的關係本就非常特別。他是一個怪癖很多的人，偏狹而專注，我竟也沾染了一樣的脾氣。我被傳染的習慣——就是喜歡提琴、粗煤葉、黑色的舊煙斗，且喜歡一些更討人厭的東西。有時我的朋友接了一件吃力的案子，我要盡的惟一的本分就是扮演一個情緒穩定而靠得住的同伴。但除此以外，我對於他還有別的用處，我是他意志上的一塊磨石，時常可以淬勵他。他總喜歡當著我的面宣布他自己的思想，他的話雖然不是直接對我說的——有時竟好像在向他的床發表——然而我在他旁邊，習慣少不得要從中插口，或把他的話記錄下來，那對他還是很有益處的。假使我思想上的反應遲鈍了一些，便會激起他的惱怒，但這樣一激，反使他的直覺和靈感霎時活絡起來，反應就越發快速了。這種種就是我在我們的關係上所產生的小功勞。

當我到了貝克街時，我見他綣著兩腿盤坐在一張扶手椅中。嘴裡啣著煙斗，兩條眉毛也蹙在一起，看起來正在那裡深思。我一見他這種樣子，便知道他一定遇到了什麼疑難問題。他揮一揮手，示意叫我坐在那隻舊的扶手椅中。但過了半個鐘頭，他還是沈默不動，好似沒有覺察我在他的面前一般。最後他震了一震，似已從冥想中驚醒過來。他臉上露出常見的奇妙微笑，開始和我說話。

他道：「我親愛的華生，請你原諒我方才的沈思出神。我在這二十四小時中遇到了幾件奇怪的事，從這些事中，竟使我發現了一個普遍又有意義的理論。我正想寫一篇簡短的論文，討論狗在偵探事業上的功用。」

我道：「福爾摩斯，但這種論題早有人發表過了。譬如敏於嗅覺的獵狗，和追蹤盜賊的警犬——」

「不是，不是，華生，關於這一方面研究，固然已很清楚，但還有另一方面更奇妙。你總記得從前你所記的那件『髮之波折』，我憑著觀察了一個孩子的心思，就推斷到他那高潔而莊重的父親有犯罪習慣。」我答道：「正是，我記得的。」

「我現在對於『狗』的理論，也和這事相同的。須知從一隻狗的身上，往往可以反映那狗主人家庭生活的情形。誰見過一個陰黯而多憂的人家有活潑的狗？或是一隻悻悻的病狗生活在快樂的家庭中呢？所以兇暴人家養著兇暴的狗，陰險的人家也養著陰險的狗。並且牠們的特殊態度，也可以反映他們主人的特殊個性。」

我搖頭答道：「福爾摩斯，你這話未免有些誇張了。」

他重新裝上煙斗，一時並不理會我的話。一會兒，回到椅子上又繼續他的談話。

他道：「我剛才所談的論文和我此刻要著手進行的一件案子，有密切的關係，而這件案子宛如一團亂絲，我正在尋一個鬆落的線頭。有一個鬆落的線頭裡面含著一個疑問：就是普雷司貝教授那隻忠心的狼狗洛愛，為什麼要咬他呢？」

我覺得很失望，把背靠著椅背，私忖他難道只為了這一個小小的問題，特地教我丟棄了醫務到這裡來嗎？福爾摩斯向我瞧了一眼。

他道：「哼！你還是那個老華生！你總學不會從極小的事情中發現大事。但這一件事，即使從表面上看起來也很奇怪。說到那個嚴正的老普雷司貝教授，本是一個開福特車的著名生理學家——你應該聽過。這一次他竟被自己的狗咬了兩次。你有什麼看法？」我道：「那狗想必已生病了。」

「這一點我早已想到。但那狗並不侵犯別人，並且除了某種情形以外，也並不會和主人作對。華生，那實在是很奇怪的——可是我們那位貝納爾先生？他來得比他約定的時間早了些。是他在那裡按門鈴嗎？我本準備在他未到以前和你長談一下，此刻卻來不及了。」

那時樓梯上有急促的腳步聲，接著門上又有很急的敲門聲，不一會兒，我們的委託人便走進來了。他是一個很俊秀的人，年齡約三十，衣服很華美雅潔，但略帶幾分羞澀，顯見他還是個學生，並不是一個老於世故而內斂的人。他和福爾摩斯握手問好，又以詫異的眼光向我瞧著。

他說道：「福爾摩斯先生，這件事是很鄭重的。我一想到我和普雷司貝教授的關係，我實在不敢冒昧當著第三個人的面和你說話。」

福爾摩斯道：「貝納爾，你不用顧慮。華生醫生是一個最能守祕密的人，並且我也覺得我在這件事上，實有藉重助力的必要。」

貝納爾道：「福爾摩斯先生，你既然這樣說，那也聽便。你總也知道我對於這事，不能

不一會兒，我們的委託人已走進來了。

不謹慎行事。」

福爾摩斯向我道：「華生，你一定很想認識這一位貝納爾先生，他是普雷司貝教授的助理，就住在教授家裡，並且已和他的獨生女兒訂婚。至於他對於教授的忠誠和景仰，我們當然也是肯定的。現在我們應當想幾種合適的方法，把這件疑案解決了才是。」

貝納爾道：「福爾摩斯先生,我希望如此,這也就是我惟一的目的。但華生醫生已知道這事的原委嗎？」

福爾摩斯道：「我還沒有工夫解釋給他聽呢！」

貝納爾道：「那麼，我不如再把這件事從頭至尾說一遍，然後再報告幾件新發現的事。」

福爾摩斯道：「還是讓我來說吧。這樣，也可讓我重新思考一下這事的原委。華生，這

位教授的聲譽全歐洲都知道。他私底下也是風度翩翩，從來沒有人說過他一句壞話。他是一個鰥夫，只有一個女兒叫艾蒂絲。據我所知，他是一個活潑而剛毅的人，也有些人說他好勝心強——這是他之前的狀況。但在幾個月前卻忽然變了，那時他的生活忽然改變了方向。他已是六十一歲的人了，但卻和他同事解剖學科主任馬非教授的女兒訂起婚約來。我以為這樣的結合不能算是適當的，無非是因為那少女的一時狂熱。大概她見他用情懇摯，便接受他。愛麗絲·馬非是一個婉美的女子，無論外表和性情都卓越不群，難怪老普雷司貝見了傾心。不過普雷司貝的家人，還沒有完全贊同。」

那委託人貝納爾道：「我們認為這件事畢竟不妥。」

「對啊，不但不妥，還覺得太不自然。普雷司貝教授很富有，故馬非教授並不反對，至於那女子愛麗絲，她是贊成，不過也略有不滿。因為她本有幾個鍾情於她的情人，年紀都很相稱，不過若從現實層面考慮，都不合她的要求。她雖然也知道普雷司貝教授的脾氣古怪，但也不以為意，她所覺得不滿的就只是年齡問題。在這個時候，忽有一層小小的詭祕黑幕籠罩了教授的感情生活。他的行為突然變異，有一次從家裡出去並不說明去什麼地方，他出去了兩個星期，回來時像是在旅途上很疲勞似的。他本是一個很坦率的人，這時卻絕口不提他到底去了那裡。但這位貝納爾先生，偶然接得了他同學從布拉格寄來的一封信，說他在那裡見到普雷司貝教授，不過沒有機會和他談話。因此之故，家人才知道那一次教授出門是到布拉格。接著要說到關鍵了。從那時候起，教授的性格發生一種奇怪的改變。他變成一個畏懼怕羞的人，時常鬼鬼祟祟。凡和他認識的人都覺得他已不像從前，彷彿有什麼黑影掩住了他高尚的品性。但他的思想並沒有受什麼影響，他的演講似乎比從前更精彩動人了。不過瞧他平常的行徑，卻覺得新奇而不可思議，甚至摻雜些犯罪意味的。他的女兒本來很敬愛他，雖好幾次設法揭除她父親的假面具，回復他的舊狀——就是連這位貝納爾先生，也曾有過同樣的舉動，可是終究無效。貝納爾先生，現在要說到那封信的內容，請你自己說下去吧。」

貝納爾接口說道：「華生醫生，教授平日對我從來不曾守過祕密，好似我是他的兒子或幼弟一般，一切都信任不疑。我是他的助理，所以他的信札都是我拆開之後分別處理的。然而當他旅行回來後沒多久，這一種情形便改變了。他對我說，如果有從倫敦寄來，且郵票下面附一個十字印的信件，應得直接交給他，我不可擅自拆。這樣的信我果眞接到了幾封信上註著E.C.兩個字母的郵印，而字跡卻是醜劣不堪的。他對於這一類信是否作回覆，我不知道，因此我手中從沒有這樣的信，在我的寄信籃中也不曾見過這樣的信。」

福爾摩斯道：「還有那盒子呢？」貝納爾道：「是的，有一個盒子。教授在那一次旅行帶回一個小小的木盒，從這一個盒上便可知他曾到過歐洲大陸的。因爲那是一個精緻雕刻的木盒，淸楚可見是德國的製造品。他把這盒子放在工具櫥裡。有一次，我在櫥中找一種化驗用的橡木管，順手把那木盒取出。他忽非常憤怒，竟用嚴厲的話責罵我。這實在是我第一次的經驗，很難堪，並且也十分驚訝。我向他辯解，我只是無心將盒子取出，但他卻耿耿於懷，直到那天黃昏，始終用含怒的神情對我。」說時，他取出一本日記簿來，又道：「這事就發生在七月二日。」

福爾摩斯道：「你眞是一個値得稱讚的證人，你所記著的時日也許對我很有用處。」

「我跟著我的老師得到了不少學問，所以我一見他有這種反常的行爲，更覺得不能不盡一些偵查的責任，所以我把那天的日期很謹愼地記了下來。就在七月二日那天，那隻狗——洛愛——見到教授從他書房走出來，便奔上去咬他。到了七月十一日，又有同樣的事情發生。後來在七月二十日，我又有同樣的記載。從那一次以後，我們就把洛愛關在馬房裡面——其實這狗平日很可愛的。我此刻說得這樣瑣碎，你們不會覺得討厭吧？」

貝納爾說這句話時含著一種抱怨的聲調，因爲那時候他覺得福爾摩斯並沒有認眞聽他說話，他的臉色沉滯，眼睛凝注在天花板上，一會兒才回復了常態。

他喃喃自語道：「奇怪！眞是奇怪！貝納爾先生，這種事我眞從來沒有聽過。我想這事的原委此刻都已說完。你是不是還有新的發展呢？」

貝納爾愉快而坦白的臉上，忽然被一種不悅的神色罩住，好似他忽想起了什麼心事。他說道：「我現在所說的事就發生在前天晚上。那時已是半夜兩點鐘，我醒著躺在床上，房門外的通道忽傳來一種重濁的聲音。我起來開門，悄悄向外窺探。我得先說明一下，普雷司貝教授就住在走道盡端……」

福爾摩斯插嘴問道：「那天是什麼日子？」

那來客因著談話被人阻斷，似很不樂，悻悻答道：「先生，我有記下。就是前夜，九月四日。」

福爾摩斯點頭笑了一笑，說道：「請說下去吧。」

「他住在走道盡端的房間，下樓的時候一定得從我門口經過。福爾摩斯先生，那當眞是一種可怕的經歷。我自信我的神經像牆壁一樣堅強，但我當時一見了那種情景，卻不由得渾身發抖。那通道的中央，只有一扇小窗可以透一絲微光進來，所以非常黑暗。我見到有一種黑色而傴僂的東西從走道的那頭過來。接著他走到了微光下，我才知道那就是普雷司貝教授。福爾摩斯先生，他幾乎是在地上爬呢！可是他的手和膝蓋並沒有著地，他的頭垂得很低，身體也傴僂著，但瞧他走動的神態似乎還很安閒。我見了十分吃驚，直到他走近我的門口，我的身體才能動彈，便上前去問他，我有什麼可以幫忙的。他的回答也很奇怪的，他突然跳起身來，對我說了幾句粗話，便和我擦身而過，匆匆走下樓去。我等了約一個鐘頭，不見他上來，等他再回房的時候，天已亮了。」

那教授向我說了幾句粗話，便匆匆走下樓去。

福爾摩斯聽到這裡，便問我道：「華生，你想這究竟是怎麼回事？」他說這話的神情，好像是一個病理學專家，發現了一種新異的病症一般。

我答道：「這或許是一種腰神經病症。據我所知，患這種病的人，行走時就有這樣的姿勢，並且也最容易發脾氣的。」

福爾摩斯道：「華生，很好。你時常把專家的知識供給我，讓我腳踏實地。可是這一次我們卻不能說他是腰痛病。因爲隔了一會，他仍舊能夠站直的。」

貝納爾道：「他此刻的身體是一樣康健的，據我瞧來，還比前幾年更強壯些。因此，便更覺難以解釋。我們既不能報警，也想不出別的方法，只是覺得照這樣的奇怪情形繼續下去，我們未來少不得要發生什麼災禍。艾蒂絲・普雷司貝小姐也有同樣的感覺，覺得我們不能再坐視不管。」

福爾摩斯又道：「這的確是一件奇怪而有趣味的案子。華生，你的意見如何？」

我道：「照醫學家的眼光看來，這種病症應當去請教精神病專家的。我以爲這位教授的精神因爲戀愛的糾葛，受了刺激，他出門的緣故，無非想藉此排遣他的熱愛。至於他的信札和木盒，或者另有別的祕事，也許那盒中藏著借據、股票等類，也未可知。」

福爾摩斯道：「照你的話，你是不是要說那隻狗咬他也就因爲反對他的理財事務嗎？不是，不是，華生，這其中一定另有隱情。現在據我想來……」

福爾摩斯究竟想些什麼，再也沒有人知道。因爲就在那個時候，門口有一位少女被引進來。那貝納爾跳起身來。奔過去接住那女子的雙手。

他喘息道：「艾蒂絲！我的寶貝，我希望

一些力？」

福爾摩斯道：「普雷司貝小姐，我希望我能夠。但這裡面的詳情我還不明瞭，或許從你的話裡，可以給我些線索。」

那女子道：「福爾摩斯先生，昨天夜裡，果眞又發生了一件事。他在昨天的白天，舉動已很奇怪。我確信有時候他自己也不記得他做過些什麼，他彷彿生活在一種奇怪的夢境之中，昨天一天他就像做夢一般。我覺得那個和我同住的人已不是我的父親，他的軀殼雖然存在，但實際上卻已不是他了。」

福爾摩斯道：「那麼，昨天發生什麼事？」

艾蒂絲道：「昨夜我是被狗叫驚醒的，那可憐的洛愛此刻已鎖在馬廐裡了。我睡覺時本是把房門鎖著的。我想貝納爾先生已說過了，我們都非常小心，深恐有什麼大禍臨頭似的，沒有什麼事情發生！」

那女子道：「我覺得我必須跟著你來。唉，傑克，我心裡害怕得很！實在不敢再一個人留在家裡。」

貝納爾因介紹道：「福爾摩斯先生，這一位就是我所說的普雷司貝小姐，也就是我的未婚妻。」

福爾摩斯含笑答道：「普雷司貝小姐，你可是得到了什麼新的發展特地來告訴我們？」

我們這一位新來的客人，是一個很漂亮的英國女子。這時也向福爾摩斯還了一笑，就坐在貝納爾的旁邊。

她道：「當我聽說貝納爾先生已離開他的旅館後，我便想，到這裡來找尋也許可以見到他，因他之前曾和我說過，他要來請教你。福爾摩斯先生，你究竟能不能為我可憐的父親盡所以睡時特別謹防。我的臥房在二樓，昨夜，我窗簾恰巧沒有放下，我躺著瞧窗外的月光。忽聽得那狗吠的聲音非常猛厲，一會兒，便望見我父親的臉孔從窗外瞧著我。唉！福爾摩斯先生，這一次幾乎把我嚇死，那時他的臉貼在玻璃窗上，一隻手似乎想把窗拉開。假使那窗果真拉開，那我深信我一定要發瘋了。福爾摩斯先生，這不是我的幻想，你一定要相信我。

我望見我父親的臉孔從窗外瞧著我，他的臉貼在玻璃窗上，一隻手似乎想把窗拉開。

那時約有二十秒鐘，我的四肢都不能動彈，只盯著瞧那臉孔。不一會兒，那臉孔忽然不見，但我仍沒有能力起身追出去瞧視，只冷冰冰地躺在床上，渾身不停地顫抖。今天早餐的時候，他的態度也非常兇暴，但絕口不提前夜的事情。我也不揭破他，只託故要往倫敦來一趟，此刻我便來了。」

福爾摩斯聽了那女子的故事，似也非常驚訝，他道：「我的親愛的女士，你說你的臥房在二樓，那麼，園中可有長梯子？」

艾蒂絲道：「福爾摩斯先生，沒有的，這就是最不可思議的一點。那裡實在沒有法子可以爬上我的窗口，但他昨夜卻明明來過的。」

福爾摩斯道：「昨天是九月五日，這件事情真是很複雜的。」

那女子詫異不解。

貝納爾開口問道：「福爾摩斯先生，這是你第二次說到日期。難道這個『日期』與案子有關係？」

福爾摩斯道：「這是可能的——很可能的。但有力的證據，我還沒有搜集完全。」

貝納爾道：「你可是想到月的盈虧和人的發瘋有關係？」

「不，我並沒有這樣的想法。我的假設卻在另一方面。你可以把你的日記簿留在這裡以便我研究一下日期嗎？華生，我想我們進行的路線已很明顯。據這位女士告訴我們，她父親有時候對於他自己經歷的事情也不記得。如此，我們不妨去見見他，只要說是他曾約我們去的。他或許會接受我們的話，以爲是他自己的失憶。這樣我們便能先把他的情形觀察一番，然後再著手進行。」

貝納爾道：「這計劃很好，但我應該提醒你一句，教授很容易動怒，且有時很兇暴。」

福爾摩斯微笑道：「我們有充分的理由要立刻去見他，如果我的假設符合實際的話。貝納爾先生，明天你可以在劍橋和我們會面，倘使我的記憶力不弱，那裡有一間叫做棋盤的小旅館。這家的紅葡萄酒還算不差，檯布也潔淨可用。華生，我們未來幾天的生活，也許會在比那更不愉快的地方渡過哩。」

星期一早晨，我們動身往那大學城去。福爾摩斯出門時既沒有什麼牽絆，當然很安閒，但那時我的醫務非常忙碌，臨行時不能不費一番安排的手續。他一路上並沒有說起那件案子，直到我們到了他說的那間小旅館裡，才對我重提。

他道：「華生，我想我們可以在中午前去

見普雷司貝教授。他十一點會在學校中演講，完畢就要回家去休息的。」

我道：「我們去見他，要用怎樣的說法呢？」福爾摩斯在他的日記簿上瞧了一瞧，答道：「八月二十六日左右，他曾經發生這種怪異狀態，我料想那時候他有什麼舉動，此刻或已記不清楚。假使我謊稱他在那時候和我們約定的，想必他不敢不承認而拒絕我們。但這一齣戲，你可以扮得像嗎？」我道：「我們只能試一試了。」

「好，華生，你眞是一個勤忙的蜜蜂，也是一個勇於前進的先鋒。『我們只能試一試』那原是我們這小團體中的惟一格言啊。我們先找一個可以帶引我們的本地人吧。」

我們找到了一個嚮導，一同坐了一部美麗的馬車，經過了許多古老的學院，又轉進了一條樹蔭夾列的車道，便停在一宅圍著草地和紫藤花的大屋前。我瞧那四周的景狀，不但安適而且還很奢華。這時見前窗中，有一個灰髮的人探頭出來。那人眉毛濃密，銳利的眼光，在牛角框的大眼鏡底下向我們打量。不一會兒，我們已進了一間書房，那一位詭祕的科學家也和我們面對面站著。我們本為了他怪異的行徑才從倫敦趕來，但這時瞧他的神情，並不見有特殊古怪的樣子。他的身材高大，穿著禮服，威嚴而莊肅，恰合大學教授的身分，他的眼睛是最特殊的部分，敏銳而富於觀察，且帶著一種伶俐的神氣。

他瞧了我們的名片，便道：「先生們，請坐。有什麼見教呀？」

福爾摩斯含著和婉的笑容，答道：「教授，這一個問題恰就是我要問你的啊！」「唉，先生，你要問我？」

福爾摩斯道：「這裡面或許有什麼誤會，因爲我得到消息，聽說劍橋大學的普雷司貝教授有事相找。」

「咦，你確定嗎？」說時，我見他的灰色的眼珠，忽地閃了一閃，又道：「你當眞聽到這種消息？你可以告訴我那個傳話給你的人是誰嗎？」

「教授，對不起。這件事有保守祕密的必要，如果這件事是出於我的誤會就算了。我眞的很抱歉。」

「那倒不必，但這事我覺得很有趣，我想根究一下。請問你可有什麼字條或函電之類，足以證明？」「這卻沒有。」

「我想你不會斷定這一次眞的是我請你們來的吧？」

福爾摩斯道：「這問題我不必答覆了。」

普雷司貝教授道：「不錯，當眞沒有答覆的必要。但這裡有一個人或許能夠回答的。」

他站起來走到房間的另端，按一個鈴。我們的倫敦朋友貝納爾應聲進來。

普雷司貝教授道：「貝納爾先生，請進來。這兩位先生從倫敦來，據說他們是被人邀請而來的。你是經管我各種信件的，你可曾寫過什麼信給一個名叫福爾摩斯的人？」貝納爾紅著臉答道：「先生，沒有。」

於是教授以含怒的眼光瞧著我的朋友，說道：「這事已解決了。」說著，斜著身子，把兩手按在桌上，繼續道：「先生，據我看來，你的行爲很可疑呢？」

福爾摩斯聳一聳肩，答道：「我只能再說一次抱歉，我們實不應無端驚擾你。」

「福爾摩斯先生，你這話說得太輕鬆了！」老人說這句話時聲音很大，臉上也露出恫嚇的表情。

「我只能再說一次抱歉，我們實不應無端驚擾你。」

他站起身來，用身子擋住室門，又以兩手向我們揮動作勢，顯得很暴怒。他咆哮道：「你們不能這麼容易就出去！」說時，他臉上的肌肉牽動，張嘴露齒，舉起兩手指著我們。我瞧那時的情勢，若沒有貝納爾進來解圍，我們只能打著出去了。

貝納爾從旁道：「我親愛的教授，請想想你的地位，再想這種事如果傳到學校去會怎樣？福爾摩斯先生是一個有名的人物，你不能待他如此無禮啊。」

那教授聽了，果然悻悻然地退開，我們才能走出門，直奔到外面樹蔭的車道中，福爾摩斯似很得意。

他道：「我們這位有學問的朋友，精神分明已經失常度了。我們這次受他的奚落雖然難堪，但我既和他當面接觸了，總算也達到我的目的了。唉，華生，他在我們後面呢！這個惡人已追上來了。」

這時，果然聽見有奔跑的腳步聲，從後面過來。但回頭一瞧，卻不是那可怕的普雷司貝教授，而是他的助手貝納爾。一會兒，他已從車道中轉過來。

他喘息道：「福爾摩斯先生，很抱歉，請

你原諒。」

福爾摩斯道：「好先生，你不必說這樣的話。這種情形原是我職業上尋常的經歷。」

貝納爾道：「我從來沒有見過他有這樣恐怖的樣子，他簡直一天比一天惡化了。這時你們也可以知道我和他的女兒爲什麼怕他。但他的腦子竟然仍很淸楚！」

福爾摩斯道：「太淸楚了！我之前錯估了。不料他的記憶力竟比我所意料的好得多。還有一件事，我們沒有動身以前，可以瞧瞧普雷司貝小姐臥室的窗口嗎？」

貝納爾領我們穿過了一片矮樹，便瞧見那屋子的側面。

貝納爾道：「左面第二個窗口就是她的臥室了。」

福爾摩斯道：「唉，這似乎是不容易爬上去的。但下面有一棵蔓藤，上面也有一條水管，那就可以當作踏腳的地方。」貝納爾道：「可是我卻爬不上去。」

「那當然，就一個尋常的人，這種舉動是很危險的。」

貝納爾道：「福爾摩斯先生，還有一件事我要告訴你。那個在倫敦和教授通信的人的住址，已被我知道了。教授在今天早晨好像曾寫一封信給那個人，我從那吸墨水紙上瞧見的。我是他信任的祕書，照理不應當有這種舉動，但我既要設法解決這件疑案，卻不得不如此了。」

福爾摩斯將那紙條瞧了一瞧，然後順手收在口袋中。

他道：「那人叫陶列克——這是一個奇怪的名字，我想大概是斯拉夫人，但這人是這件案子中的一個重要環節。貝納爾先生，我們覺得沒有留在這裡的必要了，明天早晨我們就會回倫敦去。因爲教授既沒有犯罪的行爲，我們便不能逮捕他；也沒有瘋狂的症狀，我們更不能把他關鎖起來。這時候簡直一點也不能有什麼舉動。」

貝納爾道：「那麼，我們到底可以做些什麼呢？」

「貝納爾先生，你耐性些，我料這事不久便會有發展的。我若沒有猜錯，下星期二，一定又有奇怪的事發生。那天，我們一定會再到劍橋來。眼前的景況的確有些膠著，普雷司貝小姐如果能夠在外面多耽擱幾天，那……」貝納爾接嘴道：「那很容易的。」

「那麼，讓她出外住久一點，等我們告訴她一切危險都已過去的時候再回來。至於教授，不妨任他自由，不要拂逆他，只要他脾氣不發那就好了。」

貝納爾忽低聲驚駭道：「唉，他從那裡過來了！」我們回頭瞧時，見那高大的老人，從小門裡出來，站住了向左右探望。貝納爾向我們揮一揮手，便急忙從短樹中穿過去。我們見他走到了他的雇主面前，一邊激烈地談著，一邊與他同進屋子裡去。

我們轉身朝旅館回去時，福爾摩斯說道：「我想那老人已視破我們了。我覺得他的腦筋非常清晰而有條理，但也很容易被激怒。他既見偵探跟蹤他，自然禁不住要惱怒起來。論情，他自然會懷疑他家裡的人，我想我們這位朋友貝納爾這幾天會有些難受呢！」

福爾摩斯走到電報局門口停步，發了一個電報，然後回寓。那天晚上，回電已到，他把那電報拿給我瞧。回電道：「我已往商務路見陶列克了。他是波希米亞人，年紀已老，人頗和氣，開著一間很大的雜貨店。——麥瑟」

福爾摩斯道：「自從你和我分居以後，有許多事都是麥瑟替我幫忙。我認爲最要緊的就是這個陶列克爲什麼要和普雷司貝祕密通信。喔，瞧陶列克的國籍，便知和教授上次往布拉格去有關係了。」

我道：「如果能夠把不同的事情連起來，那眞是求之不得的。但就眼前，有好多事竟沒有連接的可能。譬如那隻發怒的狼狗，和那普雷司貝教授到波西米亞去一事，有什麼關係呢？而這兩件事，和那教授黑夜時在走道中傴僂著行走，也有相關嗎？還有你認爲是重要線索的日期，那是更不可思議了。」

福爾摩斯含笑搓著兩手，不立即回答，那時我們正坐在那古老旅館的起居室中。我們面前的桌子上放著一瓶著名的紅葡萄酒，那就是福爾摩斯先前說過的。

一會兒，他把兩手的指尖互相抵觸著，演講似的說道：「很好，我們此刻姑且先把『日期』討論一下。這位朋友的日記中，記著那教授第一次發作怪狀是在七月二日，從那次以後，假使一次一次記算下去，除了一次例外，其餘的都是每九天發作一回。譬如最近的兩次：一次在八月二十六日，最後一次就在九月三日。這樣看來，可知那決不是偶然發作的。」

這時我勉強表示贊同。

福爾摩斯又道：「那麼，讓我們再想一種假設。或許普雷司貝教授，每隔九天要服用一種烈性的藥物。那藥物雖有什麼特殊的療效，但一定是有副作用的。只要瞧他服藥後的兇暴樣子便是明證。他最初服藥應在布拉格旅行的時候，此刻乃由倫敦的波西米亞人按期供給他。華生，這幾點不是已串連起來了。」

我道：「還有那隻狗、窗上的人，和走道中的傴僂人，又怎樣解釋呢？」

「且慢，我這一番話，只是一種假設的開端。我料在下星期二以前，未必會有什麼新的發展。這時我們還不能深究，只能一方面時常和貝納爾互通消息，一方面卻耐性些過幾天安靜的生活。」

第二天早晨，在我們動身回倫敦以前，貝納爾抽空溜來告訴我們。果然不出福爾摩斯所料，昨夜他很難堪。那教授雖沒有說我們的到訪是出於他的指使，但言語粗魯，看得出他心中十分怨恨。那天早晨，教授又回復了他的原狀，演講時精神煥發，誰也想不到他有什麼怪態。貝納爾道：「我看，除了他的怪態以外，他的精力比從前旺盛太多了，就是他的腦筋也比以前更清晰。他分明已完全變了，不是我們從前所認識的那個人了。」

福爾摩斯答道：「我想至少在一星期內，你不必怕有什麼危險。我是一個忙人，華生醫生也有他的診務，現在我們約定下星期二的這個時候在這裡相會。如果下次我們回倫敦以前，再不能解釋這個疑案，那我不能不承認當眞是奇怪極了。在這暫別的期間，如果有什麼新消息，請你寫信給我。」

以後的幾天，我沒有去見福爾摩斯。直到下星期一的傍晚，他才給我一封信，約我隔天在火車上相見。我們乘車到了劍橋以後，據聞這一星期中普雷司貝教授家裡一切都很平安。他的舉止態度，也不見有反常的跡象。這一番話，原是貝納爾到我們的棋盤旅館裡來會面時，告訴我們的。

貝納爾又道：「他今天又接到倫敦朋友的信，另外還有一個小包。那信和包封的上面，各在郵票下印了一個十字。他曾吩咐我不許觸動，此外就沒有別的事了。」

福爾摩斯莊容道：「這已儘夠了。貝納爾先生，據我推想，今天夜裡，我們可得到結論。假使我的推斷沒錯，我們對於這一件事的首尾便可以完全明白。因此，我請你今夜必須醒著，留心聽他的動作。如果你聽見他從你門外經過，你也不要阻擋他，但悄悄跟在他的後面。我和華生醫生，也必守在附近。但那木盒上的鑰匙，你知道放在那裡嗎？」

「在他的錶鍊上。」

福爾摩斯道：「我認爲我們應當從這一方面動手，即使不成，我料那盒子上的鎖不見得會多堅固的。你們屋中可還有別的有力的人嗎？」貝納爾道：「有一個馬夫曼克凡。」「他睡在那裡？」「在馬房。」「我們也許用得著他，但在事情發生以前，我們還不能妄動。此刻暫別，我料不到天明，我們就要相見的。」

那天將近半夜時分，我們到了普雷司貝教授的屋前。我們在眼睛望得見教授家大門的矮樹叢中悄悄伏著，這是一個月夜，氣候寒冷，我們幸都穿著厚暖的外套。一陣陣的微風把雲推送得很快，那一彎半月更是時隱時現，我們心中都充滿著驚奇和期望，我的朋友尤其堅信這件奇怪的案子已到了結束的時候。因而大家都很興奮，否則這種冷清清守夜的差事，我們要耐不住了。

福爾摩斯道：「假使我所想的九天一循環

的假設沒有錯，那麼，教授今夜一定逃不走了。你想這怪態的發生就在他從布拉格回來以後，接著他和那倫敦的波西米亞商人持續地祕密通信——那人一定是代替布拉格某個人。並且今天早晨，教授還接到一個包裹，這種種都可以歸納在一起的。但他所服的是什麼藥物？為什麼要服？我們還不知道。不過這種藥物是從布拉格來的卻很清楚。他服的時候，大概遵守著一種指定的方法，九天一次的循環，想必就是規定服藥的日期。這日期也就是最初引起我注意的一點。至於他的外表特徵，卻是最奇怪的。你可曾注意他的膝骨？」

這時我不得不承認我沒有留意這點。

福爾摩斯繼續道：「他的膝骨既厚且硬，我從來沒有見過這樣的膝骨。華生，你如果仔細瞧他的手、他的袖口、他的褲膝，和他的靴子等等，便可以發現他非常奇怪。他的膝骨尤其異常，只要瞧他行走的狀態，便……」福爾摩斯忽然停頓了，舉手拍著他的額角，又道：「唉，華生，我真像一個傻子！這雖然有點不可置信，其實卻是真的。因那種種的疑點，都朝著同一個方向，我怎麼沒想到要把各種環節連接起來呢？譬如他的關節，我怎能輕易放過呢？還有狗，那蔓藤，這時候我差不多已入了夢境哩。唉，華生，瞧呀！他已出來了，此刻我們可以親眼瞧一瞧了。」

這時那前門果然緩緩開了，我們藉著背後的燈光，看見那高大的普雷司貝教授緩緩出來。他穿著寬大的睡衣，當他站定在門口的時候，身子雖直，但略略向前歪斜，兩手無力似地垂在前面。

接著，他又向前走，走到了那條走道，那

特殊的行走樣子便開始了。他的上身向前一俯，便成了傴僂的狀態。後來手足並用，邊走邊跳躍不定，好似他身體上的活力太充沛了，不得不藉此發洩。他在屋子前走了一圈，隨又轉彎過去，霎時便即不見。忽見貝納爾也從門裡出來，悄悄跟在他的後面。

福爾摩斯叫我道：「華生，來！來！」接著，我們便輕輕從矮樹中走出來，到了一個可以望見屋子的側邊。那地方有月光照著，望去十分清晰。那教授正伏在那藤蔓交糾的牆下，然後霍地跳起來扳著藤梗，緣爬上去。他從那一節一節的藤梗向上攀爬，著足既穩，攀援又牢，非常靈敏，但他的身子忽左忽右，好像他只是在玩，並沒有一定的目的。那時他寬大的衣服在空中飄著，好像一隻巨大的蝙蝠，從月光中瞧去，那牆上也印著一個黑色的方影。一會兒，他似乎已玩得疲累了，就又一節一節的緣爬下來。到了地上，照樣傴著身子向馬房走去。那時那頭獵狗已從馬房裡出來，厲聲狂吠。等到一見牠的主人，越發吠得厲害。那狗拉直了鎖縛牠的鐵鍊跳躍不定，顯得很生氣。那教授走到狗及不到的地方，故意停住了激狗發怒。他從地上拾起了一把石子，丟在狗的臉上，又取起一根小棒觸狗。最後更伸手在狗嘴的近邊揮揚作勢，那狗就越發瘋狂似地怒吠。在我們的歷來冒險經驗中，從不曾見過這樣的奇景。因爲這一個人明明是一位莊嚴崇高的大學教授，這時竟像青蛙似的蹲在地上，盯瞧那可怕的瘋狗狂跳怒吠，卻似非常有趣！

於是一剎那間，變化發生了。那鎖狗的鍊子雖沒有斷，但那個頸上的皮圈，因那隻狗盡力地掙扎竟滑落了。我們才剛聽到那條鍊子落地的聲音，便見人狗扭成一團，在地上亂滾。那狗仍不停地狂叫，教授也不斷地發出尖銳的驚呼聲。這時教授的性命已在千鈞一髮。等到我們走近去把他們分開的時候，那狗已把教授咽喉深深咬住。那時我們上前拉開狗，其實是冒著非常大的危險，幸虧一經貝納爾的呼喝，狗便聽命鬆口。

人狗扭成一團，在地上亂滾。

這樣的吵鬧，竟把那馬房上面的車夫驚醒走下樓來。他向我們搖頭說道：「這件事我並不覺得詫異，因爲他這種樣子，我從前已經見過，我早知他早晚要被狗咬的。」

我們先把狗重新縛住，然後將教授抬到屋中。貝納爾本也有醫學智識的，就幫著我治理教授破傷的咽喉。那狗牙咬著的地方恰在頸動脈的近旁，血流如注，很危險。過了半個鐘頭方才脫離險境。我爲他注射了一針嗎啡，他才沈沈睡去，直到那時，我們才能開口談話。

我道：「我想我們應去請一個最好的外科醫生來爲他治療。」

貝納爾道：「唉，不要，不要，此刻這一件醜事，只限於我們幾個人知道。假使傳到了外面，那就無法挽回。請你們想想他在學校裡的地位、他留傳在歐洲的聲譽，和他的女兒對他的感情，那就不應輕舉妄動了。」

福爾摩斯道：「不錯，我們姑且爲這件事

保守著祕密，並應阻止它不再發生。貝納爾先生，你把錶上的鑰匙取下來，曼克凡，你要把病人看守著。如果有什麼動靜，立即告訴我們。現在讓我們去瞧瞧那隻祕密盒子。」

那盒子中的東西不多，一個空瓶、一個盛滿藥水的瓶子，還有一個注射器，和幾封字跡潦草的信，似乎是外國人的手筆。那信封上的確有一個十字形的記號，並且信箋上都寫著商務路，陶列克寄發的字樣。這信上並沒有什麼很要緊的話，只是寫一瓶藥水寄上，或是收到普雷司貝教授的錢等等的話。但除此以外，另有一個信封，字跡比較端正，顯見是有學問的人寫的。再瞧那郵票上的郵戳，果眞是布拉格寄出的。福爾摩斯忽歡呼道：「我們的東西在這裡了！」接著，就把那信箋抽出。那信道：

「我敬愛的朋友：自從你那次光顧以後，我又把這件事情仔細地考慮一遍。你雖然因爲某種情形必須要服用這藥，但我不能不提醒你應得謹愼從事。因據我試驗的結果，其中還有危險哩。

我認爲人猿血淸比較好些，而我叫你用黑面猿，是因爲它比較容易見效——這話我曾對你說過的。但黑面猿是傴僂爬行的動物，而人猿卻可以直立的，其他的性質卻完全相同。

我請你千萬小心，在試驗沒有成熟以前，切不可洩漏出去。在英國方面，除你以外，我還有一個主顧；陶列克就是我的經理人，他會負責跟你們接洽。

如果每一星期能夠向我回覆一次，那是我更切望的。——律溫司丹」

我一聽「律溫司丹」這名字，便使我記起報紙上曾經載過，有一個不著名的科學家，正在研究一種返老還童和長生的祕法。這科學家就是布拉格的律溫司丹。律溫司丹雖發明了這種奇怪的生力血淸，但因爲不肯公布他製鍊的方法，醫學界上都禁止不用。我把所記得的約略說了幾句，貝納爾就在書架上取了一本動物學的書下來。他找得了一段，唸道：「黑面猿是喜馬拉雅山坡上的一種黑面猴子。牠是爬行類的猴子中最大的，也最接近人類。」接著，貝納爾又道：「這下面還有詳細的說明，我們不必讀吧。福爾摩斯先生，謝謝你，這時我們對於這祕密的原因已完全明白了。」

福爾摩斯道：「這事最初的原因，不用說就爲了感情的事。那教授的意思，若要成全他自己的願望，只有——變年輕。但這明明是一種癡想。因爲無論誰，如果想違反自然，那就是自尋煩惱，反而要退化了。假使離了天命的正路，即使是一個天賦極高的人也可以變成畜類的。」他停了一停，把那滿盛淸液的瓶子搖弄了一會兒，又道：「過幾天我定要寫信給這個律溫司丹，告訴他發售這種毒藥應當負法律上的責任，那時他勢必不敢再輕易嘗試。但這樣的事決不會從此滅跡的，也許會另有人想出別的方法來。唉，人類的未來，眞很危險呢！華生，你想如果這種藥物當眞有效，那麼，那追求物質的、感官的，和一切世俗享受的人，自然都要延長他們無價的性命了。但追求性靈的人，卻仍免不了受神的召喚。這樣，雖然活著，又有什麼意義呢！我們這可憐的世界又將變成怎樣的汚糟呢？」說到這裡，福爾摩斯跳出了夢境，重新活動起來。他站起來說道：「貝納爾先生，我想已沒有什麼要說的了。現在種種的疑點都可以互相印證，須知狗的感覺比人敏銳，他憑著他的嗅覺，便覺得教授已變成一隻猴子，故而當教授激弄他的時候，他以爲只是一隻猴子在他面前惹他，所以便奮命的攻擊。猴子本來就喜歡攀爬，所以教授服藥以後也就順其猴性。至於那次他在他女兒的窗外窺探，一定不是故意，只是偶然的事。華生，我們還來得及坐早班車回倫敦。但在動身以前，我們先回旅館喝一杯熱茶休息休息。」

爲祖國（原名 His Last Bow）

那是八月二號的晚上九點鐘——這一個八月，可算是世界歷史上最恐怖的時期。那酷熱而沈滯的空氣中含著一種可怖的寂靜，彷彿神的詛咒已籠罩在這頹疲的世界上。太陽已落下了好久，但有一道傷口似地血紅奇光，還遙遙垂在西邊。上面星光閃爍，下面兵艦上的燈光，在海灣中盪漾不定。有兩個德國人站在花園人行步道的石欄旁邊，背後是一排低長的石屋。他們瞧著下面廣闊的沙灘，這沙灘恰在一片白堊岩的下面，岩上就是逢・柏克的藏身之處。他好像一隻閒遊的山鷹一般，已在這岩頂上棲息了四年了。這時他們並肩站著，頭接著頭地談論著什麼祕密，他們嘴裡都啣著一枝雪茄，若從下向上瞧，這兩枝雪茄的火光恰像黑暗中惡魔的巨眼。

逢・柏克可稱是一個卓絕的人物，在凱撒（指德皇）的許多心腹間諜中，難得有人及得上他。他憑著他的特殊才能，被派到英國來擔任這最重要的任務。他接手以後，接連奏了許多奇功，越發使同僚折服稱讚。另一個是男爵逢・赫林，他是駐倫敦德國公使館裡的祕書長。此夜他坐了一部一百匹馬力的汽車乘夜而來，那車還在下面等著，預備送他回倫敦去。

那祕書長低聲說道：「我推判你大概再一個星期就可以回柏林去了。到時候你重回家鄉，他們對於你的歡迎，一定會讓你驚喜不已。我得到消息，你在這裡的工作表現很得我們最高機關的稱賞呢！」

逢・柏克笑了一笑，答道：「其實他們（指英人）很容易受騙。像這種頭腦簡單而易於馴服的人，實在也很少見。」

男爵作尋思狀，道：「我並不十分瞭解。我認爲他們也有一些特質，必須仔細觀察才能瞭解。他們的外表看起來庸庸無奇，所以一般人初見他們，必以爲他們柔弱無能，可是當有意外情形發生，你才會發現自己太大意了。你和他們周旋，這一層似乎也應當注意的。」

逢・柏克道：「是指他們的禮節嗎？」

逢・赫林答道：「我認爲不只是禮節，處處都可以見他們的古怪脾氣。我初到這裡的時候，有一個閣員在他的鄉間別墅請客，我不熟他們的禮節，談話時竟就鬧出了失態的笑話。」

逢・柏克點頭道：「那一次我也在那裡。」

逢・赫林道：「是啊，後來這消息傳到了柏林，我們的外交部長還把我斥責一頓。我受了這次刺激，便覺得英國人不容易周旋的。但你的工作性質和我不同，當然比不得我了。」

「你不應用『工作性質』這名詞。須知一用這個名詞，便露出行跡。我只是在他們中間自由自在地廝混罷了。」

「不錯，你的交際手腕著實是高明。你和他們划船、騎馬，又和他們玩種種球戲，我又聽說你還曾和他們的少年軍官賽球比劍。此外縱酒賭博、深夜在俱樂部裡廝混……，你什麼都能參加。結果人家都把你當做一個多錢好事的紈袴子，誰也想不到你是全歐洲最厲害的大間諜，背負著神聖的使命和職司，並且這一宅荒涼的岩屋，也是一個祕密消息的總機關。唉，我親愛的逢・柏克，你當眞是一個天才。」

「男爵，你說得太過誇張了，不過這四年

這兩國之間並沒有同盟密約。」「那麼，比利時付它的命運，因爲我們已得到可靠消息，知道開這裡。我認爲英國此番也許要讓法國自己應力。可是就眼前的情形來看，我們也許不必離然是特別關注的。無論你有什麼請求，當然盡自然應當取得公使館的保護。」「公使館對你當甚重要的文件，已交給她帶回去了。其他文件

他道：「昨天我妻子動身回國，有許多不隙，才回頭看著他的客人。

厚幕拉好。他仔細瞧了一瞧，覺得沒有任何空的逢・赫林進去以後，重新再將門關上，又將門，在前引導，隨即把電燈開亮。等到那高大

那走道直通書房的門，逢・柏克先推開了嗎？」

成績給你瞧過，此刻你能再到裡面去等一會兒我在這裡的確沒有虛度，我還不曾把我所得的呢？」「我們知道比利時也沒有密約。」

逢・柏克搖頭道：「我不相信，它們中間一定已有密約。它們一定忍受不了這屈辱的。」

逢・赫林道：「至少它眼前還不需參與戰事。」

「但它在國際上的榮譽尊嚴要如何維護呢？」

「唉，先生，須知我們現在處在功利主義的時代，『榮譽』早已是中世紀的概念。且戰爭對他們來說，還在意料之外，他們還完全沒有預備，爲了這次戰役，我們卻已增加了五千萬的特別戰稅，我們的目的是很明顯了。彷彿已把備戰的企圖在日報大登廣告，但他們卻好似還睡在夢裡，沒有覺醒。有時雖然有幾個人產生疑問，我就隨便回答幾句，或有少數人發表激烈的論調，我也設法將他們安撫。總而言之，那些戰事上必須的條件，例如軍火的存儲、潛水艇的預備、大砲彈的製造等等，它一點都沒

有準備。這是我敢確信的。不但如此，我們在另一方面已設法挑撥愛爾蘭的內戰，這樣一來，它已是自顧不暇，你想還能夠加入戰爭嗎？」

逢・柏克道：「雖然是這樣，它也應當爲自己的前途設想。」

逢・赫林道：「那是另一個問題。我們對於應付英國，已準備好周詳的計劃。在這一點上，你著實貢獻不少。對於應付這一位「約翰牛」（英國的綽號）不管在今天或是明天，都不成問題。它如果今天發動攻擊，我們也已準備好了，假使它要明天，那就更加妥當了。我認爲他們要戰，就必須靠著『同盟協約』一途。否則，就更難取勝。這一個星期，可算得是他們決定他們自己命運的時期。你剛才不是說要把文件給我瞧嗎？」說完他坐了下來，繼續吸他的雪茄。

那個房間的四周都排列著書架，一角掛著一塊厚幕。逢・柏克將幕揭開，便露出一隻很大的包銅鐵箱。他又從錶鍊上取出一個小鑰匙，在那鐵箱上摸弄了一會兒，便把那笨重的箱門拉開。

「請瞧！」說時，他又把手招了一招。

電燈的光線照在那開著的鐵箱裡面。逢・赫林彎著身子，一眼不眨地瞧著箱子裡面，似很注意。箱中無數鴿窠似的方格，每一格上標著幾個小字，例如「淺灘」、「港口防禦」、「飛機」、「愛爾蘭」、「埃及」、「樸資茅斯砲臺」，「運河」等，此外還有許多種種名目。每一格中都塞滿了各種文件和圖樣。

那男爵放下了雪茄，輕輕拍著他肥胖的手，讚歎地道：「好，太好了！」

逢・柏克道：「男爵，這些都是我四年來的工作成果。誰會想到，一個縱酒、沈迷騎術的鄉居紳士，竟會搜集到這麼多的機密呢？不過另外有一個最重要的消息，此刻還沒有到手。但一切都已妥當，不久也可放進這一個格子裡去了。」說著，他指著另一個方格，上面標著「海軍信號」四個字。

逢・赫林道：「這一件資料，你起先不是已得到了嗎？」

「沒錯，但那些都已過時，此刻已成了廢紙。因海軍總部不知從那裡得到了警訊，就把他們的密碼完全更改。這一次對我的打擊很大，幾乎使我前功盡棄。幸虧我支票的作用不小，誘惑到那個亞德蒙替我賣力。大概今天晚上，情報就完全可以備齊了。」

逢・赫林瞧瞧他的錶，忽驚呼了一聲。

「唉，太晚了，我不能再等了。你應知道眼前非常吃緊，我們不能不各歸職司。我希望回到倫敦以後，可以有什麼新消息報告你，但亞德蒙有約定什麼時候來嗎？」

逢・柏克取出一張電報給逢・赫林瞧。

逢・赫林唸道：「今夜一定將新的火星塞送來，決不失約。——亞德蒙」唸完問道：「火星塞？」

逢・柏克道：「他假裝成一個汽車專家，而我是一個有汽車的人，所以我們的密碼都以汽車上的零件假稱。譬如『散熱器』是指戰列艦，『油泵』爲巡洋艦等等。所以這火星塞，也就是海軍信號的別名。」

那男爵在電報的上角瞧了一瞧，又道：「這電報是今天中午，從樸資茅斯發出的。你給他多少報酬呢？」

「除了一定的酬勞，單在這一件事上，我特別給他五百鎊的奬金。」

「唉，這個貪心的流氓！這班奸細對我們固然很有益處，但他們用這種方法得到錢，我認爲很不可取。」

「我的意見和你不同，我覺得那亞德蒙實在是一個奇才。我雖付他鉅款，但他也替我奔走盡力，我又何必苛求？況且據我看來，他也不算是奸細。須知他對英國不但沒有好感，甚至比一些愛爾蘭血統的美國人有更加深切的怨恨。」

「他是一個有愛爾蘭血統的美國人？」

「你如果聽了他說話的腔調，你便可知他是一個混血兒。有時他發表他恨惡英國的意見，竟像有深仇大恨一般，不能不讓人驚異。你眞的要走了嗎？他馬上就要來了。」

「對不起，實在太晚了。明天早晨，我們等你的報告。只要你在約克公爵爵邸前石階旁邊的小門中，得到了那本密碼簿後，你在英國的任務就可算完全告成。什麼！你喝匈牙利的葡萄酒？」說時，他指著旁邊瓷瓶中的一個小瓶，瓶旁還有兩隻玻璃杯。

「你在動身以前可要飲一杯？」

「不要，謝謝你。你在獨居的時候也時常喝這種昂貴的酒嗎？」

「不，亞德蒙最喜歡葡萄酒，這是我特地爲他準備的。他這個人活潑而滑稽，我已仔細將他研究過了。」這時他們又走到外面的走廊，那走廊的盡端接近官道，男爵的汽車停在那裡，已啓動了油門。逢·赫林穿上他的外套，指著前面說道：「我想那燈火明亮處，就是哈里奇村。唉，現在的情景多麼寧靜。但在這個星期以後，英國的海濱也許不能再像這樣安寧了！並且齊柏林答應我們的事也會成爲事實，那麼，這天空也當然不會如此安靜了。咦，那個人是誰？」

他們後面的屋子，有一扇窗露出燈光，燈旁有一個赭色臉的老婦，靠桌子坐著。她的裝束就像是一個鄉下人，手中正在縫紉什麼東西，但不時停下工作，和一隻蹲在她旁邊茶几上的黑貓玩。

逢·柏克答道：「她是我的僕婦瑪莎。此刻屋子裡只有她一個人了。」

逢·赫林道：「我瞧她的樣子安閒得很，眞是典型的不列顚人啊！逢·柏克，再見吧。」說完，他揮一揮手走出長廊，向他的汽車奔去。一刹那間，那兩道金色車燈，直向黑暗中穿射前進。這時逢·赫林仰靠著汽車中柔軟的坐墊，腦中充滿著戰事上的勝利，和全歐洲怎樣傾覆毀滅的思想，所以當他的汽車經過一座小村的時候，有一部小小的福特汽車從他的對面過來，他竟完全不覺。

逢·柏克目送那客人的汽車轉了彎後，才緩緩地回到屋子裡去。那老管家婦已熄燈入睡，全屋子靜寂無聲。這種情形他是難得經歷的。在他的妻兒尚未回國之前，人數多，屋子裡非常熱鬧。這時既靜且黑，不由得使他怔了一怔。好在他深信這屋子裡除了那老婦以外沒有第三個人，一切既很平安，他也用不著擔憂。他又想起自己回國以前，還得費一些整理的工夫，把沒用的文件引火燒去，於是便動手進行。不一會兒，他那張機警的臉，受了火光的熏炙，已覺得熱不可耐。他又取出一個皮包，想要將鐵箱中寶貴的文件裝進皮包裡去，就在這時，他敏捷的耳朵，忽聽到遠遠有汽車聲音。他驚呼了一聲，連忙把皮包合攏，重新關上鐵箱的門，小心謹慎地鎖好，就轉身奔到走廊。這時他見那一部小汽車的燈光剛好熄滅，有一個人從車上跳下直向他奔來。那個軀幹高大而有灰色鬍鬚的老汽車夫，舉起手來伸了一個懶腰。好似表示他經過了長途跋涉十分辛苦的樣子。

逢·柏克急急朝著來人迎上去，問道：「怎麼樣？」

那人舉起一個棕色的小包裹，很得意地揚了一揚。

他操著不道地的英語。說道：「先生，今夜你應當恭喜我，那東西到底到我手上了。」

逢·柏克急道：「密碼嗎？」

「當然，那最新的電報密碼、燈火密碼、無線電密碼等等都已完全到手。不過這只是抄錄的副本不是原稿，我抄時也很冒險。但這完全是眞的，你儘可以相信的，」說時，他伸手在那德國人的肩上拍了一拍，顯得他們倆很熟悉。

逢·柏克道：「來裡面吧。屋中只有我一個人，我就只等候這東西了。你說這是副本？那比原稿的更好。他們如果失了原稿，基於謹愼考量，也許會全部變更。那麼，我們就白費心思了。」

那個混種的愛爾蘭美國人進了書房，便在一張安樂椅上坐下。他的身材很高，年紀約近六十左右，臉形瘦長，下巴綴著幾根鬍鬚，很像山姆叔叔。這時他兩條腿伸得很直，一枝沒有火的雪茄還掛在他的嘴角。他擦了一根火柴，重新點燃雪茄。又向室中周圍瞧了一瞧，問道：「你準備動身了嗎？」他的目光停留在壁角的鐵箱上面，因爲逢・柏克出去迎接的時候沒有把布幕拉好，這時鐵箱便完全顯露出來。他又問道：「先生，這鐵箱可就是藏那重要文件用的嗎？」逢・柏克道：「是啊！」

「哎喲，你竟如此大膽？我還當你是一個謹慎的人呢！像這種鐵箱，在一個略有經驗的小偷手裡，就好比一堆廢鐵一樣。假使我早知你如此疏忽，那我也決不敢落一個字跡在你手裡了。」

逢・柏克答道：「這是你誤解了。我敢保證，無論多厲害的老賊都不能撬開這一隻鐵箱。須知這是一種特殊的金屬做成的，什麼器械都鑿不開。」「如果用鎖難道也不能開嗎？」「當然也不能。這是一種雙層的鎖。你可有見過？」那混血兒道：「沒有。」

逢・柏克道：「那你自然不知道這東西的效用了。須知這鎖的關鍵，是用一個字，和一組數碼，才能開。」說時，他站起來走到鐵箱前，指著箱子上的兩個圓形的機關。繼續道：「這外面一層，是撥字母；裡面一層，是撥數字的。」「如此看來，像是很巧妙的。」

「是啊，這當然不是你所想像的簡單。我在四年前特別製造的，自信非常妥密。你可知道這鐵箱機關的數碼？」「我那裡會知道。」

「我告訴你。我選定的名字，是『八月』那個字，數碼是『一九一四』你瞧，這兩種暗號一合，箱門的機關便應手而開了。」

那個混血種的美國人的臉上，顯出驚異和稱賞的神氣道：「唉，這眞巧妙極了，我竟沒有想到。」

逢・柏克道：「字和數碼，都可以隨時變換，想不到吧！但我已準備明天早晨回國，這事前早應替他們設法防範，不使他們失敗。但他們既已失敗，你幾時營救過呢？那詹姆斯……」

逢·柏克插口道：「這是詹姆斯自己的過失。你也知道就因他做事時太自信，自然免不了失敗。」

那美國人亞德蒙道：「詹姆斯的確是太愚蠢了，還有那個哈立司呢？」「那人像是瘋了。」

亞德蒙道：「他後來的舉動雖然失當，但實在因為他的處境處處都容易惹人家的懷疑，情勢本就危險，實在也怪不得他。此外還有史帝納……」

逢·柏克震了一震，臉色也頓時變白，問道：「史帝納怎樣？」

「他也被他們捉住了。昨天晚上，他們突然闖進他的店裡去，他不及防備，此刻他和那鐵箱的功用，也可以告一段落了。」

「你明天走嗎？我想你一定會帶我去吧？我一個人留在這裡非常危險。據我猜想，一星期後，這位『約翰牛』先生（指英國），一定也會跳起來開火。我想到海的那一邊去安身。」

逢·柏克道：「但你不是美國籍的國民嗎？何必要急著離去呢？」

「你難道忘了詹姆斯也是一個美國人，但此刻還不是一樣在波特蘭坐牢？須知只要在英國的國境，便不能不受他們法律和秩序的拘束。他們如果要來捉你，你即使對他們說你是一個美國人，又有什麼用呢？現在我們既提起了詹姆斯，我就要說出我的想法：你對於你所雇用的人，似乎不怎樣盡力庇護。」

逢·柏克厲聲道：「這話怎麼講？」

「你難道不是他們的雇主嗎？論情，你在

些文件，都已進了樸資茅斯監獄。你卻已準備明天回國，他既沒有人援助，性命是否可保還說不定。所以，我希望和你一塊兒離開這裡。」

逢·柏克本是一個壯健而有定力的人，但這時聽了這不幸的消息，似乎也不能自持。

他喃喃自語道：「史帝納怎麼也會被捕？這的確是一個不幸的消息。」

亞德蒙道：「還有更不幸的消息呢！我覺得他們的目光，已注意到我身上來了。」「當眞？」

「眞的，我的房東太太曾經好幾次被人詢問。他們無非要打聽我的消息，因此我不能不設法脫身了。但我不知道他們怎麼會知道的？自從我和你定約至今，史帝納已經是第五個進他們羅網的人。假使我不早點設法自救，那不用說我要做第六個人了。但你眼見你手下，一個個地這樣落在網裡，你不會覺得過意不去嗎？」

逢·柏克紅漲了臉，呵斥道：「你竟敢說這樣的話！」

亞德蒙道：「先生，我如果膽小怕事，也不會爲你服務了。但我不妨將我心中的意思老實告訴你。我聽說你們德國的政治家，對於雇用的人非常薄情，等到他們工作完成，你們就不惜把他們出賣了。」

逢·柏克跳起身來道：「你竟敢亂說他們幾個人失敗都是我告發出賣掉的？」

那個亞德蒙道：「我並沒有那樣說你，但無論如何，這裡面總有蹊蹺。論理，你應當尋究根由，防患未然，不應當如此放任不顧。現在我已定意不再幹這冒險的勾當，只希望早一天脫身往荷蘭去安享下半輩子。」

逢・柏克忍住了他的怒氣，道：「我們往來了好久，在這最後勝利的時候，似乎不值得再彼此爭論。你種種的冒險功勞，我是永遠不會忘記的。你如果要往荷蘭去，那也很好，在這個星期，路上總還可以平安。我此刻也須急速準備我的行裝，你把那本密碼簿子給我吧。」

亞德蒙將那小包取在手中，毫無交手的意思。問道：「交換品呢？」「什麼？」

「就是你所說的五百鎊酬勞啊！老實告訴你，這東西是我向一個砲手買來的。臨走他又增索一百鎊，否則便不幹。所以我辦成這一件事，前後已花去二百鎊。故而此刻交貨也不能不先取我的酬金。」

逢・柏克獰笑答道：「你要先得報酬然後交貨，可見你很不相信我的信用。」「先生，這本就是一種交易啊！」

逢・柏克道：「也好，我就依你的話。」說時他靠著桌子坐下，在支票簿上寫了幾個字隨手撕下。但他也不立即交給他的來客。轉頭說道：「亞德蒙先生，你用這樣的手段待我，分明含著不信任我的意思，我當然也不能過於信任你。你明白嗎？」說時，又指著桌子向亞德蒙道：「你瞧，支票就在這桌子上。但我應先把你的東西察驗一下，才能讓你取錢。」

那美國人一言不發，將紙包交給他。逢・柏克解開了一條繩子，又去了兩張包皮紙，便發現一本藍色的小書。逢・柏克的眼光靜悄悄看著書的封面，見一行金字——實驗的養蜂小誌。那機警的間諜見了這奇怪的書名，十分詫異，但他背後早有一隻鐵鏟似的巨掌，突地掐住他的脖子，接著一塊浸透氯仿的海棉，按在他的臉上。

福爾摩斯把那葡萄酒瓶取在手裡，說道：

「華生，進來飲一杯吧！」

那魁梧而有灰色鬍鬚的汽車夫，這時已坐在桌子的旁邊，應聲將杯子送過來。

「福爾摩斯，這眞是好酒。」

「華生，這酒眞是名貴，我們這位躺在沙發上的朋友曾告訴我，這是申布龍官的專門酒窖裡的佳釀。現在請你把窗子開了，那氯仿臭味怪刺鼻的。」

這時，壁角邊那隻鐵箱的門已開，福爾摩斯站在箱前，把箱中的文件一一察驗。接著就裝在逢·柏克的那個空皮包裡。那德國人仍躺在沙發上，似乎睡得很熟。他的手臂和腿都已被皮條縛著。

「華生，我們不必急，這裡再也不怕有什麼人阻擋你。現在且按一按鈴，我知道這屋子裡只有這老瑪莎一個人了。我當初著手時，就設法將她引進這裡。她的本領實在不小，竟沒有一個人懷疑她。唉，瑪莎，我們的大功已經告成，我想你一定很高興知道。」

那溫柔的老婦走進了門口，便向福爾摩斯笑了一笑。接著，又把眼光移到躺在沙發上的德國人身上。

福爾摩斯道：「瑪莎，不礙事的，他並沒有受傷。」

老婦道：「福爾摩斯先生，這樣很好。論他平日待人，還可算是一個和善的主人。他昨天本要我陪他的妻子往德國去。但我若去了，你的計劃不就不能執行了？」

「那當然不行的。有你在這裡我才能安心進行。但今晚我們等你的暗號，等了好久。」

「先生，是爲那個祕書逗留了好久的緣

故。」

「我知道。他的汽車和我們迎面而過。」

「那人非常健談，但我知道他如果也在這裡，對你會很不便，所以不能不讓你等待一下。」

福爾摩斯道：「你處置的非常適當，我們在那小村的後面等了一個鐘頭，才見你的燈光熄滅。接著，就見他的汽車和我們交會。瑪莎，你明天到倫敦的克拉瑞治飯店來找我。」「好的，先生。」「我想你此刻已預備離開這裡了吧？」

老婦道：「正是，但他今天又寄了七封信，我已照往例把他們的地址記錄下來了。」

「瑪莎，很好。這事情我要明天辦，晚安。」

那老婦出去以後，福爾摩斯又繼續道：「華生，這些文件已都不十分重要。這都是我們政府裡的原稿，寄出去未免危險，但他必早已抄了副本寄到德國政府裡去了。」

華生道：「那麼，這都是些沒用的廢紙了。」

「那也不能這樣說。我還可把這東西報告我們的政府，讓他們知道那一些祕密已經洩漏，須另行改定。不過其中有許多消息，都是我告訴他的。那不用說完全是揑造出來的。」說時，忽拍他老友的肩膀笑道：「華生，到現在我還沒有見到你的眞面目呢。唉，過了這麼多年，你怎麼竟還像孩子一般。」

「福爾摩斯，我今天彷彿年輕了二十歲。當我得到你的電報，叫我開一部汽車在哈里奇等你，我眞是有說不出的快樂。但我瞧你也沒有怎樣改變，不過你下巴上奇怪的短鬍鬚，卻是以前所沒有的。」

福爾摩斯撚著他的短鬍鬚，答道：「我也知道留了這幾根東西很不雅觀，但爲了國家，這也算是一種小小的犧牲。等我明天修剪過了，回到克拉瑞治飯店時，便可以回復我的原貌了。華生，很抱歉，我的腔調已不是標準的英語了。我爲了這一次的任務，勉強摹仿混血種人的口音，此刻一時還回復不過來。」

「福爾摩斯，我們聽說你在南部草原的小農場隱居，你的生活只是養蜂著書，你簡直成了一個隱士了。」

「正是，華生，這一本書，就是我這幾年安閒生活的成績。」說著，他從桌子上將那本藍封面的小書取起，朗誦書的全名——《實驗的養蜂小誌——附蜂王分隔的研究》。他接續道：「這是我獨力寫成的。須知這幾年來，我一天到晚細細地觀察那一堆繁忙的蜂隊，論我辛勤的程度，正像從前我在倫敦觀察那些罪犯們一樣。」

「但你此刻怎麼又會開始你的舊工作呢？」

「我起先本決定不再從事偵探工作。如果只是外交部長一個人來見我，我還能拒絕不允，但後來首相竟也三顧我的草廬。唉——華生，這位沙發上的朋友的確是一個機警的老手。我們政府裡時常有祕密被洩露的事情，卻一直不知道何以致此。雖然也捉到幾個較小的間諜，卻仍查不出那祕密勢力的來源。後來我勉強承接這件案子，竟也費了兩年的功夫方才有所成績。起先我到美國芝加哥，在布法羅地方，加入了一個愛爾蘭的祕密黨。我接連幹了幾件冒險犯法的事情，於是就被斯基巴侖的警察們當做匪黨看待。因此也被逢·柏克手下的一個黨徒看中，以爲我著實有爲，就把我推薦給逢·柏克。自從那時起，我竭力籠絡逢·柏克，他也深信不疑。我便從中破壞他的計策，把他手下五個得力的間諜送進監牢裡去。而我則一直抱著伺機而動的原則，時機一到，便像成熟的果子一般，順手把他們摘下來了。嘿！先生，你覺得怎麼樣呀？」

福爾摩斯最後的一句話，原來是向逢．柏克說的，因爲那時候逢．柏克的神志已漸漸清醒。他的身子雖不能夠動，眼睛卻早已張大，啞口無言地聽福爾摩斯講述。他聽到福爾摩斯以譏笑的口吻和他打招呼，便怒睜雙目，操著德國語詛咒。

福爾摩斯仍很從容地整理文件，等到逢．柏克詛咒了一陣子，喘著休息，才含笑說道：「德國話的音調，雖然沒有音樂上的價值，但卻是各種方言中卻最有表達力的。」說完，他的眼光忽定住在手中的一張複寫紙上，驚呼道：「唉！唉！這裡還有一隻鳥，沒有送進籠子裡去呢。我對於那個主任會計，起先本有些懷疑，誰知他果眞也幹這玩意兒的。逢．柏克先生，我要問你幾句話。」

那德國人掙扎了一會兒，只把他的頭頸伸長了些，臉上顯出驚奇和怨恨的神色，十分可怕。

他切齒道：「亞德蒙，你留意些，我少不得要和你算帳。我只要能取你的性命，即使粉身碎骨也在所不惜。」

福爾摩斯道：「那是老調兒了。這樣的話，我從前也不知聽過了幾次。譬如莫里亞提教授、馬萊上校，都曾這樣向我說過，可是我至今還活著，且還能在南部草原養蜂呢！」

逢．柏克厲聲吼道：「你這奸細，可殺！可殺！」說時，他的身子在沙發上亂扭，眼睛裡也發出謀殺的兇光。

福爾摩斯微笑答道：「不，不，你罵得太重了。其實那芝加哥的亞德蒙先生，實際上並不存在，我只是暫時借用他一下，此刻他已去了。」

「那麼，你是誰呀？」

「我是誰，本沒有告訴你的必要，但現在你既很在意，我也不妨告訴你。其實我和你們德國人交手，這並不是第一次。我從前在德國幹過好幾件事情，我的名字大概你也熟悉的。」

那被困的俘虜答道：「我很想快點知道。」

「你總記得你的舅父葛萊芬史登伯爵，曾經被虛無黨黨員克洛波謀刺過一次，因爲我的營救，你舅父才逃了性命。還有一事，我……」

逢．柏克驚呼道：「你就是那個？」福爾摩斯答道：「正是，你還記得嗎？」逢．柏克歎了一口氣，便把聳起的肩放下，重新攤坐在沙發上。歎道：「唉！我之前的許多消息大半是從你手裡得到的，那有什麼價值呢？我的成績如此，我的一生也完全毀了！」

福爾摩斯答道：「這話倒也是眞的，我給你的消息當眞有許多不實在的地方。你當時也太大意，竟沒有仔細考量一下。將來開戰，你們的海軍大將見了我們的新砲，比他所預想的大，並且我們巡洋艦的速率，也和他所得到的報告不同，那自然要使他詫異的。」

逢．柏克握緊了拳頭，又跺了跺腳，顯然他心中眞有說不出的懊喪。

福爾摩斯道：「除此以外，還有別的事情到了一定的時間都會水落石出的。逢．柏克先生，你在德國人中的確是一個傑出的人物，也可算是一個好漢。你如果仔細地想想，也不應當恨我。你想你憑著你的智力，已使多少人敗在你手中，現在你自己也一樣遭遇了失敗，不是很公平的嗎？況且你替你的國家盡力，我也爲我的祖國服務，大家都一樣。」說到這裡，他走近沙發，舉起手在那德國人的身上輕輕拍了一下。繼續道：「還有一層，你此次敗在我的手裡，也算不得辱沒你啊！華生，這些紙我都已整理清楚。現在請你助我一臂，把這個俘虜抬送出去。我們就可以回倫敦去了。」

逢・柏克非常重，兩個人要抬他出去，卻不是容易的事。後來他們各挾一臂，讓他站在地上，緩緩地攙扶著出去。到了汽車門前，他還想抵抗，但終究被他們壓進了車廂裡的座位上。福爾摩斯又將藏文件的那隻皮包放在他的旁邊。

一會兒，一切都已備妥，福爾摩斯低聲向他道：「你如果能安靜些，這裡總算還舒適。現在可要我點一根雪茄，送到你嘴裡？」

那德國人咆哮不寧，厲聲答道：「歇洛克・福爾摩斯，你這樣的舉動，如果已得到你們政府的許可，分明就是在向德國挑戰了。」

福爾摩斯拍拍那隻皮包，答道：「喔，那麼，這裡的東西，你們的政府又應當負什麼樣的責任呢？」「你是一個局外人，你沒有逮捕我的許可證。你這種舉動，完全是違法的。」福爾摩斯答道：「你說得對。」「你竟敢私自拘捕一個德國人？」「不但如此，還偷竊他的祕密文件呢。」

「很好，你既然瞭解你的處境，還敢和你的同黨一起行使暴力。假使我在經過那小村的時候叫喊起來，那……」

「好先生，你假使再做這些無意義的舉動，那你眞要吃虧了。我們英國人雖然是富於忍耐的，但在這民氣高昂的時候，遇見了一個德國的奸細，應該不會十分客氣吧。逢・柏克先生，我勸你不要暴躁，安靜些，跟我們到蘇格蘭警場去。到了那裡，你再通知你的朋友逢・赫林男爵，他或者可以替你出力。華生，你今夜既然特地來幫我，我當然也要回倫敦去的。我們此刻不如在這裡多停留一陣子，須知像這樣可以安靜談話的時刻，以後恐怕不多呢！」

於是他們倆就站在汽車旁邊，很暢快地談了一會兒。那時車中的俘虜還是沒命地掙扎，可是到底沒有效。一會兒，福爾摩斯指著月光映照的海面，搖頭作深思狀道：「華生，起風了。」「福爾摩斯，我想不見得，天氣很暖呢！」

「唉！華生老友，天變無常，那從來沒有吹到英國的東風遲早終要來的。華生，這一陣風必定是寒冷而慘厲，我們有好多人不免要受這風的掃蕩而枯萎。但這風的發生，也是出於天意，等到陰霾消散，我們更潔淨更莊嚴的祖國，仍可以受陽光的煦沐。華生，你就開車吧，時間已到，我們應上路了。我這裡還有一張五百鎊的支票，若不早些提取，恐怕要被那開票人止付了。」

同姓案(原名 The Three Garridebs)

這也許是一齣喜劇，也許是一齣悲劇。由於這件事使一個人精神失常，而我也受傷了，且有另一人受了法律的處罰。但這其中還是含有喜劇的味道。總而言之，還是讓你們自己去品味吧！

這件事發生的日期我記得很清楚，因爲在同一個月，福爾摩斯恰巧辭謝頒賜的爵位，這事詳細的情形，日後也許可以記載出來。因我既是夥件又是他的知己，記載時更應極力保密。事情發生在一九〇二年六月底，恰好是南非戰爭結束之後，福爾摩斯在床上躺了好幾天，這是他日常的習慣。但是這天他起得很早，手中拿著一張長頁紙的文件，那威肅而灰色的眼睛，閃爍地顯出一種快樂的表情。

他道：「這是一個可以讓你賺錢的機會。華生，你曾聽過賈理得布這個姓嗎？」我道：「沒有。」

他道：「如果你能找到一個賈理得布，就可以拿到錢了。」我道：「爲什麼呢？」

他道：「嗯！這是一段很長又很怪異的故事。我想這是我們複雜案件中最簡單的了。那人將到這裡接受我的審查，所以我正在等他。現在可以不必說明。但是此時得先找到這一個姓哩。」

在我旁邊的桌子上有一本電話簿，我毫無希望地翻著那冊籍，不料竟在其中看到這個奇怪的姓。

當時我如奏凱般地呼道：「在這兒！福爾

摩斯！」

福爾摩斯從我的手中接過那本冊籍，讀道：「N．賈理得布，小賴得街一百卅六號W。」他唸完後又繼續說道：「我親愛的華生，要讓你失望了，這是寫信來的那個人。我們須另外找一個同姓的人。」

哈德遜太太這時送進一張名片。

我取來一看，很驚愕的呼道：「在這裡！這上面的名字不同。『約翰．賈理得布，律師，美國堪薩斯州穆爾維爾。』」

福爾摩斯瞧看那名片後，微微的笑著，道：「華生，我想你還要再加油再找一個，但是我沒想到今天就能和他見面。這個人於本案有很重要地位，他將把我所要知道的消息告訴我。」

一會兒，那人已走進。這個約翰．賈理得布是一個強壯矮小的人，他有一張剃得很光潔的圓臉，這是美國人常有的一般臉孔。他的臉龐很豐肥，頗有幾分像孩子。所以當他堆滿著笑容的時候，一瞧便知還是一個年輕人。

他的眼睛很動人，我極少瞧見有這般明亮而慧詰的眼睛，隨時隨著他的思想轉動。他的腔調是純美國腔，但聽起來並不奇怪。

他向我們打量了一會兒，問道：「福爾摩斯先生？嗯，是了！你跟照片很像。我相信你已有一封從我的同姓的納賽．賈理得布處那兒來的信。」

歇洛克．福爾摩斯道：「請坐，我們還有許多事要研究。」他說著，取了幾頁紙，又道：「你大概就是那信上所說約翰．賈理得布。你是不是在英國住了好久了？」他道：「福爾摩斯先生，你這話是什麼意思？」

我瞧他這時突然起了疑慮——從他那雙靈

活的眼中可以瞧見的。

「因爲你完全是英國式的裝扮。」

賈理得布先生勉強的笑道：「我素來知道你是有些兒本領的。福爾摩斯先生，不料此次竟會親自領教。究從何處瞧出來的呢？」

「你外套肩部的剪裁、靴子的前面——誰看不出來呢？」

「是，是，但我並不覺得這特別就是英國人的裝扮。我到此地從事貿易才不久，現在竟像你所說完全近於倫敦人的裝扮了。罷了，我想你的時間是很寶貴的，我們的會晤並非只是爲了研究靴子和剪裁。你對於這張在你手中的信究竟有何見解？」

福爾摩斯的話，似乎令我們的來客有些不愉快，所以那來客的臉上，已露出很不高興的樣子。

福爾摩斯溫和地道：「忍耐些！忍耐些！賈理得布先生。華生醫生可以告訴你，在這種小細節上，有時卻會變成有關係的證據。但是，納賽．賈理得布先生，爲什麼沒有和你塊一兒來呢？」

賈得理布問道：「他爲什麼要把你扯進來呢？」他十分憤怒地說道：「你和他有什麼關係？這是我們兩個人的事情。但其中一個，卻偏要牽扯一個偵探進來！我今天早晨遇到他，他和我說起過這事，我就覺得這事一定不妙了。」

「賈得理布先生，他對你則是毫無責怨。他是一片熱誠之心，要達到你的目的——我知道這個目的，對你們倆一樣的重要。他知道我一定有辦法得到確實消息，所以才來請求我。」

賈理得布的怒氣漸消，說道：「這樣我也

就沒有異言了。我今早去瞧他時，他告訴我，他已請了一個偵探幫忙。於是我問明了你的住址，立刻跑來。可是我實在不願警察們加入這種私人的事，但你若只限於幫助我們找到那第三個同姓的人，那倒也就沒有什麼妨害。」

福爾摩斯道：「這事情當然是會這樣辦的。此刻你既在這裡，我們最好能從你的嘴裡知道詳細地緣由。我這位朋友，還不知道詳情哩！」

賈理得布先生用一種不和善的眼光，向我注視著，問道：「他有知道的必要嗎？」福爾摩斯道：「我們是時常合作的。」

「好，這本來就不是什麼祕密，現在我把這事的詳情告知你們。如果你是堪薩斯人，我就不須向你解釋亞歷山大．漢密爾倫．賈理得布是誰。他從經營莊園上得到許多錢，後來又在芝加哥麥田倉庫中發了大財，且他仍繼續花錢買了許多田地——沿著堪薩斯河流域，直到道奇砲臺以西爲止。這許多田地，可以比擬你們一個郡呢！他的產業有牧場、森林、農田、礦區，這種種產業，都使那地主獲得許多的財富。他沒有什麼知己及親族——也許有，但我卻沒有聽見過。但他十分以這稀有的姓自豪，也因爲如此才把我們倆吸引在一起了。那時我在托皮卡當律師。一天，有一個老人來找我，他說他很高興遇到了一個和他同姓的人。他很想到世界各地去尋找，還有沒有其他同姓的人。他對我說：『再替我找尋一個吧！』我答道：『我是個忙人。我不能荒廢了我的一生去繞遊世界，只爲了尋找另一個賈理得布。』他道：『你就只要專做這一件事。』我起初當他是戲言，但他說話很有分量，沒有多久，就有了證明。他在這一年中就死了，留下一紙遺囑，那可算是堪薩斯州中的最怪的遺囑。他把他的產業分做三份，若能另外尋得兩個賈理得布，每人便可分享一份。計算那遺產的總數，每人約可獲得五百萬圓。但假使三個賈理得布不能同時站一排，我們便不能繼承。因為這種大好的機會，所以我就放下我所有的事務，去找尋其他的賈理得布。而我在美國找遍了，就是一個姓賈理得布的也沒有。後來我試著在英國找尋，終於在倫敦的電話簿發現了一個。我在兩天前去瞧他，並且說明這一件事。他也和我一樣，只有幾個女親戚，沒男子。但那遺囑中說要三個壯年的男子，你如果能幫我們補此空缺，我們必預備一筆酬金給你。」

福爾摩斯微笑道：「華生，我說很怪異的，不是嗎？先生，我想你必已在報紙上登過尋人啓示了。」

「我曾試過的，福爾摩斯先生。但沒有人回覆。」

「這確實是一件怪異的小問題。等我閒暇的時候，我也來注意一下。但怪巧的，你是從托皮卡來。那裡有個人曾和我是筆友——他已亡故了——就是利賽特．司塔博士，他一八九〇年擔任過市長。」

賈理得布道：「好個司塔老博士！他的姓名至今尚受人敬仰。福爾摩斯先生，我想我們應將我們所能做的，隨時報知你，讓你知道我們進行得如何。大概在一兩天後，你就能聽見我們的報告了。」

我們的美國客人說畢，就鞠躬辭別。

福爾摩斯點燃了他的煙斗，靜坐了好久，臉上露出奇怪的微笑。最後，我問他：「怎麼樣？」「我覺得很奇怪。華生，詫異！眞是太奇怪了！」「爲什麼呢？」

福爾摩斯從他的唇邊取下了煙斗，道：「我很訝異，華生，這人說了許多謊話，不知他的目的在那裡？我幾乎要拆穿他——我們有時候單刀直入的較好——但是我想一想還是作弄他一下更妙。這個人穿了英國式的大外套，手肘已擦破，而褲子的膝部也有很深的皺褶，大約已穿了一年。但在信中和他自己稱述，都說他剛從美國到倫敦，但我確定他根本從沒有登過廣告。你是知道的，我查閱廣告，最爲細心毫無失漏。我向來喜歡捕鳥，決不會放縱這麼一隻雄雉。而且，事實上我在托皮卡，從不認得什麼利賽特·司塔博士。任你從各方面試探他，他都在說謊罷了。我想他的確是美國人，不過他口音流利，應是住在倫敦很多年了。他的計劃是什麼？爲何要如此盡力訪查這賈理得布一姓？這是値得我們注意的，我們若承認這人是個奸徒，他便確實是個十分詐巧的人，我們也必須查出那個發信給我的人，是否也是來欺騙我們的。華生，你再打個電話給他。」

我照著他的話行事，電話裡傳來一種低微和顫抖的聲音，應道：「是的，是的，我就是納賽·賈理得布。福爾摩斯先生在家？我剛好有一句話，很想告訴福爾摩斯先生。」福爾摩斯忙取了那話筒，之後我就聽得他那種慣常簡潔的用語。

他向話筒中道：「是的，他曾到這裡。我知道你不認識他……多少時日？有兩天……是的，是的，那自然是很大的希望。你今晚在家嗎？我猜想你這個同姓的人，一定不會來。很好，我們就來。沒有他在旁邊，或許我們可以閒談一下……華生醫生和我同來？我從你的信中，知道你是不常外出的。好的，我們約六點。你不要通知那個美國律師……很好，再會！」

這時候恰是可愛的春天的晚上。艾奇渥路分道的小賴得街上，那些老泰勃樹在那夕陽斜照的時候，彷彿罩著奇異的金黃色。一會兒，我們已到達那座特殊房屋，那是喬治時期的古式建築，前部是磚砌的平面，一種有很深的兩扇紅色窗格的老屋子。我們的主顧便是住在一樓，那矮窗後的房間正是他日常活動的地方。

我們經過那釘著這怪姓的小銅牌時，福爾摩斯指著說道：「華生，這東西已好多年了，那牌面也已經變色，可見這是他的眞姓名。」

那屋中有一座公用的樓梯，在大廳上標示著許多名牌，有的是辦公室，有的是私人住處。這並不是專供居住的地方，但蠻適合生活不規律的單身漢。我們的主顧親自開門，並道歉說管家婦已在四點鐘走了。納賽・賈理得布是一個高而駝背的人，削瘦禿髮，約有六十多歲年紀。他有一張僵硬的臉，皮膚暗無血色，可見這人是從來不運動的。他戴著一付很圓很大的眼鏡，下巴留著小小的山羊鬚，再加上他彎著的身體，看起來像是個好奇而喜偷窺一切事物的人。不過這人外貌雖奇怪，還算和善可親。

那房間恰和居住者一樣的奇怪，看起來很像是一所小博物館。屋子的四周，列著寬且大的櫥櫃，滿擺了地質學和解剖學上的種種物件。在進門處兩邊，陳列著一套一套的蝴蝶和飛蛾標本。屋內有一張大桌子，散布著各種零星物，其中有一具黃銅製的顯微鏡豎立在中央。當我四下觀覽了一遍，便十分驚歎這人研究的博奧了。這裡有一箱古錢，那邊有一整櫥的古石器，屋內桌子後面更有一大堆的化石骨。在那一排化石的骷髏上都清楚標示著人種，如「尼安德塔人」、「海德堡人」、「克羅馬儂人」，很明顯的，他是一個研究各種事物的學者。這時他站在我們的面前，右手拿著一塊羚羊皮，正在擦一個古錢。

他把錢托起來說道：「這是『錫拉丘茲古幣』——它是屬於最盛時期的錢幣，後來那價值逐漸的低減了。在它價值至高的時候，雖有人愛『亞歷山大』時代那一類錢，我卻堅持收集這個。福爾摩斯先生，請在這椅子上坐一下。讓我把這些骨頭收好。先生，你——呀，華生醫生——勞你把那日本瓶兒移置一旁。你瞧，繞著我四周的就有那麼多東西，已足夠爲我生活上添了許多的趣味。我的醫生雖常規誡我不應當不出門，但我既有這樣許多的玩意兒留住我，爲什麼要出外去呢？我可以告訴你們，我若爲每一件東西編個目錄，就要耗去三個月的時光咧！」

福爾摩斯向四面瞧著，很懷疑的說道：「你從來不出去的嗎？」

「有時我乘車到薩斯比商店或克莉絲蒂商店那裡去，此外就難得出去了。我身體雖不很強壯，但我對於研究仍很注意。福爾摩斯先生，你可以料想，當我聽得了從未有過的好運降臨我身上時，我怎能不驚訝而快樂。只須再有一個賈理得布，那大事便成功了，我們一定可以找到的。我有一個哥哥，不過他已亡故了，女親族又不符規定。但一定還有一個賈理得布在這世界上。我聽說你專辦奇怪的案件，所以便寄信給你，那個美國紳士的話很對，我理應和他先行商酌，但我當時原希望辦理得周密迅速，才直接去請教你。」

福爾摩斯道：「我想你確實是很明智的。但你眞的那麼渴望那份在美洲的產業？」

「不是，先生。不論任何東西，都不能誘我離開我的收藏品。但據那位先生說，一旦我們得到了那份資產，他便要把我名下的一份買去，那總數是五百萬圓。現在市面上正好有一打標本，可以彌補我收藏中的不足，但我尚未購置，就因缺了幾百鎊的錢。試想如果我有了五百萬圓！那我就可以得到各國收藏品的精英，我便成了近代的韓斯．史農了。」說時，他的眼珠在那大眼鏡的後面閃閃發光。看樣子納賽．賈理得布決心不辭勞瘁的要想再找尋一個同姓的人了。

福爾摩斯道：「我來只是想和你認識罷了。我當然沒有妨礙你研究學問的理由，然而我們既須一同作事，便不得不當面洽談。我尚有幾個問題必須求教。你那份詳盡的記述在我的衣袋內，其中遺漏的地方都由那美國紳士補說了。我想你在這一個星期以前，還不知道有他這樣一個人吧？」「沒錯。他是上星期二來拜訪我的。」「他可有把今天我們見面的事告訴你？」「有。他一到我這裡來，就很暴怒。」「他爲什動怒？」「他似乎覺得有辱他的體面。但他回去的時候，又很高興了。」「他可曾提議什麼進行的事？」「沒有，先生，他沒有說起。」「他曾向你要過錢嗎？」「沒有，先生，他沒有向我要。」「如此，你瞧他並沒有其它的目的囉？」「沒有，他無非說明這事的情形罷了。」「你可曾告訴他我們的電話？」「是的，先生，我曾告訴他。」

福爾摩斯深思著，我見他仍是一臉懷疑。

接著又問道：「你的收藏品中，可有什麼巨價的物件？」「沒有，先生，我不是富翁。這些雖都是很好的收藏品，但卻沒有一件是巨價的。」「你不怕被盜竊嗎？」「我毫不畏怕。」「你住在這屋子多少年了？」「差不多有五年。」

福爾摩斯正要繼續詢問，忽被敲門聲阻止了。納賽・賈理得布剛旋轉了門把，那美國律師馬上闖進這房間。

他把一張紙高高揚在頭上。他大聲呼喚道：「在這裡了！我想這時來得正好。納賽・賈理得布先生，請接受我的祝賀！你已是一個富人了。先生，我們的事情可算已得到很圓滿的結果。至於你，福爾摩斯先生，我們只能對你道歉，枉費了你的辛勞。」

他把那紙遞給老人，老人接過，便站在那邊瞧那一則被圈起來的廣告。福爾摩斯和我也走上前，從他們的肩頭上瞧去。

他把紙高高揚起，大聲道：「在這裡！納賽●賈理得布先生，你已是一個富人了！」

那廣告道：「藿華・賈理得布。農務器具製造商。舉凡束禾機、收割機、蒸氣犁及手犁播種機、耙耜、農人小車、四輪馬車，及一切器具都有。兼可測量噴水井，委託者可至亞斯頓，格羅斯溫納建築區。」

老人喘著說道：「太棒了！這人就是我們

過你的職務是，去見此人並必須說明此事，且探詢他的身世背景。」那人說時，露出急躁的表情，又接著道：「請你想一想，我是從很遠的美洲中部來，而你不過只要趕一百哩路程。只要辦妥這事，大功便告成了。」

福爾摩斯道：「很對，我想這位先生的話是很正確的。」

納賽·賈理得布先生聳著肩膀，模樣兒很不愉快。他說道：「好，假使你堅持要我去，我去便是。是你讓我的餘生有很快樂的希望，所以不論什麼事情，我都不會拒辭你。」

福爾摩斯道：「這樣，此事已定妥了。想必不久你就有好消息給我了。」

美國人道：「一定。」他說著，又瞧了瞧時間，續道：「我要走了。納賽先生，明天再來送你去柏明罕。福爾摩斯先生，能和我一同的第三人了。」

那美國人道：「我曾在柏明罕地方探查。我的代理人寄給我這個廣告，這是登在地方報紙上的。我們最好盡快辦妥這件事。我已寫信去告訴他，明日下午四點鐘，你到他的辦事處去訪找。」「你要我去找他嗎？」

「福爾摩斯先生，你說怎樣？你想這辦法是不是較爲智巧？我是一個飄泊的美國人，說的又是一件奇異的故事，他怎麼會相信呢？但你是一個英國人，又很有來頭，他當然會相信你的話。如果你願意，我可以同去。不過我明天很忙，但你若有什麼困難，我也可立刻趕來。」

「我多年不曾有這樣的遠行了。」

「這算不得什麼，賈理得布先生，我已替你計算好往返的時間了。你在十二點鐘動身，到那邊約是兩點鐘左右，當晚就可以回來。不去嗎？那麼，再會。明天晚上，我們一定有好消息給你。」

當那美國人離去之後，我見我友的臉色頓變，那種疑惑的神情都完全消失了。

他道：「賈理得布先生，我很想瞧一瞧你的收藏品，凡是特殊的智識，在我的業務上都很有用。你這屋子，好比是一間堆積各種智識的寶庫呢！」

我們的雇主，兩眼閃爍著，顯露出愉快的樣子。

他道：「先生，我常聽人說，你是一個很有智慧的人。如果有空，我可以帶你觀賞一遍。」

福爾摩斯道：「我現在沒有閒工夫。好在你那些東西都分類標明，毋須勞你代爲講解。如果明天我有時間，可以到這裡自由觀覽嗎？」

「可以的。不過這裡是關著的。桑德司太太如果在地下室，她有鑰匙可以讓你進來的。」

「好，我明天下午恰巧有時間。如果你能預先吩咐桑德司太太，那就更好了。對了，誰是這屋子的承屋仲介商？」

我們主顧似很詫異這突然的問題。他答道：「霍陸威司帝爾公司，在艾奇渥路上。你爲什麼問這個？」

福爾摩斯笑道：「我自己也算是一個考古家。我在想這屋子是安妮女王時代的呢，還是喬治時期的？」「肯定是喬治時期的。」

「也許是。但我覺得年代應該——再會，願你柏明罕之行順利成功。」

這屋子距離那房屋仲介公司很近，但這時已打烊，所以我們就回貝克街。直到晚餐後，福爾摩斯才又提起這事，道：「我們這個小問題快要解決了。不用說你也已大概明白了。」

我道：「我一點頭緒也沒有。」

「『頭』已明白了；『尾』明天也可以瞧見。你覺得那廣告上有沒有奇怪之處？」「我瞧那『手犁』字是拼錯的。」

「嗯，你也注意到了。華生，你很有進步。是的，在英國算是錯誤的拼法，在美國卻是對的。『印刷者』是對的，還有那『四輪馬車』也是美國字；而『噴水井』的用詞在美國也比我們更通行。這是典型美國人卻冒充英國商家所刊登的廣告。你認爲呢？」

「我猜這廣告是那美國律師自己去登的。他有什麼目的，我卻不知道。」

「很顯然地，他想盡辦法要把那老人送往柏明罕去。我本想告訴他此去必無結果，不過想一想，還是任他去，再瞧以後的變化。明天，華生——明天便知曉了。」

第二天福爾摩斯一早就起身外出，中午用餐時才回來。我看他的表情非常嚴肅。

他道：「華生，這事的嚴重性竟出於意料之外。我告訴你，將有危險的事臨頭了。」

我道：「福爾摩斯，危險又不是第一次到臨，我想這也決不是最後的一次。但這一回究竟有什麼危險？」

「我們遇到了一件極難的案子。我已探明了那約翰・賈理得布律師，就是著名的殺人暴徒意文士。」我道：「我仍覺得模糊。」

「我到蘇格蘭警場去見老友雷斯特拉。我本打算從他們的記載中，查得這位美國朋友的眞實身分。結果我竟在那些罪徒的相片中瞧到他的短臉，並且向我微笑。那像的下面，標識著他的化名——摩克洛夫，也就是殺人暴徒意文士。」福爾摩斯說著，從他的口袋取出一個信封。他又道：「我從他的簡史中，胡亂記下了幾個要點：他年四十四歲。芝加哥人。曾在境內擊斃三個人。他靠政治關係逃獄。一八九三年到倫敦，一八九五年一月，又因賭紙牌在滑鐵盧路的一家夜總會內殺人，經證是他先動手的，這死者是芝加哥著名的印造假幣的老手。殺人暴徒意文士開釋於一九〇一年。之後就常在警察的監視之下，而他也過了一段規矩的日子。不過他確是一個危險分子，時常攜著武器以備不時犯罪之用。這是我們的一隻鳥，華生——就是你所認為可以獵射的一隻鳥。」

「但他這一次有什麼新玩意兒呢？」

「這一點漸漸兒可以明白了。我到房屋仲介公司去，他們告訴我，我們的主雇已住居五年了。但在他租住以前，這屋子曾有一年沒人租住。前一個租戶名叫華得洛，這華得洛的面貌，那經租人尚能追憶。一天，那人忽然不見了，從此便杳無音信。他很高，留有鬍鬚，臉色黝黑。而據蘇格蘭警場說，那個暴徒意文士所擊斃的波來司佩，也是一個很高，有鬍鬚，和臉色黝黑的人。我們且假定那波來司佩，和這犯法的美國人，先前就住在我們那位朋友可算為博物院的屋子。那麼，你瞧，全案的鏈子已得到了一個環節了。」

「還有其他的環節呢？」

「那就須我們立即去瞧察了。」他說著，從抽屜中，取出了一把手槍，順手遞給我。他又道：「假使我們那位西部的朋友，憑著他的渾號眞面目動手時，我們必須預備對付他。華生，我先給你一小時的休息時間，再來就得赴賴得街幹冒險事了。」

我們到納賽．賈理得布先生的奇怪屋子

時，恰好是四點鐘。那管屋子桑德司太太正要離開出去。但她一見到我們，便毫不遲疑開了門讓我們入內，那門上裝著一個彈簧鎖。

福爾摩斯對她道：「我們會仔細參觀了才走，包你沒有什麼意外。」

一會兒，那出口的門關上了，並見她的帽子從窗下經過，於是只剩我們倆在這屋子的一樓了。福爾摩斯偏查了一次，見一個櫃子排列在離牆壁不遠的暗道中，我們倆就蹲在那裡的後面。

福爾摩斯低聲把他觀察的大略情形告訴我。他道：「他要我們那位可愛的朋友離開這屋子——這是很明顯的。他知道他是從不出門的，所以不能不用些計謀。他僞造賈理得布的故事，就只是想讓他離開，並無其他目的。華生，我認爲這個計謀，想得眞巧妙。可能是他見了住屋者的怪姓，便觸發出這條妙計來。眞譎詭啊！」

「但他是爲了什麼？」

「這就是我們此刻所要探察的。我想這和我們的當事人沒有干係。一定有什麼事，和他所謀殺的人有關——此人大概是他的同黨。據我觀察，此屋定有某種犯罪的祕密。起初我還以爲這位朋友收藏品中，有什麼很名貴的物品——連他自己都不知道的名貴物品——足引起罪犯的注意。但是勞勃．波來司佩既曾住在這裡，想必一定有其他的緣故呢。華生，我們耐心等待，瞧是怎麼一回事。」

時鐘剛敲二下，忽聽得有金屬鑰匙的觸動聲，我們於是躲到櫃子的更裡面。不一會兒，那美國人已進來了。他把門輕輕的關上，仔細在室中遍瞧，似在察視是否一切穩當。隨將外衣脫去，走到屋中的桌子旁邊，動作非常迅速，可見他是十分老練。他把桌子推到一旁，拉起了一張地毯，接著又從衣袋中取出一枝鐵棒，跪下來敲掘地板。一會兒，我們聽到地板掘開的聲音，後來就出現了一個方洞。那殺人暴徒意文士點了根蠟燭，就下去了。

我們的重要時間到了。福爾摩斯觸了觸我的手腕，算是信號，我們倆就偷偷地潛行至地穴的門邊。我們雖輕緩不急地移動著，不料那地板老舊，腳下忽地作聲，那美國人便從地穴中探出頭來，很著急地向四面瞧著。見了我們，原本露出忿怒的樣子，但接著又突然露出很羞愧的笑，可能是他覺得有兩把手槍同時指著他的頭，他不得不軟化下來。

他從穴口爬了起來，很冷酷的說道：「好，好！福爾摩斯算你厲害。你大概已瞧透了我的

可能是他覺得有兩把手槍同時指著他的頭，他才漸漸軟化下來。

把戲，早在暗地裡玩弄我了。好，好，先生，我把手槍遞給你，你已打敗我……」

他從胸口取出一把手槍，突然，我覺得一陣熱辣的疼痛，有如烙紅的鐵火燙著我的肉。然後聽到咯的一聲，福爾摩斯用槍敲擊他的頭，那人立即仆倒，臉上流滿了血。福爾摩斯仔細搜查他身邊有沒有其它的兇器。不一會

兒，我友用結實的兩隻長臂攙住了我，扶我到一把椅子上。

「華生，你沒有受傷吧？上帝保佑！你沒有受傷吧？」

福爾摩斯用槍敲擊他的頭

我覺得受傷是很值得的——即使多受些傷也是值得的——因為我此時已明瞭，在他那嚴冷的面具之後，懷著很深的愛和義氣。他那一雙清澈而堅決的眼睛，略黯淡了片刻，嘴唇也微微顫抖。這一次，我看到他不僅有偉大的頭腦，還有著偉大的一顆心。我這若干年的效力，終於有些報償了。

我道：「不打緊，福爾摩斯。不過是些小傷罷了。」

他用小刀劃開我的褲子瞧，呼道：「你的話沒錯，只是擦傷。」說時，又沉著臉，怒目向那犯人道：「這是你的僥倖。如果你殺害了華生，我決不會讓你活著離開。此刻，你還有什麼話要說？」

那人沒有說話，只顧著咆哮。福爾摩斯攙扶著我一起瞧探那個小穴中的祕密。見那意文士帶下去的蠟燭，依舊照耀著。而我們的眼前出現了一個生鏽的機器、一大捲的紙、一堆雜列的瓶罐，又有許多個包裹，很有次序地置在一張小桌子上。

福爾摩斯道：「這部印刷機——這是偽造紙幣的機器！」

我若要殺掉他是很輕而易舉，不過我心地軟，如果別人手中沒有槍，我也決不擊斃他。福爾摩斯先生，你說我可做錯什麼事？我不曾用那機具，我也沒有傷害那個老頑固。你要從何處羅織我的罪呢？」

福爾摩斯道：「據我觀察，你有蓄意殺人的嫌疑，不過這不是我們的責任。這最後一幕戲，讓警察們去幹吧。此刻我們只要你這個人。華生，請你通知蘇格蘭警場，他們也許正在盼望呢！」

這就是那殺人暴徒意文士，所設計三個賈理得布案的全部過程。後來聽說我們那位很可憐的老朋友一直無法面對現實，當那巨額財產的空中樓閣倒下來時，他也就把他自己埋在下面。最後，聽說他進入布里斯克頓療養院，當我們在蘇格蘭警場揭發波來司佩的偽造機器那犯人蹣跚地站起來，坐在椅上，說道：「是的，先生。他是倫敦首屈一指的偽幣大製造家。這是波來司佩的機械，在桌上的紙包，就是兩千張波來司佩所造的紙幣，每張值百金，隨處可用。先生們不妨任意取用。」

福爾摩斯笑道：「我們從不做這種事的。意文士先生，現在英國境內已沒有你容身之地。你曾擊斃波來司佩，是不是？」

「是的，先生，我因此坐了五年牢，但是，是他先行動手的。英國應當給我湯盤般大的動章才合理。誰也分辨不出波來司佩所造的和英國銀行所造的假幣有何不同。如果不是我除掉他，那麼，他的偽幣要充斥整個倫敦市了。在這世上，只有我一個人知道他的事。你們是不是很好奇我為什麼要到這裡來？為什麼我處心機慮，要讓那從不輕易離室的怪姓老人出去？

時，要算是我們最歡樂的一天了。自從那人死後，大家雖知有這一部機器，但總無法找到它藏在那裡，意文士實在建了很大的功績。此後那些警探們可以高枕無憂了！他們雖很願意依他的話，賜給他一個湯盤大的勳章，但法庭上卻不能贊同，於是那殺人暴徒又入黑暗的牢獄中去了。

墮溷護花錄（原名 The Illustrious Client）

「現在沒有關係了。」這是歇洛克・福爾摩斯在我第十次向他請求披露案件時所說的話。好幾年來，我常請求他應許我宣述下面的故事，這次終於得到了他允許，可以記述出來。這是我友生平的偉大功績之一呢！

福爾摩斯和我都喜歡土耳其浴。洗後很舒服地坐在更衣室中吸煙，那時候的他不像平時那麼沈默，比在任何地方都更容易親近些。在北安普敦街浴室的樓上，有一個很靜僻的角落，置放了兩張睡榻，我們倆一同躺在那裡。那天是一九〇二年九月三日，而我們的故事就是從這一天開始。那天，我問他可有什麼有趣的事情，他就伸手從那掛在旁邊的外套口袋裡，抽出一封信。

他把信拿給我，說道：「也許是一個膽大的狂徒，也許是一件攸關生死的大事，我所知只限於那信中的內容，其他的事情還不知道。」

這信是從卡爾頓俱樂部中發來的，日期是一九〇二年九月二日。我讀道：「詹姆斯・戴雷謹向歇洛克・福爾摩斯致意：茲擬於明日四時三十分登門拜訪。我所要請教的問題十分棘手，誠願福爾摩斯先生允許晤談。如蒙見許，請即刻來電至卡爾頓俱樂部。」

我看完這信紙時，福爾摩斯道：「不用說我當然已答應他了。華生，你可知道戴雷？」

「他的名字是家喻戶曉的。」

「我尚能告訴你一二咧。他處理那些報紙上所漏載的鎖碎事是很有名的。你應該還記得他爲了哈福特的遺囑，和喬治・萊維爵士交涉的那件事。他是一個老練、且有天賦的外交人材。我預料這一次，他應不是虛僞做假，而確實是需要我們的幫助呢。」

「我們？」

「正是，華生，希望你全力幫我。」

「這是我的榮幸。」

「那麼，等到四點三十分再說。眼前我們不妨把這件事暫置腦後。」

那時我住在安后街自己的屋舍中，但我在約定的時間之前，就已先到貝克街了。四點半整，那位詹姆斯・戴雷上校準時到。他的模樣不須細述，大家應該都還記得他雄偉英挺的身材、修剃光淨而寬大的臉，及他那溫柔悅耳的聲音。他那雙灰色的愛爾蘭眼睛流露著藹善和誠實，臉上也常掛著微笑。他那發亮的禮帽、黑色的禮服，以及那黑緞領結上的珠針、亮皮鞋的鞋套，都足以顯出他是很講究穿著品味的。現在我們這一間屋子，竟降臨了這一個大貴人。

他很有禮貌地鞠了一躬，說道：「我早有準備會見到華生醫生的。我們此次的確很需要他的助力。福爾摩斯先生，這回我們所要對付的，是一個肆意妄爲、不知厲害的惡棍。全歐洲再沒有比他更危險的人了。」

福爾摩斯微笑道：「我有好多的敵手，都曾有這麼一個好名稱——您吸煙嗎？如您不吸，請多包涵，我要點燃我的煙斗了。假使你那個人，比已故的莫理亞提教授或馬萊上校更爲危險，那就很值得和他相見。他的名字是？」

「你聽過葛路納男爵這個人嗎？」

「你是指那奧地利的殺人犯？」

戴雷上校舉起他那套著山羊皮手套的手，笑道：「竟沒有一個人物能瞞得過你。福爾摩斯先生！這眞是奇了！這樣說來，你已知道他是個殺人暴徒囉？」

「關心歐洲大陸上罪案的詳細情形，原是我分內的工作。讀了報上登載的布拉格事件，誰會相信他沒有罪？這只是法律證據不足的問題，那證人不明不白的死了，所以他才僥倖逃過。我就像親眼目睹般地，確信他殺害自己的妻子——雖然報紙說她是在史普盧根峽谷途中遭逢意外而死的。我也預料這一位葛路納男爵到英國，早晚定有工作給我做呢。現在他又發生了什麼事？難道又是悲劇重演？」

「不是，這次更爲重要。犯罪後的處置是很重要，但預先防止更是重要。福爾摩斯先生，這眞是很可怕的。眼睁睁瞧著一件恐怖的事發生在眼前，明知前途險惡卻毫無避免的方法。試問還有比這更困難的情況嗎？」「當然沒有。」「那麼，你也同情我的委託人了！」

「我尚不知道你是一個中間人。那麼，誰是主要的委託人呢？」

「福爾摩斯先生，我求你不要如此的逼迫盤問。我曾向他保證不把他尊貴的姓名牽涉在內。總之，他的行爲很讓人欽敬，但他很不願讓人知道。你的酬金絕對沒有問題，而一切的事情由你做主，至於你當事人的眞姓名，可以置之不問吧？」

福爾摩斯道：「這很抱歉，我辦案的習慣，只能有罪犯一方面籠罩在神祕未知之中。若連委託人都是這樣，未免太令人覺得困難了。詹姆斯，我只能說抱歉了。」

我們的客人一時慌了。他那感覺靈敏的臉

頓時露出一種失望的神情。

他道：「福爾摩斯先生，你尚不知道這事的嚴重性，你太讓我進退兩難。也許我把所有的事實告訴你，你會很願辦理此案。無奈我已答應別人，不能全盤透露。不得已，我只能把能說的說出來。」「一切隨你的意，我是沒有關係的。」

「這樣吧，你聽過德・美維爾將軍嗎？」

「德・美維爾？是那個在開伯爾戰役出名的德・美維爾嗎？如果是，我有聽過。」

「他有一個女兒，佛萊・美維爾，她綺年玉貌，有財富又有學問，而且天生麗質。爲了這個女兒——爲了這個天眞可愛的女孩子，我們應努力把她從惡魔的手掌中救出來。」

「葛路納男爵抓住了她嗎？」「抓住婦人最強有力的東西——便是情愛的束縛。你該聽說過那傢伙的模樣非常俊秀、風度優雅、聲音柔媚，自有一種能吸引婦女芳心的神秘力量。他說他能使所有女性都憐愛他，且他已利用過不少了。」

「但他這樣的人，怎麼會和很有身分的佛萊・美維爾結識呢？」

「這是在一次地中海遊艇旅行種下的惡果。參加的人有資格限制，但因是各人自付旅費，所以發起人不知道男爵的品行，後來發現已太遲了。佛萊已被這惡徒誘惑，擄去了她的芳心，並只說她愛他。這句話還不足以表明她的熱情，她不由自主的戀著他，她簡直是被他迷住了。好像全世界只有他一個人，她不願聽任何反對的勸言，無論怎樣勸都是徒然。總而言之，她已準備在下一個月和他結婚了。她已成年，又有鋼鐵般的意志，實不知道怎樣才可以阻止她。」

「她知道他在奧國的事嗎？」「這詭譎的惡魔早把他那些不恥的醜聞告訴了她，但一再表明他是無辜的。她完全信相信他的虛構之辭，誰也無法說服她。」

「哎！你已在無意之中把委託人的姓名洩露。這人當然是德．美維爾將軍了。」

我們的客人挪了挪身體：

「福爾摩斯先生，我若要欺騙你，儘可以就說是他，但事實上卻不然。德．美維爾已是一個頹喪的人了，這雄健的軍人因爲這一件突發的事，已大大地改變了。他已從在戰場上作戰的勇士，變成了一個衰老的人，實在已無能力對付那狡猾的奧國惡徒。至於我的委託人，不過是他的一個朋友，和將軍相識已有多年。我那委託人看著那女孩長大，把她當做自己女兒一般看待，他不能讓那悲劇上演，卻想不出辦法阻止。因爲蘇格蘭警場方面，已無能爲力，所以特來請教你。不過他不願親自參與其中——我早說過了。福爾摩斯先生，靠著你的神通廣大，探明這委託人的名字，也是很容易的。但我很誠懇的請求你，就算你知道了，也不要發表那匿名者的姓名。」

福爾摩斯會意微笑道：「我想這個可以答應。況且，你這案子我很有興趣，我自當承辦。但我如何和你接洽呢？」

「在卡爾頓俱樂部中可以找到我。若有急迫的事，我有一個私人的電話，號碼是『XX三〇』。」

福爾摩斯記了下來，繼續微笑著。又把那紀事簿展開在膝上，道：「麻煩你告訴我，那男爵的住址是？」「佛爾諾宅邸，近金司頓。那是我們的客人走後，福爾摩斯靜坐沈思，似乎已忘了我在他的旁邊。後來，他突然驚覺，問道：「華生，你可有意見？」「我認爲你當親自去瞧瞧那位小姐。」

「我親愛的華生，要是她那可憐衰頹的父親不能感動她，那麼，我一個陌生人能有什麼幫助？但等到一切的方法失敗時，也不妨一試。不過此刻我想先從另一方面入手。那秦偉爾·約翰或許可以幫助我們。」

我以前的記述中尙沒有提及秦偉爾·約翰，他早年曾做過我們得力的助手。約翰的往事，說起來很有趣，他本是一個極危險的惡徒，曾兩次被拘禁在巴克赫斯的監獄。最後他悔悟了，投效福爾摩斯，爲他探查倫敦的下等社會，所探得的往往都是極重要的情報。約翰要是做了警察的線民，那就容易露出破綻。好在他所

一所大廈。他因爲經營祕密的投機事業得以致富。他有了錢財，自然更方便和我們做對了。」「他現在在家嗎？」「在家。」「除了你已經告訴我的事外，能再提供相關的資料嗎？」「他有許多嗜好。他是一個馳馬的能者，有一陣子他曾在赫林漢打馬球，但自從布拉格事件傳開來，他就沒有臉再待下去。他也喜歡收藏書籍圖畫，他天生有藝術家氣息。我又聽說他精於研究中國的瓷器，曾著成一部專書呢。」

福爾摩斯道：「這人心思很細密。凡是大罪犯都是這樣的。我認識的查理·皮斯，他是一個拉提琴的好手。溫立特，也是一個藝術家。像這樣的人物，我還能舉出好幾個來。詹姆斯，請你回去告訴你的委託人，我會立刻注意那個葛路納男爵。還好，我自己有自己的情報來源，沒有其他的問題了，其他的我就自己設法了。」

幹的事不是直接密告到官方去的，所以他的伙伴們不曾覺察他的祕密。加上他有二次犯罪的紀錄，更容易任意出進這城中的那些夜總會、煙窟、賭場，他觀察敏銳、腦筋靈活，因此往往輕而易舉地就被他探獲消息。這次歇洛克・福爾摩斯又要用著他了。

我尙不能明瞭吾友的進行程序究竟是怎樣，因爲我自己的重要醫務正繁忙。但在這天晚上，我依他的邀約，赴辛普森餐館。我們坐在一張面對窗戶的小桌旁邊，向下瞧著斯特蘭大街的車馬奔馳。

他道：「約翰已經開始活動了。他或許能在下等社會的暗角裡，拾些廢物來供我們利用。可是我們要獵得此人的祕密，就必須朝那黑暗的罪惡根源上去尋。」

「但那位姑娘並不相信男爵以前的事情。難道你又發現了什麼能夠改變她意志的新線索？」

「華生，誰知道呢？婦女們的意志，我們男子那能夠猜度得出。殺人的罪她們也許能諒解，那些小事她們倒反要震怒哩。葛路納男爵對我說……」「他曾對你說過？」

「是的，我尙未對你說起我的計劃！華生，我很想接近我的敵人，我很想和他面對面，親瞧他是怎樣的一個人。所以我把事情交待約翰之後，就乘了一輛馬車到金司頓。我覺得那男爵隨和的很。」

「他認出你了嗎？」

「這還用說，因爲我是送我的名片進去的。他眞是一個卓越的敵手，冰一般冷，蛇一般毒，但聲音卻柔和得像你這上流的醫生。他是很有來歷的，確實是一個貴族的罪犯，在相敬如賓的社交禮儀背後，卻藏伏著殘酷而可怕的陰謀。是的，我很願意偵查這位亞德伯特・葛路納男爵。」

「你說他很隨和健談？」

「他好像一頭看起來很柔順蹲伏著的貓，其實正對一隻大鼠虎視眈眈。有些人的隨和客氣，比那種狂暴的粗人更爲危險。他歡迎我的話是很奇特的：『福爾摩斯先生，我料到遲早總要見你。我想你是受了德・美維爾將軍的聘請，要來阻止我和他女兒佛萊的婚事。是不是呢？』我應了一聲是的。他又道：『先生，你不過敗壞你自己的聲望罷了。這事你不會成功的，你不但沒有結果，反要遭致危險。我勸你立刻停手吧。』我答道：『這眞奇怪。這些話，恰是我想要忠告你的。男爵，我很敬佩你的腦筋，現在我見了你，也並沒減少些兒佩服。我也不客氣地直說了。此刻沒有人會把你過去的醜聞提起，讓你心中感到不快，事情已過去了，你現在已在風平浪靜中了。但如果你堅持這件婚事，那就會激起許多強有力的仇敵來，決不會輕易放過你，讓你在英國站不住腳。付出這種代價值得嗎？你是個聰明人，不如放了那位姑娘。假使被她知道了你以前的事，對你也是十分不利的。』男爵鼻下蓄著髭鬚，活像昆蟲的觸角。他聽了我的話，髭鬚微微顫動。最後便發了一聲輕笑道：『福爾摩斯先生，請恕我的嬉笑。但實在是太好笑了。你手裡沒有紙牌，卻偏要加入賭局。是誰都沒法可想，你所做的無非是些可憐的噱頭罷了。福爾摩斯先生，你連一張王牌也沒有，不過都是極小的小牌啊。』我道：『你這樣想嗎？』他道：『這是我所知道的。簡單說吧，我手段很強硬，不妨露一手事。福爾摩斯先生，不要這麼做吧，這不是幸運的事，已有好幾個人領略過了。我說最後一次，你走你的路，我走我的路。再會！』華生，你以爲如何？」

男爵道：「我說最後一次，你走你的路，我走我的路。再會！」

我道：「這傢伙聽起來很危險呢。」「危險極了，但我卻不在意。」

「你定要干涉嗎？倘若他眞的娶了那女孩給你瞧。須知我很幸運，已完全得到了這位姑娘的愛，就算把我已往不愉快的事明白告訴了她，也撼動不了她的心。我還對她說，以後如有邪惡的人向她說這些事時，應當怎樣對付他。福爾摩斯先生，你可曾聽過催眠？一個有本領的人，就能利用這種催眠術，且不露痕跡。她已經提防著你了，她也許肯赴你的約——因爲她除了「結婚」這件事以外，一切都肯聽她父親的話。』華生，到此我沒有話說了。我作出冷酷的態度，向他告辭。但我的手剛放上門把時，他又忽地叫住了我，道：『且慢，福爾摩斯先生，你可知道法國偵探勒勃倫？』我道：『知道。』『你知道他遭遇到什麼事嗎？』『我聽說他在蒙馬特區被幾個賊徒毆擊，終身殘廢了。』『福爾摩斯先生，這話一點也沒錯。湊巧的很，他在受擊的一星期以前正在探查我的子，一定會有什麼事發生嗎？」

「我想毫無疑問地，他殺死他的前妻，所以我敢說他們若結婚，將有很大的事發生。好了，好了，我們暫時拋開吧！你用完了咖啡後，就和我一同回去。因爲那靈敏的秦偉爾．約翰定有什麼回報了。」

我們回去時，約翰果然已等待好久了。他是一個身材魁梧、紅色臉龐的人，一雙很靈活的眼睛，足以顯出他的靈敏。他似乎對我們託付的事努力過一番，現在他帶來一件收穫，就在他身旁的長椅上。那是一個臉無色澤的少婦，瞧她雖在妙齡，但似乎歷經了滄桑，以致於歲月已在她臉上留下像痲瘋般可怕的記號了。

秦偉爾．約翰揮動他的肥手，似乎在爲我們介紹，說道：「這是吉蒂．溫德小姐。她所知道的——好，讓她自己說。福爾摩斯先生，我接到你的信後，一小時內找著了她。」

那少婦道：「找我是很容易的。我永遠擺脫不了倫敦的地獄。我的地址和胖秦偉爾相同。秦偉爾，你和我是老伙伴啊。但世上倘還存公道，那麼，另一個人比我更該陷入下一層的地獄中去。福爾摩斯先生，這個人就是你所要找的。」

福爾摩斯微笑道：「溫德小姐，我們領受你的盛意。」

那少婦慘白的臉上，閃亮的眼睛露出嚴厲的神色。她說道：「如果我能助你讓他得到他應得的報應，那我一定奮力幫助你成功。福爾摩斯先生，你不須探查我以前的事，你探查了也沒有用。我所以落到此地步，都是亞德伯特．葛路納造成的。我很想把他拉下地獄來！」她說時緊握著雙手，發狂般地在空中揚著。她繼續呼道：「啊！如果我能夠拉他進入陷阱，我就心滿意足。須知他已推了好多人入陷阱咧！」

「你知道事情是怎樣的嗎？」

「胖秦偉爾對我說過了。他又在那裡迷騙什麼可憐的傻子，這時候又要娶她了。我知道你想阻止這一件事。好的！你恨這惡魔，我們該阻止那有辨別力的女孩，不要和他一同墮落。」

「她已沒有辨別能力了——她正沈溺於癡情中。雖有人把他的一切事情告訴她，她也完全不相信。」

「曾說過他所幹的謀殺案嗎？」「有的。」

「上帝啊，她是發神經了！」「她把這些話都當作無意識的誹謗。」

「你有辦法拿出證據放在她那一雙愚盲了的眼睛前面嗎？」「可以的。你能幫我們嗎？」

「我自己不就是一個證據嗎？如果我站在她面前，告訴她他曾怎樣的利用我……」「你肯這樣做？」「我？爲甚麼不肯！」

「好的，這很値得一試。但他早已把許多罪惡告訴過她，得她的原諒了。我料她未必願提起舊問題。」

溫德小姐道：「我想他一定沒有完全告訴她。除了那一件喧傳一時的案子以外，我還目睹過一兩件謀殺案。他常常很柔和的說起了什麼人，接著便瞪眼對我瞧著，說道：『他已在一個月前死了。』但我毫不在意——你知道那時我自己也正愛著他。無論他怎樣我都不在意，正和這個可憐的女子一般啊！但那時恰有一件事，讓我十分震驚。若不是他那個說謊的毒舌，說了些安慰我的話，我在那一夜必早把他丟下離開了。他有一本書——是棕色皮的書，用鎖匙鎖著，外面還飾金彩。我想他那夜一定喝醉了，否則他決不會拿給我看。」

「究竟是什麼書呢？」「福爾摩斯先生，我告訴你。這人是個獵艷高手，就像許多人採集飛蛾、蝴蝶一般。他所有惡行都寫在這本書上。其中有照片、姓名，和一切詳細的情形。這眞是一本殘忍的書——即使是極下流的人，也不忍置存的。但那亞德伯特·葛路納卻很重視這書。若是他想在封面上加題幾個字，應該可以題上『我所毀滅的靈魂』。無奈那上面沒有這種題字。這書對你沒有什麼用，即使有用，恐怕你也得不得到。」

「這書在那裡？」「我能告訴你現今這書在那嗎？我離開他已一年多了。當時我是知道他置放的地方，但他爲人很謹愼，又很能整理——從許多地方可以看出來。這書或仍在那內書房一張舊寫字檯的抽屜裡。你淸楚他的屋子嗎？」

福爾摩斯道：「我曾到過他的書室。」「你已去過了？你是今晨才著手這事的，進行速度還算蠻快的。我親愛的葛路納，此次你恐要逢著敵手了。那外書房置列了一些中國瓷器——有一口很大的玻璃櫃，立在兩窗之間。書桌的背後，有一扇門可以通入內書房——是一間小小的書房，那是他置放一切文件的地方。」

「他不怕盜劫嗎？」「葛路納不是懦夫。即使是他極惡的仇敵，也不能說他懦弱。他自己能應付一切，那裡夜間又有警鈴，況且盜賊們會來竊取瓷器嗎？」

這時秦偉爾·約翰以極熟練的口氣，決然說道：「不會，沒有人要這種不能熔解和賣錢的廢物。」

福爾摩斯道：「正是這樣，溫德小姐，你如果能在明天傍晚五點鐘到這兒來，那麼你方才說你要見一見那位姑娘的事就可確定了。你能協助這一件事，我一定會大大的酬謝你。不用說，我的委託人也會好好考慮……」

那少婦嚷著道：「福爾摩斯先生，不要說這話，我不是出來要錢的。我只要親眼瞧他陷在汙泥裡，用我的腳踏在他令人憎惡的臉上，那就是我一切工作所獲的酬資了，也是我要求的代價。如果你要追緝他，不論什麼時候，明天或任何一天，我都可以幫助你。約翰可以隨時告訴你，該到那裡找我。」

之後，我未曾再見福爾摩斯。直至隔天晚上，我們約在斯特蘭大街的餐館用餐時，我才問他對於會見佛萊・美維爾的結果如何。他聳聳肩，把情形告訴我，以下就是全部的經過。但是他的敘述既生硬又枯燥，經由我略為改修，才合於實際的情況。

福爾摩斯道：「安排見面倒不難。因為那女孩子尚肯服從父命，所以對於與結婚較無關的事，還都肯順從藉以贖罪。美維爾將軍打電話來說一切都預備好了。那相貌兇厲的溫德小姐，也準時來到。所以五點半時，那一輛馬車就載了我們到貝克萊場一百零四號——那便是老將軍的住處——是一幢比教堂還嚴肅灰暗嚴冷倫敦古堡。當時有一男僕，引我們到一間黃布幕的大客廳，那裡已有一位姑娘在等我們。我見她臉色慘白，面容沈靜，那種凜然不可近的模樣恰似一個山上的雪人。華生，我不知道如何才能使你明白她是怎樣的人，或許你在這件事結束以前可以見她一面，但這時你只能用自己的想像力去想像了。她是很美麗的，但似帶著另一世界之美，她很有智慧，我曾見過這種臉兒——那是在中古時代名畫家的圖畫中。試想，那獸性的男子怎忍用下賤的爪掌，抓住這樣的人？你見過這樣的兩個極端嗎？魔鬼與天使竟然能結合？你應該沒有見過比這更壞的事了。那時她當然知道我們是爲何事去的——那惡徒已先迷惑了她的心，所以她便刻意反對我們。我瞧她見到溫德小姐，似乎覺得很驚愕，但是她仍揮手喚我們在椅中坐下，彷彿那可敬的女修道院長，接見兩個要飯的乞丐似的。我親愛的華生，如果你想學習自我膨脹，眞該去學學佛萊·美維爾小姐。她用一種冰山上吹來風聲似的聲音，說道：『先生，久仰大名。我知道你來是要謗毀我的未婚夫葛路納男爵。今天我不過奉了父親之命和你相見，但我先提醒你，無論你說什麼，在我的心裡都不會有所影響的。』華生，我很爲她擔憂。我當時對她的感覺就像自己的女兒。我是沒有口才的，我善用我的頭腦，而不是我的心。但我確是很誠懇的用溫語勸告她，讓她想像一下一個婦女作了惡徒的妻子以後，方才覺察他的行爲，其情勢是何等的可怕？一個純潔的女子又何苦順服，受血指淫唇的撫愛和溫存？我可算說得毫不避諱，把一切恥辱、恐怖、痛苦、失望，種種可能都對她說了。但我所說的話，總不能讓她象牙似的臉頰上顯出一絲的紅潤，也不能使她那雙凝定的眸子露出一些感動的神情。我因此想到那惡徒所說的『催眠術』是確有影響了。她生活在超出塵世的愉快夢中，所以是不被外物所牽動的。她道：『福爾摩斯先生，我正耐著性子聽你的話。不過這對於我心裡的影響，卻仍和我之前所說的相同。我早就知道我的未婚夫葛路納身經患難，動輒遭到別人的懷恨和不公正的毀謗。你恐怕是一個最後帶謗言來給我的人。你的作法也不能算錯，你受了一方的錢，就該爲一方盡力。你這次反對男爵，那天換了服務對象，也許就會爲男爵盡力。但我的情形，希望你立刻明白。總之我愛他，他也愛我，所以無論世界上有何評議，都與我不相干，我都只當做鳥雀在窗外競鳴罷了。即使他高尚的本性，一旦忽然的墮落了，我也會像上帝一般，提拔他起來使他回復原狀。』說到這裡，她轉頭瞧著我的同伴道：『這位姑娘是？』我正要回答，不料那女子卻似旋風般的暴發起來。你若想見火焰和冰塊相遇的情景，只要瞧這兩個女人便是。她從椅中躍起，氣得嘴都歪了。她忽地嚷道：『我告訴你我是誰，我就是他前一個女人。我是被他誘惑蹂躪而擲棄在廢物堆中的一百個婦女裡的一個！他之前怎樣對待我的，以後就會怎麼對待你了。我告訴你，你這傻子，若你嫁了他就是置你自己於死地。不是碎你的心，便是斷你的腸。我並非爲了疼惜你才說這話，你的生死與我也毫不相干。我只因爲怨恨他、憎惡他、報復他，所以來拆穿他的行爲。我的大小姐，你不要如此瞧我！恐怕再過不了多久，你的下場就會和我一樣！』美維爾小姐冷然道：『我不願再談這事。我已知道我未婚夫，曾遭遇三件被狡詐婦人所拖累的倒楣事。他即使眞有罪惡，我也知道他已很誠心的悔改了。』我的同伴大呼道：『三件倒楣事！你這傻子！你這不可理喻的傻子！』美維爾又以冰冷的聲音道：『福爾摩斯先生，我們就談到此吧！我是服從了父命見你的，但我不願聽這女子的瘋言瘋語。』溫德小姐咒罵了一聲，突然衝撞上去。若不是我抓著她的手，她早就揪住那女子的頭髮了。當時我把她拉出門外，乘她不備就把她推入車內，因為這時候她已經氣得要發狂了。華生，我自己也很不高興，我們本想要救這個女子，不料她竟這樣高不可攀地對待我們，我眞是有說不出的難受。現在我們的處境如何你已經知道了。你我現在須另圖新的進行方法，像這樣是不行的。華生，恐怕將有用的到你的地方。不過下一步也許是由他們走，不是由我們。」

果然，他們開始行動了。可是我相信那位小姐是沒有參與的。那時我站在行道磚上，兩眼注視在一方廣告板上，我的精神竟被震了一下。那地方在大旅館和查林格洛斯車站之間。有一個獨腳的賣報人陳列著他的晚報。那日期是在上次談話的兩天之後，標題寫著：

「歇洛克・福爾摩斯被人襲擊。」

歇洛克・福爾摩斯被人襲擊

我失了知覺似的站了幾分鐘。昏亂中我記得我拿了一張報紙，因沒有給錢，被那賣報人喚住。後來又站在一家藥房門口翻著那段驚人的新聞。

那新聞記載道：「歇洛克・福爾摩斯先生，是人盡皆知的私家偵探。今天被人戕擊，且傷勢很重。至於詳細情形尚待探明。事情發生在十二點左右，里金大街皇家酒館的門口。福爾摩斯受到兩個持棍者襲擊頭部，身上也多處被擊傷，據醫生報告傷勢極重。他先被送至查林格洛斯醫院，後來他堅持回貝克街寓所去。那兩個暴徒衣著整潔，後來從人叢中竄出，穿過了皇家酒館，朝後面的玻屋街去了。據估計此幫匪徒是擔心福爾摩斯破獲他們所幹下的壞事，故而下此毒手。」

福爾摩斯受到兩個持棍棒者襲擊頭部

沒有看完這段新聞，我早已躍上雙輪馬車，馳往貝克街去。那時外科名醫萊司利・沃格旭動爵正在客廳，他的馬車還候在門口。

他道：「沒有什麼大危險。頭上有兩處撞傷，身體也有些擦傷。僅需縫上幾針。嗎啡已經注射。靜養最重要。至於幾分鐘的會客，倒也並無限制。」

我得了醫生的允許，便到那黑暗的室中。傷患方清醒著，我聽見他用嘶啞的聲音叫我。那時窗簾放下了四分之三，一線日光斜射在他縛繃帶的頭部，殷紅色漬從白布中透出來。我坐在他旁邊看他。

他發出一種很低弱的聲音道：「華生，不要緊，你不用如此驚恐。瞧去似乎很嚴重，實際上也沒有什麼。」「感謝上帝，但願這樣！」

「我才是使棍棒的熟手，那是你所知道的。我常藉此作自己的防衛。這次那二人太厲害了，我才對付不了。」

「福爾摩斯，我能做什麼呢？這定是那傢伙指使他們的。只要你一句話，我就趕去痛打他一頓。」

「好華生！我們是不能動的，除非是警察拘捕他們來。但他們早有預備，已經跑掉了。不過，我有我的計劃。第一件事，先把我的傷勢說的嚴重些，他們必定會來向你探聽消息的。華生，你不妨說的嚴重一點，說要過了這禮拜，才能保住性命——腦震盪、昏迷，隨你怎樣說。」

「但那醫生萊司利·沃格旭動爵呢？」「不妨，我自能處置的。」「還有別的事嗎？」「有的，你去告訴秦偉爾·約翰，把溫德小姐帶遠離這裡，她恐怕也有危險。她助我辦理這件案子，他們一定知道的。他既暗算我，她也無法倖免。這事很重要，你今晚就去辦吧。」「現在我要走了，還有別的事嗎？」「請把我的煙斗放在桌子上——再把那煙袋兒配好。你每天早晨來一趟，我們好商議要進行的事。」

當晚我就和約翰說明白了，吩咐那溫德小姐暫往僻靜的郊外去躲著，待危險過了再回來。

連著六天，報紙上都載著驚人的標題——福爾摩斯病情嚴重，死神將臨。我天天去探望，所以知道事情不是如此的嚴重。他那堅強的身體、毅決的心智，都有奇妙的作用，所以他很快就復元了。有時我還懷疑他也在騙我哩。福爾摩斯常保有神祕感，做事和演戲差不多，就是最親近的朋友，也要忖度他究弄竟在賣弄什麼玄虛。他認為一個人獨自謀劃是最妥當的。我雖較旁人接近些，但我和他二人之間也常有隔閡呢。

第七天，縫線已拆下了，晚報上卻還登載著他忽得了丹毒。同時在那些晚報中又有一個消息：禮拜五從利物浦出發的丘那特公司的路立但尼號船上，有一位亞德伯特·葛路納男爵。據說他將和美維爾小姐結婚，所以要先料理一些經濟上重要的事情，將赴美國一趟。福爾摩斯聽了這新聞，頓時那慘白的臉露出冷酷凝神的模樣。我知道他又受了一個大打擊了。

他嚷道：「禮拜五！距今不過三天。我料那惡徒想要躲過危險，但我不能放過他。華生！看在上帝分上！我萬不能放過他！華生，現在我要你幫我做些事。」我道：「福爾摩斯，我到此本就是要聽你指示的。」

「好，請你在廿四小時內仔細地研究中國的瓷器。」

他並不解釋是何用意，我也沒有問。以我的經驗，知道遇事總以聽他的爲妙。但我離開這室，走出貝克街時，我腦中反覆的思索，他爲何有這奇怪的吩咐。後來我便驅車趕至聖詹姆斯廣場的倫敦圖書館去和我的老朋友洛美克商量——他在館中當副館長。我在回家時，便已有一本極好的參考書挾在我臂間。

這一個充實的晚上。到了第二天的早晨，我得了不少的知識。我把與瓷器相關的種種繁雜名詞都記下來。我記得了著名技師的特色、年代的遠近，更一直研究到宋、元以上。我既有了這許多知識，第二天晚上就去探訪福爾摩斯。他早已起床了，可見報紙上的報導，都是不足信的。他托著那縛著繃帶的頭，坐在那張他最喜歡的扶手椅上。

我道：「福爾摩斯，你相信嗎？報上竟說你快要死了。」

他道：「這樣很好，我正希望消息如此傳佈。華生，你的功課做好了嗎？」我道：「我盡了全力。」「好的。但你能爲這些物件做專業的介紹嗎？」「我自信有這能力。」「那麼，你把火爐架上的小箱遞給我。」

他揭開了箱蓋取出一件小物，這東西仔細地用東方絲布綢緞包裹著。他解開後露出一個深藍色極精美的小碟子。說道：「華生，你拿時必要留心。這是眞的明代雕花瓷器。克里司蒂古董拍賣場也沒有經售過比這個更好的。倘使有了全套就可以富抵國王，除了北京紫禁城以外，就沒有全套的了。這個東西，鑑賞家只要瞧一眼，便會喜極發狂。」我道：「我拿它幹什麼？」

福爾摩斯給我一張名片，上面印著：「希爾・巴頓。半月街三六九號。」說道：「華生，這就是你今晚所要用的姓名。你就這樣去見葛路納男爵。我知道他的習慣，大概八點半時是閒著的。事前你先給他一封信，你可以說要把一套明代的瓷器攜給他瞧。你儘可自稱是醫生，那是你本來的職業，不會露破綻的。一方面你又假裝爲收藏家，你說你剛得了這物，久聞男爵對於瓷器素有研究，倘肯出高價，也樂意割愛相讓。」我道：「定價多少呢？」

「華生，你問得好。倘是你自己的東西卻不知道價値，那是可笑極了。這碟子是詹姆斯勳爵爲我弄來的。我知道這是他委託人的收藏物，你不妨誇說是世界上無與比倫的。」「我或可以說這是專家所珍藏的。」

「好，華生！你今天眞是太精幹了。你可以提克里司蒂是或莎士倍什麼的，也可以推說不便自定價格。」「但他若是不肯接見我呢？」

「他一定會接見你的。他是收藏成癖的，對於這種東西更是特別注意，他是自信很有鑒賞力的。華生，你坐，我把那封信口述給你。你不須等待他回覆，只要說你去見他的時間，和見他的緣故便行。」

這信寫得很好，短而有禮，但足以激起鑑賞家的好奇心。後來就由鎮中的信差遞了去。這天晚上，我就把那寶貴的碟子拿在手中，又把希爾・巴頓醫生的名片放入口袋，獨自冒著險前去。

那座華美的屋子和園地，足以表示葛路納男爵是一個極富有的人。一條很長曲折的車路，兩邊疏疏落落栽了些矮樹，直達到一塊矗立著許多石像的大廣場。這屋子是南非的金礦大王在他全盛時期所建築的，瞧那一排既長且矮的屋子，每個角上都有塔樓，堅固莊嚴，確實是罕見的建築物。當時有一個很體面的僕人，引導著我進去，然後由另一個穿毛絨衣的役者，直接送我到那男爵面前。

男爵站在兩窗中間一座開著的大櫥前面。櫥中收藏著許多中國收藏品。當我進去時，他手中正持著一個棕色小瓶——身體轉了過來。

他道：「醫生，請坐。我正在賞鑑我的寶物，考慮我可能再增添些進去嗎？這一件屬於唐代留下的故物，約在七世紀，或許能引起你的興趣哩。我敢保證你從沒有見過這樣精緻富麗的物品。你說你有一個明代的碟子？」

我很小心的解開來拿給他。他在寫字檯旁坐了下來。這時天色已晚，他便轉開燈仔細地瞧察。那黃色的燈光照著他的面龐，我乘此機會，很仔細的把他察看了一番。

他當眞是個極優雅的人。那傳遍歐洲的美

名，他確是應當享受的。他不能說是中等身材，但生得很挺秀，又很靈敏。臉色微帶棕黑，那雙黑而大的媚眼，最容易迷惑那些婦女。他的頭髮黑亮，看得出擦了髮油。他的容貌很端正，不過嘴唇太薄了些。若要了解殺人犯嘴部的特徵，這個便是例子。我覺得這殘忍的嘴形是他臉部的一個缺陷，眞是可怕。他若把鬍鬚剃去露出嘴來，就好比露出一個危險信號，警告那些犧牲的人。他的聲音很動聽，神態又很優雅。瞧察他的年齡，不過三十有餘，但後來見了他的檔案卻已四十二歲了。

最後他說道：「棒極了！確是棒極了！你說一套有六個。但是我很疑惑，我從沒聽過有這樣的精品。我只知道英國有一個，可和這個配成一對，但那是一定不會到市面上來的。希爾·巴頓醫生，恕我冒昧請問，你從那裡得來的？」

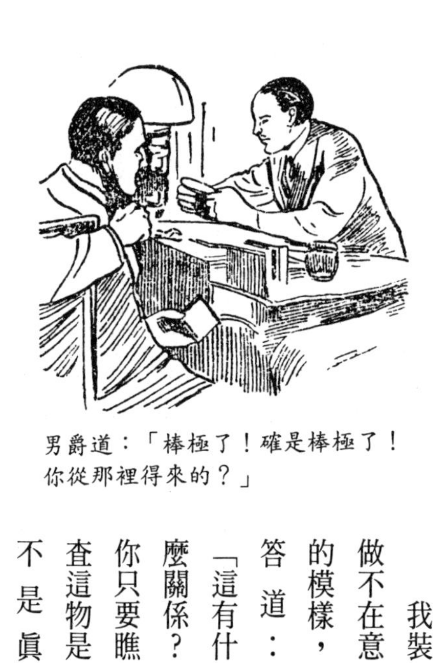

男爵道：「棒極了！確是棒極了！你從那裡得來的？」

我裝做不在意的模樣，答道：「這有什麼關係？你只要瞧查這物是不是眞的。至於那價錢，我卻還須聽專家估定哩。」

他那烏黑的眼珠，頓時露出疑慮。他道：「神祕極了。既要交易這樣名貴的東西，那自然要知道底細的。這物是眞的，已可確定，我是全無疑惑。不過我在擔心，事後恐怕發生你並無出售權的糾紛。」「我可以擔保，決不會發生糾葛。」

「但是，我卻要提出問題。你的擔保究值多少呢？」「我的銀行可以答覆你。」「很好，不過我還是覺得這事有點奇怪。」

我很冷淡的道：「你要不要都無妨。我因你是個鑑賞家，所以先給你瞧。我到別處去也不難出售的。」「誰告訴你我是鑑賞家呢？」「我知道你曾著述過一本這方面書。」「你讀過這本書嗎？」「沒有。」

「朋友，那我更不明白了！你是個鑑賞家和收藏家，你收藏了這樣一個名貴的東西卻沒有去查書了解這物品的眞價？這個你要如何解釋呢？」

「我是個很忙碌的人。我是個行醫的醫生。」

「這不是理由。倘使一個人有了一種癖好，便會完全專注。其他的事他都會置諸不問的。你的來信也說你是個鑑賞家。」「我原是的。」

「我可以問你幾個問題嗎？醫生，我不能不對你說，這一件事簡眞令我十分懷疑咧。我問你，你可知道聖武天皇和奈良附近的正倉院有何關係？朋友，這難倒你了嗎？請你略述北魏一朝，在瓷器歷史上的地位？」

我從椅中躍起，假裝發怒道：「先生，這個我可不能忍耐了。我來是給你面子，不是像學生般的來受你考試的啊。我瓷器智識也許不遜於你，但我不願意回覆你如此冒犯的考問。」

他睜著大了眼向我瞧視。先前那種疲倦不振的神情，此刻已消失了。眼睛忽地閃閃有光，兇殘的雙唇露出了牙齒。

「這是什麼玩意兒？你到這兒來刺探我！你是福爾摩斯的密使，設計詭計來玩弄我的！我聽說那傢伙快要死了，所以派他的心腹來刺探我。好！你竟敢貿然到此，你要出去恐怕沒有進來時的容易。」

他一躍而起，我連忙退一步，因這人此時在盛怒中，我得防備他攻擊。我知道他已早有懷疑，而這樣的盤問到底被他視破了眞相。現在我也自知無法再蒙騙他。這時他伸手到旁邊的一個抽屜搜了一陣，他又似乎聽到了什麼聲音，便很注意的站在那裡傾聽。

他忽地嚷著：「呀！呀！」便突然走入後面的一間房裡。

我朝那開著的門追去，我對於當時所見的情景留了一個很深的印象。原來那通往園中的窗，正大大的開著，窗口旁邊有一個可怕的魔鬼站著，頭部縛著血漬的繃帶，臉色慘白而沈穩，此人便是歇洛克・福爾摩斯。轉眼間，福爾摩斯從窗隙越去，我聽到他身子擦過桂樹的聲音。這時男爵怒吼了一聲，也急忙趕到窗邊。

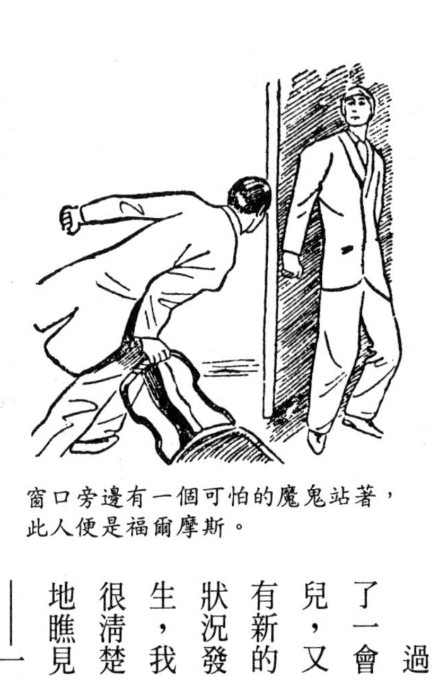

窗口旁邊有一個可怕的魔鬼站著，此人便是福爾摩斯。

過了一會兒，又有新的狀況發生，我很清楚地瞧見——一隻臂兒——一隻婦人的臂兒——從那樹葉叢中伸出來。同時那男爵很慘厲的呼嚷起來，那叫聲我至今尙無法忘記。他用兩手掩著臉在房間亂跑，又把他的頭猛撞著牆。這時他傾跌在地毯上，邊滾邊嚷，一聲聲的哀叫充滿了屋子。

他嚷道：「水！水！瞧上帝分上，取些水

來！」

我從桌上取了一壺水趕過去幫他。同時那些僕役們都從廳上奔進來了。我跪在傷者的旁邊，把他可怕的臉兒轉對燈光時，我記得有一個僕人昏倒了。原來那硫酸已蝕入全臉，又從他耳邊和下巴流下來。一隻眼睛已經瞎了，還有一隻紅腫發炎。可憐那個我在幾分鐘前讚美的臉孔，像一幅美麗的圖畫忽被藝術家用濕污的海綿抹過一般。頓覺得斑痕累累，猙獰可怕。

我略說那經過的情形——那硫酸是怎樣澆灌上去的。後來有幾個僕人爬到窗外去，有的衝過草地。但天色黑暗又加上下雨攻擊者早已不見。那受傷的男爵，這時怒極欲狂了。

他大呼道：「是那女無賴吉蒂·溫德！呀，她是個魔鬼！我一定要報復！呀，上帝啊！這種痛苦，我無法忍耐了！」

我用了些油清洗他的臉部，又用綿紙貼在他腫痛處，且為他注射了一針嗎啡。這時他對我的懷疑完全消失了，緊握我的手凝視著我，似乎相信我有這能力，可以醫好那雙死魚般的眼睛。如果我不是想起他生平的罪惡，那麼，瞧到這樣的慘變，也不禁要為他落淚。這時我被他發燙的手握著覺得很憎惡，直到他的專任外科醫生來接替，我便覺得像得救似的。警署也派了個警探到場，我就把自己的眞名告訴他。我對蘇格蘭警場也和福爾摩斯一般的熟識。最後我便離開這陰慘和恐怖的屋子。一小時後，已到了貝克街。

福爾摩斯坐在他的椅子上，瞧他臉色發白，又很疲倦。任他是鐵一般的神經，遭遇今晚這種意外的事，也大受震動了。而他聽我說到男爵被毀容，更是駭懼。

他道：「這是惡報！華生，這是惡報啊！早晚總要來的。上帝知道，他已惡貫滿盈了。」他說到這兒，從桌上取出一本棕色的書冊。又道：「這本書冊便是溫德小姐所講的的。若是這書冊還不能阻止他的婚事，那就無法可施了。但是這書一定有效的。華生，你當知凡是自愛的婦人，決不能忍受這些的。」我道：「這是他的愛情日記嗎？」

「也是他淫慾的日記。隨你怎樣說都可。當那婦人對我們說起了這本書冊，我就覺得如果能弄得到手，確是一種極厲害的證據。但又怕那婦人洩露出去，當時我不說什麼，只在心中謀算著。不料我尚未動手，卻被他先行襲擊。但我也因此得了個好機會，因那男爵既以爲我已受傷，必會疏於防備，這是再好不過了。我本來可以多休養些時候，但他要到美國去，我就迫不及待了。他離開決不會留下這本書冊，所以我們不可不立刻動手。夜裡盜竊是難的，且他又是有防備的。我才想到若能在傍晚的時候，使他注意另一件事，那就有機會了，所以我喚你攜了藍碟子到他屋裡去。但我必須先知道放書冊的地方，我又知道你對於中國瓷器的智識靠不住——所以我只有幾分鐘可以辦事。最後我還是同溫德小姐前去，那知道她的口袋裡還帶著硫酸呢？我本以爲她爲我的事而去，但回想她的模樣，似乎也像另有目的哩。」「他已猜到我是由你派去的。」

「我也怕他猜得到。幸而你愚弄他的那些時間，已足夠讓我取到那本書冊，可惜逃離時仍被他瞧到。呀，詹姆斯勳爵，歡迎你來啊！」

這時我們那位有禮貌的朋友已走了進來。他很注意地聽福爾摩斯講那事情的經過。

他聽了所講的事情，便嚷道：「你又做了驚人之舉啊！但葛路納的傷勢，若是眞像華生醫生所述的可怕，那麼，即使沒有這本可怖的書冊，也足以破壞他們的婚事了。」

福爾摩斯搖搖頭，說道：「那位美維爾小姐決不會如此的。她知道他爲她毀容，也許會更愛他呢。所以我們要從道德方面著手，不能從外表方面的。只有這本書冊可以使她覺悟——除此以外，我便沒有法子了。好在這是他自己親手所寫，她應該會相信。」

詹姆斯勳爵就把這書冊和貴重的碟子都帶走了。我伴著他同往街上，一輛馬車正等候著他。他一躍而上，急急地吩咐了那個頭有帽徽的車夫一聲，便疾馳而去。他把外衣半掛在車窗的外面，用來遮蔽窗板上的族徽，但我早已瞧見了。心中暗愕。我就回到室中，拾級而登福爾摩斯的房間。

我想把這重要的消息跟他說：「福爾摩斯，我已知道我們的委託人是誰了。他正是……」

福爾摩斯用手止住道：「總之他是個忠心的朋友，是一個義勇的君子，這樣便夠了。」

我不知道這本罪惡的書冊後來是如何被運用的，也許交給了那小姐的父親了，總之詹姆斯能處置。三天後，果然郵報上載的一段新聞戴出，亞德伯特·葛路納男爵和佛萊·美維爾小姐的婚禮取消了。在報上又載著警署第一次審問吉蒂·溫德小姐的事——她犯了潑硫酸的罪。但懲罰得很輕。歇洛克·福爾摩斯也被控告犯了盜竊罪，但因他所竊是於人有益的，加上委託人又是很有名望的人，英國法律雖嚴格，我這位朋友卻始終沒有上法庭。

白臉兵士（原名 The Blanched Soldier）

我的朋友華生的想法常不怎麼高明，卻非常地固執。他常慫恿我自己寫一篇我辦案的經歷，也許這一種強迫的舉動是我自己招致而來的。因爲我不時指責他記載的故事浮而不實，並說他只知迎合一般讀者的趣味，卻不嚴謹地把實際的事實記錄出來。他受了我的責備，常抗議道：「福爾摩斯，你自己來吧！」我不得不承認，我現在下筆也會想要顧到讀者的興趣，下面所要敍述的一件案子，當然也就依照著這個方式寫了。這件案子可算是我經歷的特殊案件之一，不過在華生的紀錄冊中恰巧沒有被搜羅進去。說到我的老友這位紀錄人，我趁這機會聲明幾句：我讓他參與我許多的探案，並不只是看在朋友的情分上，是因爲華生有非常可愛的特性。他十分謙和，對於我經歷的一切舉動，常有過高的評價。假使有一個同伴總能預料到你行動的過程和結局，那是很危險的；但假使有一個人把你的每一個步驟都看做是一種意外的驚喜，對你未來的動態也無法掌握，這才是一個最理想的助手。

根據我的紀錄，這件事情發生在一九〇三年一月，恰巧在南非的「布爾戰爭」結束以後。有一個身材高大黝黑的英國人詹姆斯．陶特忽然到我寓所來拜訪我。這時候我的好友華生，因結婚的緣故暫時把我拋棄了，這一件事，從我們認識至今，可算是他唯一的自私舉動。因此，我那時獨居著。

我習慣性地背對著窗口坐著，那張給來客

坐的椅子放在我的對面。這樣，窗外的光線便可以照射在來客們的臉上。這位陶特先生進來以後，似不知道怎樣開始他的談話。我並不催促他，因爲他的沈默可以給我更多的觀察機會。我覺得在初見面就讓委託人有一種驚服的印象是很有利的。接著，我就先把我所觀察的結論對他說，我道：「先生，我看你是從南非回來的。」「正是，先生。」他驚異地回答。我又道：「我猜你是隸屬於義勇騎軍的。」「對啊。」「一定是密特賽克施軍團。」「厲害！福爾摩斯先生，你眞是未卜先知！」

我對於他詫異的樣子微微一笑，又道：「你這樣一個狀貌雄健的紳士走進我的房子，你的黝黑不是英國的太陽所能曬得出的，而且你的手帕不放在口袋，卻塞在袖子裡，這自然不難猜到你來的地點。你還留著些短髯子，這也足以證明你不是一個普通兵士，你的體格是十足騎師的標準體型。至於我猜你是屬於密特賽克施軍團，是因爲你的名片上告訴我，你是色洛馬登街的股票經紀人。如果不是，那還會是那一個軍團？」「啊，你竟能洞察一切。」

「我所見識的並不比你多，但我會細察我所瞧見的一切。不過陶特先生，你今天早晨來見我，當然不是來討論『觀察力』的問題。都克培萊老莊園究竟發生了什麼事情？」「福爾摩斯先生……」「先生，沒有什麼好奇怪的。你的郵戳是這老莊園的，你信上又很急迫地要和我會面，那就表示有什麼重要和意外的事情發生了。」「正是，但那封信是下午寫的。這段時間，又發生了些事情，假使恩施瓦斯上校不曾把我趕出來……」「把你趕出來！」

「是啊！眞有這樣的事。這位恩施瓦斯上

校是一個狠心的人，他從前在軍隊裡當訓練教官，以嚴厲著名。那個時候的軍隊生活原就是很野蠻的。如果不是爲了哥福雷，我也不會去見他。」

我點燃煙斗，把背靠著椅子，說道：「我想你應先把你所說的話解釋一下。」

我的委託人狡詐地答道：「我以爲即使我不跟你說，你也會知道一切！但現在我可以把整個過程告訴你，希望你能告訴我到底是怎麼一回事。兩年前——一九〇一的一月裡，我加入了哥福雷・恩施瓦斯所隸屬的隊伍。他是恩施瓦斯上校的獨生子，繼承著一種勇敢的性格，因此他投入義勇軍也不足爲奇。他是全隊中最好的孩子，我和他建立了深厚的友誼——這種友誼，從同甘苦共的生活中才能產生出來。他是我的同伴，我們在軍隊中彼此得到不少的助益。在這一次艱難的戰爭中，我們經過了一年多困苦和愉快的生活。後來他在普勒多利亞界外的戴蒙德山谷附近的一場戰役中了大獵槍的子彈。之後我接過他的兩封信：一封從開普敦醫院寄的，另一封從南安普敦寄的。自從那兩次以後，我不曾得到他的片紙隻字。福爾摩斯先生，到現在已經六個多月了，他依舊音訊全無。我怎能不掛念我的同伴呢？當戰事結束以後，我們大家都回英國，我寫信給他的父親，問他哥福雷在什麼地方，卻沒有得到回音。我等了一陣子再寫信去，這一次我得到一封簡短而草率的回信，說哥福雷已出發作環球旅行去了，一年以內不會回來。此外沒有任何一句話。福爾摩斯先生，我當然覺得不滿意。這一件事我認爲非常奇怪。哥福雷是一個好孩子，決不會這樣子拋棄一個同伴，這種事他不會做的。並且我知道，他是大批財產的繼承人，他和他的父親平時並不怎樣融洽，那老頭有時候是很蠻橫的。哥福雷也許受不了。因此，我對於這個消息覺得不能滿意。就決定徹底地查究一下。可是因我從軍了兩年，還有許多自己的事情必須料理，所以直到這星期我才有時間注意到哥福雷的事情。現在我既然注意到這件事，我就準備把其他的一切事情暫時擱置，以便查個水落石出。」

詹姆斯．陶特是一個很剛直的人。和他做朋友很好，但若和他結怨，卻有些危險。他藍色的眼睛嚴毅有威，說話的時候，方闊的下巴也緊緊地向上抬起。

我問道：「那麼，你已做過些什麼事呢？」

「我的第一步，當然就是到貝德甫的都克培萊老莊園他的家裡去實地觀察。我先寫信給哥福雷的母親，因爲我覺得他的父親是一個吝嗇漢，所以不向他請求。我信上說明我是哥福雷的好友，我願意把我倆從前相處的經驗說給她聽，我要到他家附近去辦事，順便去看他，問他是否方便。她回信內容非常客氣，且允許我在他們家裡過一夜。因此，星期一我就到他們那邊去了。都克培萊老莊園是一宅孤立的屋子，方圓五英哩沒有住家、商店，車站附近也沒有馬車，我只得提著行李步行前去。我到的時候，天快黑了。那是一宅靜僻的巨屋，聳立在一個廣漠的園子中。這屋子包含著各個年代和各種建築的樣式，伊利莎白時代的屋基、維多利亞式的走廊，眞是應有盡有。屋子裡面都鑲著護壁板，上面掛著繡幕和褪色的古畫，整個屋子充滿了黑影和神祕。有一個名叫拉爾夫的老總管，他的年紀似乎和那屋子一樣老。這老總管有一個妻子，年齡似乎比他更老些。這婦人曾做過哥福雷的保姆，我聽哥福雷說過她。他對於她的感情，只次於他自己的母親。因此，她的相貌雖很奇怪，我卻很注意她。他的母親是一個溫柔瘦小的婦人，我很欣賞她。只有那個上校讓我覺得可怕。我們在初見面時，就覺得性格不合。假使我沒有想到這老人也許是故意用手段，希望我立刻離開，當時我幾乎馬上就步行回車站去。我被那老總管直接引進他的書房，我瞧見一個高大駝背的老人就坐在書桌後面。他的皮膚就像煙葉的顏色，灰色的鬍鬚也很雜亂，一個紅筋包絡的鷹鉤鼻突出在臉上，一雙兇獰的灰色眼睛從濃厚的眉毛下面向我注視著。這時我才明白，哥福雷以往爲什麼難得提起他父親的原因。他用一種急促的語氣說道：『先生，我想知道你到這裡來的眞正目的。』我說我已在給他妻子的信中解釋明白了。他道：『是的，是的。你說你在南非認識哥福雷，但這只是你單方面的話罷了。』我道：『我的口袋還有他給我的信。』他道：『對不起，請讓我瞧瞧。』他把我拿給他的兩封信瞧了一瞧，便把信丟回給我。問道：『那麼，你此刻打算怎麼樣？』我答道：『先生，我很欣賞你的兒子哥福雷，我們有不少美好回憶使我不能忘記他。他突然消失，自然要使我驚訝，我想要知道他現狀怎樣。』他冷冷地說道：『先生，如果我記得沒錯，我早已回信給你，告訴過你他的現狀，他動身環球旅行去了。他從非洲回來以後，身體不太好，他的母親和我都認爲，他有必要充分休養和變換生活。請你把這種情形轉告其他關心他的朋友。』我答道：『那當然可以。但請你告訴我他搭乘的輪船的名字和航線，及他出發的日期。這樣，我相信我一定能和他通上信。』我的請求似乎困惑和激怒了這位老人。他的眉毛垂下來，手指不停地在桌子上敲著。最後，他抬起頭來，臉上露出一種下棋人瞧破對方所下的一隻險棋的表情。他說：『恐怕有很多人認爲你這種固執的行爲是失禮的。並且你這問題，也已到了不可饒恕的鹵莽地步。』我道：『先生，請你體諒我對於你兒子的友愛，你包涵些吧！』他道：『是啊！我在這方面已相當體諒你了。現在請你放棄你的查問。每一個家庭各有各的內部事情，當然不能一件件向外人說明。我的妻子很渴望聽到關於哥福雷過去的事情，我想你當然能告訴她。但我勸你，在現在或將來，不要再打聽了，你這樣的查問，不但不會有什麼結果，還會讓我們陷入困境。』福爾摩斯先生，他這一席話使我碰了釘子。我再問當然也不會有結果。當時，我只能假裝接受他的勸告，心中暗暗地發誓；除非我把我的朋友狀況查明了，否則我決不罷休。這是一個難堪的黃昏，我們三個人在那淒暗的古屋中，冷冷淸淸地進餐。那位太太熱誠地問我關於他兒子的事，那老人卻顯得鬱鬱不樂。我在這種氣氛下，覺得非常難受，所以到了一個適當的時間，便道歉回我的臥室去。那間臥室在樓下，寬大而空洞，也像那屋子的其餘部分一般地淒暗。但一個在軍營中經過了一年多艱苦生活的人，對於住居問題，便不會怎樣嚴格地講究了。我拉開了窗簾瞧著花園，那夜天氣很好，有一輪燦爛的半月掛在空中。我靠在熊熊的爐火旁邊，桌子上有一盞燈。我打算看看小說整理一下思緒，但這時候，那老總管拉爾夫送煤進來。他說道：『先生，我怕到半夜煤也許不夠。天氣很冷，就算在房間也會很冷的。』他在退出以前，似乎躊躇了一下。我轉頭去瞧他，他正站住了瞧我。他枯皺的臉上帶著一種猶豫的神情，說道：『先生，請你原諒。你在晚餐時談起小主人哥福雷的事，我實在不能不聽。先生，你知道他是我妻子撫養長大的，所以我敢說，我就像他的乾爹。我們實在不能不注意他。先生，你是不是說他的行為非常可愛？』我應道：『他是全隊中最勇敢的人，有一次他曾從非洲人的槍彈底下把我救出來。要不是他，我此刻也不會在這裡了。』那老總管搓著他那兩隻露出瘦骨的手道：『先生，是的，是的。我們的小主人眞的是很好。他一向很勇敢的。這莊園裡的樹沒有一棵他沒有爬過，什麼都不能阻止他，他是個好孩子——啊，先生，他是個好人！』我突地跳起身來，大聲道：『啊，你竟說他是？（按：老總管所說的「是」字，是英文的過去式 Was，用於已故之人。）你這種說法，像是在說他已經死了。這當中究竟有什麼秘密？哥福雷·恩施瓦斯到底怎麼了？』我拉住了老人的肩膀，但他掙扎著要逃走。他道：『先生，我不知道你在說什麼，你去問我的主人。關於哥福雷的事，他當然知道，我不能從旁多嘴。』他就要走出去，我拉住他的手臂，說道：『你聽著，你在離開這房間以前，必須回答這問題。否則，你別想出去。哥福雷是不是已經死了？』他不敢再瞧我的眼睛。他的模樣像是受了催眠術一般。他僵持了好久，方才回答。那答案又很出乎我的意外，他大叫道：『我祈禱上帝！但願他是(Was)死了！』接著，他用力掙脫了我的手，向室外奔去。福爾摩斯先生，你可以想像到當我回到椅子上時，我的精神上是怎樣的狀態。這老頭兒的話，有很深的含意。我可憐的朋友大概犯了什麼罪，或者至少有什麼不名譽的舉動，足以損害他家庭的榮譽。那嚴厲的老人也許怕有什麼不名譽的流言洩漏出來，所以已把他的兒子打發到外面去，以便隱瞞眞相。哥福雷的確是一個性子躁急的人，他容易被那些接近他的人引誘，而幹出越軌的舉動。他也許被什麼歹人所劫持，導致身敗名裂，這眞是一件可悲的事。即使如此，我仍有義務要把他找尋出來，想一個援助他的方法。當我正在默默地忖度的時候，抬起頭來，卻忽見哥福雷．恩施瓦斯站在我的面前！」

我的委託人停止不說話。他的精神忽似受了很大的刺激。我說道：「請你說下去。你的故事的確十分離奇。」

陶特先生繼續說道：「福爾摩斯先生，他站在窗外，他的臉貼在玻璃上面！我曾告訴你，我起先想瞧窗外的天空，所以把窗簾拉開了一半。而他就站在那拉開的地方，那是個落地窗，所以我能瞧見他的全身。但最吸引我眼光的，就是他的臉。他的臉色白得像死屍一般，我從來不曾看見過這樣的臉。我想如果世界上有鬼，大概就是這個樣子了。可是當他的目光和我的目光相接時，我知道那兩隻眼睛是活人的眼睛。他一瞧見我向他注視，就立刻向後退避，消失在黑暗中。福爾摩斯先生，他變得好可怕，不單是他那一個白得像紙一般的臉在黑暗中瞧了可怕，讓我更震憾的是，他詭祕得像個罪犯，和他之前光明磊落的個性，完全不同。因此，我的心中突然間產生了一種不好的預感。你知道一個人當過了一兩年的兵，並且敵方又是南非的布爾人，他的膽子一定很大，反應也一定很敏捷。當哥福雷退開的時候，我早已奔到窗口。可惜當時我費了一些功夫，才把那窗子打開。接著，我從窗口跑到外面，從園徑上向前追去。這條園徑很長，月亮這時又被雲遮住，視線很不清楚，但我仍覺得我的前面有什麼東西在動。我努力奔上前去，呼叫他的名字，但卻沒有回應。我追到了園徑的盡端，那裡有幾條分岔的石徑通往四邊的一些小屋。於是我停住躊躇了起來。就在這時，我忽聽見有一個關門的聲音。這聲音並不是來自我後面的大屋，卻是從我前面不知何處的黑暗中傳來。福爾摩斯先生，這一切已足夠證明我所瞧見的並不是一種幻覺。哥福雷已逃進什麼屋子裡面，並且把門關上，這是我敢確信的。當時我不能再有任何的行動，只是翻來覆去地忖度，想要找出一種合理的假設，解釋這個疑問。隔天，我覺得上校似乎比較和善些了，他的夫人又說起他們的附近有幾處風景很好。因此，這給了我一個機會，我請求他們再容許我在他們的莊園裡耽擱一夜。那老人在不很願意神情之下，勉強地答應了，我就又得到了一天的觀察機會。當時我已知道哥福雷藏匿的大概地點。但在什麼確切的地方？什麼原因如此？卻還待偵查。這莊園既然這樣大，且散布各處，即使藏一整連的軍隊，也不容易找到。假使這裡面有什麼秘密的勾當，那我自然更不容易瞧破。我確信關門聲並不在大屋裡，所以我在花園裡探望，希望可以發現什麼。我的探索行動並沒有什麼困難。因爲這幾個老人都自顧自地忙著，讓我一個人自由行動。這大屋的四周有幾宅較小的外屋。但在花園盡端的一宅，比其它的外屋大些，像是一個園丁或家畜管理人的住宅。那關門的聲音，會不會就從這屋子發出來的？於是我假裝在這園子裡信步閒踱的樣子，然後漫不經心地靠近那屋子。當我走近的時候，有一個短小精悍、留有鬍子的人從這宅屋子出來。這人穿著一身黑色的衣服，戴了一頂闊邊的帽子，模樣並不像一個園丁。更令我驚異的一點，就是他走出來以後，反身把門鎖上，並將鑰匙放進他的口袋裡。接著，他停步向我瞧視，臉上露出驚訝的神情，問道：『你是這裡的客人嗎？』我就告訴他我的確是這屋子裡的來客，並且我還是哥福雷的朋友。又繼續說道：『不巧他竟出門去了。因爲他一定很想見見我的。』他忽然以一種不自然的聲音，答道：『是的，是的，我想你不妨另找一個適當的時機再來。』他說完，便繼續前進。可是我偶然回頭瞧他，卻發現他躲藏在園徑那端的桂樹後面，正同樣站住了瞧我。我便不多停留地走過這宅小屋，但我仍留心瞧了一瞧，那窗子全部都掛著厚窗簾，屋子裡面似乎是空的。我知道那時我正被人監視著，如果我很明顯地仔細瞧察，一定會破壞我自己的計劃，說不定會被他們趕出這宅屋子。因此，我又踱步回到大屋子，準備等到夜裡再繼續我的偵察。等到了天黑人靜以後，我從窗口悄悄地出去。偷偷地走到那宅祕密的小屋外面。我已說過，這屋子的窗都拉上厚窗簾。且外面的百葉窗也都關了，不過有一些燈光，從一扇百葉窗的隙縫中透射出來，我便把我的注意力集中在這個地方。恰巧的是，這百葉窗的隙縫部分，裡面的窗簾也沒有拉緊，所以我可以瞧到這屋子的內部。屋裡陳設非常舒適，有一盞明亮的燈和一個火旺的壁爐。在我所窺視的窗口對面，坐著我在早晨瞧見的那個矮小留有髫子的人。他正啣著煙斗吸煙，且在讀報。」

我插口問道：「什麼報紙？」我的委託人因我突然間打斷他的故事，有些惱怒。

他反問道：「這個也有關係嗎？」「這很重要。」「我倒不曾注意。」「那麼你曾注意過是大張的報紙，或是小本週刊一類的東西？」

「哦，你提醒我了。並不是大張的報紙，也許是『觀察家』雜誌。不過那時候我實在沒有時間想到這些瑣碎的問題，因爲室中還有第二個人背靠窗口坐著。我敢發誓這第二個人就是哥福雷。我雖不能瞧見他的臉，但我是看慣了他肩膀的形狀的。他彎著身子，用手支撐著頭，非常憂鬱的樣子。他的臉瞧著火爐，我正在躊躇應該怎樣對付，猛覺我的肩上突然被拍了一下。我回頭一瞧，見恩施瓦斯上校站在我的旁邊，低聲向我說道：『先生，請到這裡來。』他沈默地向大屋走去，我跟在他的後面，一直到我自己的臥室。他從通道中拿起了一張火車時刻表，在那表上瞧了一瞧，說道：『八點半有一班往倫敦的火車。八點鐘時，馬車會在門口等你。』他充滿著怒氣，臉色也非常難看。當時我覺得十分難堪，我只說了幾句不自然的道歉話，還想解釋我的舉動無非出於關懷我的朋友。他厲聲說道：『我不和你討論這個問題。你已做了不可饒恕的冒昧舉動，竟想刺探我們家庭的秘密。你到這裡來，本是來做賓客的，此刻你卻成了一個間諜。先生，我沒有任何話對你說，只有一句話，我希望永遠不要再見到你的臉！』福爾摩斯先生，那時候我的情緒也控制不住了。我便說出了幾句激動的話。我道：

『我已瞧見你的兒子了。並且我相信你爲了某種原因把他藏匿著，我不知道你有什麼用意，要這樣子讓他與世隔絕，但我確知他此刻已不是一個自由人。恩施瓦斯上校，我警告你，我在確定我朋友的安全，並被合法的對待以前，我決不放棄偵查這事的眞象。無論你說什麼，我決不畏懼的。』那老頭兒忽然變得像惡魔一般可怕。我料想他大概要動手攻擊我了。我已說過，他是一個兇猛高大的人，我雖不是一個弱者，但萬一用武，我能否抵擋得住，的確是一個疑問。他那猙獰的眼睛向我怒視了一會，就轉身出去。我在這種狀況之下，只能依照著他指定的火車，一早就離開那宅屋子。然後我便寫信給你，要和你談一下，就直接到你這裡來，請求你的幫助，幫我解決這一個難題。」

這就是那來客所提出的問題。聰明的讀者大概已看出要解決這問題並不困難。因爲只有有限的幾種可能。不過這裡面也同樣有奇怪和值得注意之點，我把這事放進紀錄裡，應該不算太隨便。這時我就憑著我常用的方法推理，把這件事縮小到幾種可能的解釋。

我問道：「那屋子裡有幾個僕人？」陶特先生答道：「據我猜想，那裡只有老總管和他的妻子，他們的生活似乎很簡單。」「那麼，那外屋內沒有僕人嗎？」「沒有，只有那個有鬍子的人。不過他的模樣像是個上流社會的人。」「這一點很有意思。你看過有人從大屋子裡把食物運送到外屋去嗎？」「你提醒了我。我當眞曾瞧見老拉爾夫提了一隻籃子從園中的石徑上朝著那宅外屋的方向走去。不過當時我沒想到籃中藏的就是食物。」「你有沒有向當地附近的人家詢問過？」「我問過。我曾和火車站的站長談過，也曾向村中的旅館主人調查。我只問他們是否知道些關於我的老同伴哥福雷・恩施瓦斯的事。這兩個人都告訴我他已動身去環球旅行。不過他曾回來過一次，但是又立刻出發。可見他去旅行的說法很顯明地得到普遍的相信。」「你不曾向他們表示過你的懷疑嗎？」「完全沒有。」「這點做得很好。這件事的確有偵查的價值。我可以陪你一塊兒到都克培萊老莊園去。」「今天嗎？」

那時候我恰巧在處理我的朋友華生曾記載的「蹄痕輪跡」奇案，在這案中牽涉到霍特尼公爵，事情非常嚴重；同時我還接受了土耳其蘇丹的委託，偵察一件政治性的疑案，這件事也有馬上處理的必要，否則也許會造成嚴重的結果。因此，根據我的行事曆，直到下一個星期，我才抽空陪詹姆斯・陶特先生一同往貝德甫郡。當我們的車子經過伊斯頓區的時候，我又接了一個沈默嚴肅的紳士上車。這個人是我和他預先約好的。

我向陶特說道：「這是我的老朋友。他和我們一塊兒去，事實上也許是不需要的，可是從另一方面看，他的加入也許非常重要。不過目前我們還用不著討論到這個問題。」

從我的朋友華生所記的故事上，讀者們一定已熟悉，每逢案子在進行的時候，我是難得發表什麼廢話，或表示我的想法。那時陶特對此似有些詫異，但也不說什麼，於是我們三個人一路上便靜悄悄地。在火車上我曾向陶特提出了一二個問題，這些問題我是故意讓這位同車的同伴聽的。我問：「你不是說你曾在窗口瞧見你朋友的臉，而且瞧得非常清楚，讓你馬上認出是他？」陶特道：「一定就是他，絕沒有任何疑惑。他的鼻子貼在玻璃窗上，燈光照射在他的臉上。」「你想那人會不會是和他長得很像的人？」「不，不會的，一定是他。」「但你說他的面貌已改變了啊！」「那只是面貌的顏色改變罷了。他的臉色——唉，我該用什麼字眼形容呢？他的臉、身體就像魚肚白的顏色，又像是漂白的！」「整臉都同樣地白？」「我不太確定。我瞧見他的額角緊貼在玻璃上，所以這部分我瞧得特別清楚。」「你有叫他嗎？」「那時候我非常驚訝，來不及呼叫。後來，我從窗口追出去，卻沒有結果。後來的過程我都已經告訴你了。」

在我看來，這件案子差不多已完成了。不過還有一個小小的關卡須通過。我們經過了長時間的車程，便到了那宅我的委託人所描述過的古屋。那個爲我們開門的人就是老總管拉爾夫。我預先叫了一輛全天候待命的馬車，所以我請我那位老朋友留在車中。如果需要他時，我們再請他進去。拉爾夫是一個皮膚乾皺、身材矮小的老人，他穿著一件黑色的短外套，和一條雜色條紋的褲子，手上戴著一副棕色的皮手套。當他瞧見我們的時候，立刻將手套脫下，後來我們進入甬道，他隨手便將手套放在甬道中的桌子上。我的朋友華生一定曾提起過，我感官非常敏銳，就算很淺淡的異味，也逃不出我的嗅覺。這時，我聞到一種淡淡的氣味，從甬道桌子那邊飄過來。於是我轉身將我的帽子放在桌上，又故意讓帽子從桌面上掉落。於是我又彎下身子將帽子拾起，乘機湊近那手套。是的，那味道肯定是從手套上來的，這氣味好像是奇異的松脂臭味。我繼續前進到書房。老實說，我的案子已眞相大白了。此刻由我自己記述，便可以直接把我探索的關鍵透露出來。若由我的朋友華生記錄，往往會把重要的環節隱藏起來。因此，他寫到結束的時候，往往讓人覺得驚訝神奇。

恩施瓦斯上校並不在他的書房。但他一接到拉爾夫的通報，就立刻過來。我們聽到他用力又急促的腳步聲從甬道過來，突然，那房門被推開，他直衝進來。鬃毛似的鬍子、緊皺的眉毛，那種可怕的樣子，眞是難得一見。他手中拿著我們的名片，當面把名片撕成粉碎丟在地上，用腳踐踏著。

他咆哮著道：「你這下流的多事漢！我不是告訴過你，不許再到這屋子裡來嗎？我不願你這可憎的臉在這裡出現。你如果沒有經過我的允許再走進這屋子，那麼在我的屋子裡，我就有權用暴力對付你！先生，我要開槍打死你！天呀，我一定要如此！」他轉過來瞧著我。「先生，我同樣地警告你。我知道你那卑劣的職業，請把你的天份，到別的地方去發展，這地方用不著你！」我的委託人堅持地說道：「除非我聽到哥福雷親自告訴我，他沒有受到任何壓迫，否則我決不離開。」

我們那位蠻橫的主人用手按鈴，說道：「拉爾夫快打電話到警察局，請他們派兩個警察來。你告訴他，這屋子裡有盜匪闖進來。」

我說道：「等一等。陶特先生，你必須明瞭恩施瓦斯上校這樣的舉動是在他權力範圍之內，我們在法律上的確無權闖進他的屋子裡。不過從另一個角度看來，他應該很淸楚，你的舉動完全是顧念到他兒子獨居的寂寞。我希望我能被應許和恩施瓦斯上校作五分鐘的談話，我相信我能夠改變他對於這件事的態度。」

那老軍人大聲道：「我決不會這樣輕易改變的。拉爾夫，快照我的話辦！你爲什麼這樣呆睜睜等著？快打電話到警察局去！」

我把背貼住了門，接嘴道：「你決不能這樣做。這件事如果讓警察插手，那一定會造成你所害怕的不幸的結果。」我拿出我的記事本，在一張散頁上隨手寫了一個字，將紙交給恩施瓦斯上校。「我們就爲著這個字來的。」

他呆瞧著這紙上的字，一刹那間，他臉上的一切表情都消失，只剩下驚訝。他喘息著道：「你怎麼知道的？」他說完，便有氣無力地坐在他的椅子上。我答道：「我的專長就在知道事情，這就是我的職業。」

他坐著沈思。他用粗大的手指撫摸著他雜亂的鬍鬚。接著，他表現出一種屈服的態度，道：「你如果想瞧瞧哥福雷，可以的。這不是我的意思，那是你們強迫我如此的。拉爾夫，你去通知哥福雷先生和康德先生，五分鐘內，我們要到他們那邊去。」

五分鐘後，我們離開正屋，沿著那條園徑直到園徑盡端的那宅詭秘的屋子前面。那個身材矮小有鬍子的人站在門口，他的臉上露出一種非常詫異的表情。他說道：「恩施瓦斯上校，這眞是出於我的意料之外。這樣子會搗亂我們全部的計畫。」「康德先生，我也沒有辦法。我們是被迫如此的，哥福雷願意見我們嗎？」「可以的。他在裡面等著。」

他轉過身，領我們走進一間寬大而陳設簡單的客房。有一個人背向著壁爐站著。我的委託人一瞧見他，立刻張開兩手向前撲去，道：「唉，哥福雷，老友！見到你眞好！」但那少年揮手叫他退後，道：「詹姆斯，不要碰我！

快站遠些！是啊，你當然要驚訝了，我是不是已不像B字騎隊中的恩施瓦斯副隊長了？」

他的容貌當眞有些特殊。端正的五官加上非洲日光所曬黑的膚色，應該是很健美的。可是這時候他黝黑的臉上，卻跑出許多白色奇怪的斑點。

他說：「就是爲了這個，所以我不能見訪客。詹姆斯，我不怪你，但我實在不需要你的偵探朋友。我想你這樣子做，一定有充分的理由，不過你讓我很覺得難堪。」

我的委託人說道：「哥福雷，我要確知你是在完全安全的狀態中。那夜你到我的窗口來偷瞧的時候，我曾瞧見你。我覺得在把這件事弄明白以前，不能就此放棄。」「那夜老拉爾夫告訴我你在這裡，我覺得不能不悄悄地瞧你一瞧。我本希望你不會瞧見我，後來我聽見你在開窗，不得已，我便逃回這裡來了。」「但這究竟是怎麼一回事？」

哥福藍點燃了一枝煙，說道：「好，我告訴你。這故事並不是很長。你還記得在布佛斯普魯的戰事嗎？你一定知道我在那一次戰爭受了傷。」「正是，我聽說了這個消息，但我並不知道詳細情形。」

「我們有三個人和大隊分散了，因爲那裡道路非常縱橫錯亂。三個人中，一個是辛普森——就是我們叫他禿頭辛普森的——一個是安德森，還有一個是我。當時我們正在和布爾兵對戰。可是有一個布爾兵埋伏在我們後面，我們三個人都中了他的偷襲。我的兩個同伴都被打死，我的肩上也中了一發獵槍的子彈。但我仍抱著馬背，盡力退走。我的馬奮力狂奔，經過了好幾英哩，我才暈倒了，從馬鞍上滾落下來。我醒過來的時候，天已黑了。我勉強爬起來，覺得非常口渴，身體軟弱且疼痛。出我意外的，發現附近有一宅巨大的屋子。這屋子有許多窗。那時冷得厲害，你是知道的，那地方一到黃昏便寒氣逼人。這一種寒冷是異常難受的，和那種乾燥而舒爽的寒冷完全不相同。當時我覺得冷入骨髓，我唯一的希望就是能爬到那宅屋子裡去。我勉強站了起來，拖著極度虛弱的身子前進，自己也不知道怎樣走到的。此刻我還依稀記得，我緩緩地走上那屋子的石階，進了一扇打開的門，跨進一間大廳。廳上有好幾張床，我的身子立刻倒在一張床上，頓時感到很安慰。這床的被子並未鋪好，但我毫不在意，我隨手拿了一件衣服蓋在我顫抖的身體上。不久，我便睡著了。隔天早上，我醒來的時候，忽然覺得我不但沒有到一個清爽安全的環境，卻反像踏進了一個奇怪的惡魔世界。非洲炙熱的太陽從一個沒有窗簾的大窗口直射進來，清楚地照亮這一間空曠且刷白漆的大房間。我的前面站著一個矮小侏儒模樣的人，他的頭大得不合比例，像球莖似的。這人急切地說著荷蘭語，兩隻棕色海綿似變形而可怕的手在空中亂揮。在這矮人的背後，另有一大群人，都覺得很有趣似地旁觀著。但我朝這班人瞧時，猛覺一股寒氣直透我的背脊。這群人之中沒有一個完全健康的人。每一個人不是五官歪扭，就是肢體扭曲臃腫，或有其他奇怪的畸形病變，並且這些怪人所發出來的笑聲，聽了就讓人毛骨悚然。這幾個人沒有一個會說英語，我知道這種情形必須立刻解決，因爲那個大頭的矮子越說越忿怒，他一邊發出野獸似的吼叫，一邊用他畸形的手抓住我的肩，不顧我肩上的傷口還在流血，硬是把我從床上拖下來。這個小小的怪人竟像牛一樣有力。假使那時候那個老軍醫沒有聽見吼叫聲，到大廳裡來，我不知道這小怪物將會用什麼方式對待我。那老人用荷蘭話罵了幾句，那個壓迫我的矮子立刻退避。接著，老人轉過來瞧我，顯出極度的驚訝。他問：『你怎麼會到這裡來？啊，等一等！我看你已經很疲乏了，你肩上的傷也需要立刻處理。我是一個醫生，我可以馬上幫你包紮。可是你在這個地方，比在戰場上的危險更大。因爲你此刻是在麻瘋病院，你又睡過麻瘋病人的床！』詹姆斯，你現在明白了嗎？當時因爲戰爭，這群可憐的病人，都先被移送到別處去。後來英國軍隊進駐，這些病人才又被醫生運送回來。這醫生告訴我，他雖相信他自己決不會沾染上麻瘋病，但他也不敢有像我這樣的舉動。他把我安放在一間密室，很仔細地爲我治療。大約過了一個星期，我就被移送到普玏多利亞醫院。這就是我不幸事件的經過。我當時希望我或許能倖免這個危險，可是等我回到家裡以後，你現在所瞧見我臉上的可怕斑點，便都顯現出來了。因此，我才知道我終究逃不掉這危險的病。我怎麼辦呢？我只好住在這一宅靜僻的屋子裡，我有兩個可以信任的僕人，又有這樣一宅可以居住的屋子，我們請了這一位醫生——康德先生。他在保守秘密的誓約之下陪伴著我。這種安排是很簡單的，但另一種安排就很可怕了——和一群人被隔離開來，永遠沒有釋放的希望。而我現在這種孤立的生活，也需要絕對的保密。否則，即使在靜僻的鄉間，也會發生一些影響，到時候我不免就要被拖到可怕的地獄中了。詹姆斯，雖像你這樣的朋友，也不能不瞞著你。但現在我父親竟會公開地讓你進來，我實在覺得莫名其妙。」

恩施瓦斯上校用手指著我，道：「就是這一位先生強迫我的。」他把那張紙展開來。紙上寫著「麻瘋病」。「從這張紙條上，我知道他已知道眞相了。因此，我乾脆讓他明白全部的事實，也許更安全些。」

我答道：「是啊。你讓我知道了這事，怎知道不會有好結果呢？我聽說只有這位康德醫生瞧過這個病人。先生，如果你是這種病症的專家，請問這種病的性質屬於熱帶病？或亞熱帶病？」那人冷冰冰地說道：「我只是一個受普通知識訓練的醫生。」

「先生，我肯定你是有專業能力的。但我更肯定像這樣一種病症，會有聽取第二個人意見的價值。我知道你們之所以沒有這麼做，就是怕其他的醫生會強制你們隔離病人。」

恩施瓦斯上校說道：「正因爲如此。」我道：「我早料到這種情形，所以我帶了一個朋友來。他守秘的功夫是絕對可以信任的，我從前曾幫過他，此刻他是以朋友的身分，而不是以專家的態度來看病人。他的姓名就是詹姆斯・桑特斯爵勳。」

這時康德先生臉上所表現出的神情，就像一般百姓因爲可以和貴族會晤，而露出一種意外的驚喜和愉快。他喃喃地說道：「我眞是太榮幸了。」

「那麼，我去請桑特斯爵士進來，他此刻還在門口的車子裡。恩施瓦斯上校，我們到你書房去會合，我再向你進一步說明。」

在這時候，我又想起我的朋友華生了。他靠一些聰明的問題和驚異的讚嘆，常能把我憑普通常識做到的簡單技術，寫成一篇驚人的故事。但當我敍述自己的故事時，就缺少這樣的助力。不過還好我在恩施瓦斯上校書房的時候，連哥福雷的母親在內，只有少數聽衆，於是我把整個思想的過程，逐步地發表出來。

我說道：「我的思考歷程，出發於幾種可能的假設。假設要成立，就得先將一切不可能的情形排除，然後再從剩下的幾點逐條研究它的可能性。也許剩下來有可能性的解釋不止一種，那就需要把每一種解釋加以驗證，等到找出了一種可能性較大的假設，那才能有達到目的的希望。在這件案子上，就是利用這個原則。起初我聽到這位少年紳士被幽閉在他父親舊宅的外屋時，便成立了三種可能的解釋：第一，他或許犯了罪，故意隱避。第二，他也許已瘋了，他的家人卻不願讓他進瘋人院。第三，他或許有什麼疾病，必須和平常人隔離。除此以外，我想不出其他合理的解釋：第二步，我就把這三種假設加以推想和估量。犯罪的假設似不能成立，因爲在這附近並沒有聽到什麼沒有破獲的懸案，這一點我是很淸楚的。假使有什麼罪案還沒有發現，那麼，他的家人爲了全家的利益著想，一定會把這犯人送到外面去躲避，決不會藏匿在自己家裡。所以經過了一番考慮以後，第一種解釋便不能成立。發瘋的假設，似乎比較近情些。外屋有一個看守的人，這看守人從外屋出來的時候，曾將門鎖好，這舉動足以證明的確是將這少年拘禁著。因此在我的第二個假設上增加了不少可能性。可是從另一方面看，拘禁這一件事似乎又不怎樣嚴格。否則，這少年決不能自由行動，到外面來偷瞧他的朋友。陶特先生，你還記得當時我提出一個問題問你，康德先生讀的是那一種報紙。假使你瞧見那報紙是某種英國醫學雜誌，或其他醫學報，那就可以給我一條明顯的線索。可是一個瘋狂的人，如果有一個正常人陪同住在一間靜僻的屋子裡，同時正式通告地方當局，就不算違法。那麼，他們爲什麼要這樣子嚴格守秘呢？所以，我又覺得第二種假設不能完全和事實符合了；現在只剩第三種可能的解釋，這解釋雖然比較不近情理，可是一切線索卻都符合。麻瘋病在南非本來就很普遍。這少年或許因爲某種特殊的緣故，沾染了這病。他家人如果不希望他被禁錮到隔離病院裡去，其實是非常困難。所以他們自然需嚴格守秘，以免走漏風聲，被其他人知道。至於陪伴病人，只要付一筆相當的報酬，招請一個醫生，事實上也容易辦。且這病人在夜間可以自由進出，這也和假設相符，在皮膚上發現白色斑點也是這種病的普遍特徵，因此我認爲第三種假設可能性最大。我就決定要驗證一下，以便得到事實的證明。當我到這屋子的時候，我瞧見那個爲這少年送飯食的拉爾夫戴著一副手套，手套上有殺菌藥的臭味。於是我最後的疑團也完全消釋了。先生，我當時寫了一個字給你，就是告訴你這秘密已經被我發現。至於我何以用筆寫而不用嘴說的緣故，目的在使你明瞭，我並不是專誠來給你搗亂的。」

我把這案子的經過解釋完畢的時候，書房的門忽然開了。那皮膚病專家桑特斯爵士被引進來，他冷冰冰的臉這時露出和藹的神色。他走到恩施瓦斯上校面前，握了他的手。說道：

「我是常把壞消息帶給人家的人，但這一次卻是例外。這並不是麻瘋病。」「什麼？」

「這是一種形似麻瘋病的鱗癬病。皮膚上有類似鱗片的現象，肉眼卻瞧不出來。這病很頑強，但有治療的可能，而且絕對不會傳染。福爾摩斯先生，這眞是巧合。但可說是巧合嗎？難道沒有不可知的因素在其中嗎？這少年自從接觸了麻瘋病人以後，便產生一種恐懼的心理，這心理作用影響了他，於是便產生極像麻瘋病的症狀。無論如何，我敢以我職業上的信用擔保，這絕對不是麻瘋病——唉，那位太太暈倒了！我想康德先生最好去照料她，讓她從這快樂的驚變中甦醒過來。」

三角屋(原名 The Three Gables)

回憶參與福爾摩斯經歷的許多案件，其中似乎沒有一件像我參加的這一件「三角屋」，開始時那麼奇怪而富戲劇性。我已好一段時間沒有見到福爾摩斯，不知道他近來有什麼新的活動。那天早上，他頗健談。他請我坐到那張在火爐旁邊低矮而被磨蝕的安樂椅上，他自己也啣著煙斗在對面椅子上坐下。這時我們的客人來了，假使我說有一隻蠻牛進來了，也許更容易讓人更明瞭當時的景象。

門突然被打開。有一個魁梧的黑人直衝進來。假使他的神情不是那樣可怕，他倒可算是一個滑稽的人物，因爲他穿著一身窄小的深灰色西裝，和一條黃色的領帶。他有寬闊的臉兒和一個朝天鼻。他含怒而深黑的眼睛露出兇光，並不斷地朝我們倆瞧來瞧去，問道：「你們那一個是福爾摩斯？」

福爾摩斯拿起了他的煙斗，懶洋洋地笑了一笑。那位來客忽變得神祕兮兮，悄悄地繞過桌角走過來，道：「是你？福爾摩斯先生，你聽著，你不要去干涉別人的事，別人的事，讓他們自己去幹。福爾摩斯先生，你聽懂了嗎？」

福爾摩斯說道：「你說下去，怪有趣的。」

那野蠻人咆哮地說道：「有趣！是不是？給你點顏色瞧瞧，你就不會覺得怎樣有趣了！從前我曾對付過像你這樣的人，他們嘗到我的厲害以後，便不覺得怎樣有趣了。福爾摩斯先生，你最好記著！」他伸出一個粗大的拳頭到我朋友的鼻子底下晃動。福爾摩斯露出一種很專注的表情，仔仔細細地看著這拳頭，問道：「你是天生如此？還是慢慢練成這樣子的？」

或許是我的朋友的冰冷態度，或許是因爲我把撥火棒拿起來時發出了些聲音，無論如何，我們這位來客的態度，已不像之前那麼橫暴了。

他說道：「好，反正我已經慎重地警告過你了。我有一個朋友對『哈羅事件』很有興趣——你應該懂我的意思——他希望你不要插手攪和。明白嗎？你不是執法的人，我也不是執法的人，但假使你多管閒事，那我就不客氣了。你不要忘記這些話。」

福爾摩斯說道：「我早就想見見你了。我沒請你坐下來，因爲我實在不喜歡你身上的臭味。你是不是拳擊手史蒂夫・狄克西？」「這就是我的名字。但你如果再說話這麼不客氣，那你一定會吃苦！」

福爾摩斯瞧著那來客可怕的嘴，說道：「有一件事應該是你最擔心的了。有一個少年柏根史在荷爾蓬酒店被殺——怎麼？你要走了？」

那黑人忽然向後倒退，他的臉色鐵灰，說道：「我不想聽這些話。福爾摩斯先生，那柏根史與我有什麼關係？那孩子遇害的時候，我正在伯明罕拳場裡受訓。」

福爾摩斯說道：「是的，你可以用這樣的話告訴法官。我一直注意著你和巴瑞・史託考爾……」「我的天啊！福爾摩斯先生……」「夠了，夠了，你出去吧！我需要你的時候，自然會找你。」「福爾摩斯先生，再見。我希望這一次的拜訪，不會破壞我們之間的感情？」「這很難說，除非你能告訴我，是什麼人派你來的。」「福爾摩斯先生，這一點並不是祕密。派我來的人，就是你剛才提起的人啊！」「那麼，什麼人指使他派你來的呢？」「上帝保佑！福爾摩斯先生，我不知道。他只說：『史蒂夫，你去警告福爾摩斯，假使他要到哈羅去干涉那件事，他的性命就不保。』這就是全部的實情。」

那來客不再等其他的問題，便像進來時一般匆忙地奔出去了。福爾摩斯拍去了他煙斗中的煙灰，乾咳了一聲，道：「華生，我很高興你沒有擊碎他羊毛似的鬈髮頭——我已瞧到你想用那根撥火棒。但他其實是一個不足畏懼的人，他只是一個有渾身肌肉又愛咆哮的傻子。而且他非常容易被懾服的——剛才你已經瞧見了。他是司本瑟·約翰犯罪集團裡的一個黨員，近來他參加那些犯法工作。我本來就決定一有空閒，就解決他們。他的首領名叫巴瑞，是一個狡猾的人。他們專門幹些襲擊威嚇等等的工作。現在我所要知道的，就是這件事情是什麼人在幕後指使。」

「但他們爲什麼要恐嚇你？」「爲了哈羅的威爾特地方那件案子。這裡面竟有人肯這樣子費心費力，表示一定有什麼內幕。」

「這是件什麼事？」「我早就想告訴你了，不料又穿插了這一幕喜劇。這裡有一封曼勃萊太太的信。如果你願意和我一塊兒去，我們就拍一個電報給她，立刻動身。」

那信上寫道：

「親愛的歇洛克·福爾摩斯先生：近來我所住的房子連續地發生幾件奇怪的事，所以我想請求你的指導。明天任何時間，你都可以到我家來見我。我的屋子距離威爾特車站不遠。我已故的丈夫毛廸麥·曼勃萊是你從前的委託人。——瑪麗·曼勃萊啓」

信封的地址，寫的是哈羅威爾特，三角屋。

福爾摩斯說道：「現在你都明白了。華生，假使你願意，我們可以馬上出發。」

經過了一段短途的火車和馬車的路程，我們便到了那宅屋子。那是一宅磚木合建的小別墅，聳峙在一塊未開墾的草地中間。樓窗的上面，突出三個尖牆，這便是這屋子名字的由來。屋子後面有一叢陰鬱的松樹，所以這屋子顯得非常安靜可怕。雖然如此，我們卻發現屋子裡面佈置得非常精美。那個招待我們的婦人，也是一個很有修養的老年人。

福爾摩斯說道：「夫人，我對你丈夫的印象還很深刻。不過當時他委託我的時間，距離現在已好幾年了。」「也許你對於我兒子道格拉斯的名字，更熟悉吧？」

福爾摩斯十分注意地向她瞧著，道：「哎呀！你就是道格拉斯．曼勃萊的母親嗎？我跟他有一面之緣。全倫敦誰不知道他呢？他是一個英俊的男子啊！他此刻在什麼地方？」「福爾摩斯先生，他已死了！他是駐羅馬大使館的領事，上個月患了肺炎死在羅馬。」

「唉，太可惜。像他這樣的人，誰也不會把『死』字和他聯想在一起。我從沒有瞧見過像他這樣活潑，精力如此旺盛的人！」

「福爾摩斯先生，他是太活躍了！這就是他的死因！他本來是一個溫文敏慧的人，可是他後來竟變成了一個急躁、嚴酷、易怒的人。他的心性大變，在一個月內，我勇健的兒子，突然地變成了一個意志消沈的暴戾漢。」

「為了感情的事──一個女子嗎？」「你應說是一個妖魔！唉，福爾摩斯先生，不過我此刻請你到這裡來，並不是要和你討論我孩子的事。」「好，華生醫生和我已準備好聽你吩咐。」

「這裡發生了幾件奇怪的事情。我住在這屋子已經一年多了，我很想過一種隱居的生活，所以平日毫不和我的鄰居們來往。三天前，有一個自稱是房屋仲介的經理，到這裡來見我。他說這宅屋子恰巧適合他的一個主顧的意思，只要我願意把這屋子出讓，花多少錢都無所謂。我覺得非常奇怪，因爲市上有不少空屋，儘可和這宅屋子同樣適用，怎麼偏偏選中了這宅？但當時我對於他的話非常有興趣，因此我說了一個價錢，這索價比我購進時增加了五百鎊。他對於我的要價立刻接受了，但他又說他的委託人也想買我屋子裡的家具，叫我也說一個數目。你可以瞧見，這屋子裡的家具都是從我的老家傳下來的，都很精緻，所以我也索取了一筆很高的數目，那人對於這個數目也同樣立刻答應了。我一直希望能作一趟環球旅行。現在交易既然這麼圓滿，料想我以後的生活，一定可以安樂自由了。昨天這個人又來，並帶了一張寫好的合同，幸好在簽字以前，我把這合同拿給沙德魯先生瞧——他是我的律師，也住在哈羅。他對我說：『這合同非常奇怪。如果簽了這合同，在法律上你便不能把任何東西帶出來——就是私人的東西，也包括在內嗎？』到了黃昏，那經理人再來的時候，我把這一點指給他瞧。我告訴他，我的意思只出賣屋子裡的傢俱。他說道：『不，不，一切東西都包括在裡面。』我道：『但我的衣服呢？我的首飾呢？』他道：『好，好，對於你個人的東西，可以有一些讓步。但所有東西在未加檢查以前，不能拿出去。我的委託人是一個很慷慨的人，但他有他特別的脾氣，一切事情須照他的意思辨。他是要購買一切的，否則什麼都不要了。』我說道：『那麼，就什麼都不要吧！』我和他的交易就這樣決裂了。但這件事情，仔細想來，覺得非常奇怪。因此，我想到……」

這時候我們忽被一個意外阻擾，福爾摩斯舉起了手，暗示我們暫時安靜。接著，他站起來，穿過了這間客廳，突然把門拉開。用手捉住了一個高大婦人的肩膀，並把她拉到裡面。那婦人奮命地掙扎，嘴裡不停地亂嚷，好像一隻難看的大雞，從雞籠裡被捉出來亂叫的樣子。她大聲道：「快放了我！你要幹什麼？」那夫人問道：「沙姍，什麼事呀？」她道：「唉，夫人，我剛到這裡，想來問問這兩位客人，要不要在這裡進午膳，這個人卻突然地跳出來把我拉住。」福爾摩斯接口道：「五分鐘前我早已聽到她的聲音，不過我不願意阻斷你的有趣故事，所以才延擱著。沙姍，你是不是有些兒哮喘病？你怎麼幹這樣的工作，你的呼吸不應太急促啊！」

沙姍轉過來瞧著捉她進來的人，臉上充滿了又惱怒又驚訝的表情：道：「你是誰？你有什麼權力，竟敢把我這樣子拖進來？」福爾摩斯道：「我只想當著你的面，問一個問題。曼勃萊太太，你可曾向任何人說過，你要寫信給我，請我幫忙？」「福爾摩斯先生，沒有。我不曾向任何人提起。」「誰幫你寄那封信給我的？」「沙姍寄的。」「這就對了。沙姍，現在你告訴我，你曾寫信或通消息給誰，告訴他們你的女主人要請我幫忙？」「胡說！我不曾通什麼消息。」「沙姍，你須知患哮喘病的人，也許活不長久，而說謊話這一件壞事，會讓你更短命。你究竟告訴了誰？」

她的女主人大聲道：「沙姍，你這個壞女人！我想起來了，那天我看見你隔著籬笆和什麼人說話。」那婦人忿忿地答道：「那是我自己的事。」

福爾摩斯說道：「我想那個和你談話的人，就是巴瑞．史託考爾吧！」她道：「你既然知道，爲什麼還要問我？」「我本來不確定，現在我知道了。沙姍，你若能告訴我誰是巴瑞背後的指使人，那我可以給你十鎊酬勞。」「那個人可以在你所給的十鎊再加上一千鎊！」「那麼，他是一個富翁？不，你在笑了——那她定是一個富有的婦人。此刻我已大致知道了，你不如索性把名字說了出來，賺了這十鎊吧。」「你不要做夢！」「唉，沙姍，你還是知趣些吧。」「我要離開這裡了。我已受夠了你們的欺侮，明天我會派人來拿我的行李。」她從房門奔出去。

「再會，沙姍。眞抱歉，我想你一定需要些鎭定劑。」他等到那惱怒的僕婦走出去，室門關上以後，他的嘻笑的神情，立刻變得非常嚴肅。他繼續道：「唉，這歹徒花樣眞多，動作眞快，他們在這件事上辦得如此緊湊。你寫給我的信封上蓋著晚上十時的郵戳，在這短時間中，沙姍竟趕得及通知巴瑞，又趕到他的主使人那邊去接受命令，他或她——我記得沙姍認爲我猜錯了，曾嘻笑一下，所以『她』會比較近情——又計劃了一種應付方法，於是那黑人史蒂夫便奉命執行。到了隔天早晨十一點鐘，我便接到了不許干涉的警告，你想他們的動作眞是多麼敏捷啊！」

女主人問：「但他們這樣子做，究竟有什麼目的呢？」福爾摩斯道：「是啊，這就是眼前要查究的問題。這屋子在你購買以前，屬於什麼人的？」「一個名叫福凱森的退休的海船船主。」「這個人有什麼特點嗎？」「我沒有聽過。」

「我懷疑這人或許曾埋藏著什麼東西。當然，在現在的時代，人們要藏寶物，儘可寄存到郵政保管庫裡。但不通事理的瘋子，依舊是有的，世界上如果少了這種瘋人，也許要變得枯燥無味了。起初我就想到或許有什麼寶物埋藏在這屋子裡，但假使如此，他們爲什麼還要你的傢俱？你不會是有什麼拉斐爾的名畫，或莎士比亞的初版大作，而你自己卻不知道？」「不，我相信除了那一套有皇冠章的茶具以外，便沒有任何稀有的東西了。」「這個還不足解釋這個疑問。他們爲什麼不公然說明他們所希望的東西呢？假使他們看中了你的茶具，他們可以出價向你購買，用不著購買你一切雜物傢俱，所以一定不是的。據我看來，你一定有什麼你所不知道的東西，並且如果你知道以後，你就一定不肯出賣的。」

我從旁接口道：「我也是這樣子想。」福爾摩斯道：「華生也同意，所以重點就出來了。」女主人道：「那麼，福爾摩斯先生，究竟是爲了什麼東西呢？」「我們一起來想一想。我們或許能從純粹的思考分析，得到更仔細的線索。你住在這屋子裡已一年了？」「將近兩年。」「那更好。在這段時間內，並沒有人向你要任何東西，現在忽然在三四天內，有人向你購買全部的東西。從這一點上，你能推想出什麼？」

我又說道：「這只能解釋這個不知是什麼的東西，在最近才剛進到這屋子裡來。」福爾摩斯道：「就是這樣子了。曼勃萊太太，最近可有什麼新東西拿進這屋子裡來？」「沒有。今年我不曾購買什麼新的東西。」「當眞！這倒奇怪了。好，我想我們不如暫且擱一擱，等這件事情明朗一點，好讓我們可以得到更充足的資料。你的律師是一個幹練的人嗎？」「沙德魯先生是一個非常能幹的人。」「你還有其他的傭人？或者只有沙姍一個人？」「我還有一個年輕的女僕。」「你應請沙德魯在這屋子裡住個一兩夜，你也許需要相當的保護。」「防備什麼人？」「誰知道呢？這件事非常神祕含糊。假使我不能查明他們所需要的東西，那我應該從另一方面進行，以便查明那個主使人。這個房屋仲介經理可曾留下地址？」「只有他的名片和職業。海納司·強生，拍賣商兼估價商。」「我相信從人名錄上查不到他。誠實的商人，不會掩藏他的公司地址的。好，如果有什麼新發現馬上通知我。我已接受你這件案子，你可以信任我，我一定會把這案子徹查明白。」

當我們從客廳出來的時候，福爾摩斯那敏銳的眼睛，忽然注視在壁角裡堆著的幾個箱子上面，箱子上都黏著標籤。他唸道：「『米蘭』、『盧賽思』，這些都是從意大利來的？」女主人道：「正是，這些東西就是可憐的陶格勒斯的。」「你尚未打開嗎？這些東西到多久了？」「上星期才到。」「但你剛才說——唉，這也許就是一個沒有想到的環節。我們怎知這裡面沒有值錢的東西呢？」「福爾摩斯先生，那是決不會有的。可憐的道格拉斯，只有他的月薪和少數年金，他怎會有值錢的東西呢？」

福爾摩斯出神似地沈默了一會兒，他才道：「曼勃萊太太，現在不要耽擱，你快把這些箱子拿到你樓上的臥室，打開來瞧瞧裡面究竟有什麼東西。明天我再來聽你的報告。」

這宅三角屋很明顯地受到嚴密的監視。因爲當我們走出來繞過高籬以後，我瞧見那個打拳的黑人，站在轉角的陰暗處。我們突然見到他，眞是出乎意外。在這偏僻的地方，他的模樣兒越發兇獰可怕。福爾摩斯用手拍拍他自己的口袋，那黑人問道：「福爾摩斯先生，你在掏你的手槍嗎？」福爾摩斯答道：「史蒂夫，不是。我要找我的鼻煙壺。」「福爾摩斯先生，你怪有趣的。對不對？」「史蒂夫，假使我開始注意你，你就不會覺得多麼有趣了。今天早上我已給過你一次嚴重的警告。」「福爾摩斯先生，我已把你所說的話想過一遍，但現在我不願意再談柏根史先生的事。福爾摩斯先生，有什麼我能爲你做的，儘管說，我一定盡力。」「那麼，你告訴我，什麼人是這件事情幕後的支使人？」「上帝幫助我！福爾摩斯先生，我之前告訴你的就是實話。我不知道！是我的大哥巴瑞給我這個命令，這就是我所知道的全部事實。」「好，史蒂夫。現在你記在心裡。這屋子裡的那位太太和屋中的一切東西，此刻都在我的保護之下。你不要忘掉才好。」「好，福爾摩斯先生，我一定記得。」

當我們繼續前進的時候，福爾摩斯向我說道：「華生，我捉住他的把柄，已將他完全懾伏了。我想假使他知道那個出錢雇用他的是誰，他一定會反而去脅詐那人的。但是太巧了，我知道些關於司本瑟·約翰犯罪集團的事，又知道史蒂夫就是其中的一個。華生，我看這件事情必須去請教藍特·派克，我現在就去見他。等我回來的時候，對於這件事的眞相，一定可以更明瞭些了。」

這一天我不曾再瞧見到福爾摩斯，但我可

以想像到他度過這一天的方法。因爲那個藍特·派克彷彿是他的一本活動參考書，對於社會上一切的流言和傳說，這個人總會知道。這個奇怪的懶漢，把他整天的光陰消磨在聖詹姆斯大街的一家俱樂部。他對於倫敦的一切風傳，彷彿是一個接收和拍發的電台。據說他的四位數的收入，就靠他寫些珍聞軼事，寄到那些專載小道消息的報社。不管混亂的倫敦社會的深處，發生了什麼奇怪的伏流或潛渦，都會一五一十地被披露出來。福爾摩斯在智識方面不時指導他，有時候也獲得他的幫助。

隔天早上，我在他的房間遇見他。我從他的表情猜測，似乎一切都進行得很順利，卻不料來了一個意外的驚耗。傳來一張電報：

「請立刻來。委託人的屋子，昨夜被盜。此刻由警察把守著。——沙德魯」

福爾摩斯吹著口哨。他說道：「這一幕戲已演到最高潮了，發展的快速眞出乎我的意料。這件事情的背後，一定有龐大的勢力支持。華生，現在從我所搜集的線索上看來，這情形並不會讓我怎樣驚訝。這個沙德魯是她的律師，我想我昨夜裡沒有請你留在那邊過夜防衛，實在是我的過失，此刻已證明這位律師是一個無用人物。現在沒有其它的辦法，我們只有再到哈羅威爾特去一趟。」

我們瞧見三角屋已和原本那種安靜的狀況大不相同了。一小群閒漢圍集在花園門口，兩個警察正在查驗窗口和天竺葵花圃。到了屋子裡面，我們遇見一個灰髮的老年紳士，他自己介紹是一個律師。還有一個忙碌的紅臉警探，像老友一般地和福爾摩斯招呼。

「唉，福爾摩斯先生，我想，這回你恐怕

沒有大展長才的機會。這是一件平凡的盜案，在老弱警察們的能力之內，一定可以辦得了，這件事實在用不到專家。」

福爾摩斯說道：「我相信這案子已交託在能幹的人才的手裡。你說這是一件普通盜案？」「對，我們已經知道這案子是什麼人幹的，也知道到什麼地方去找他們。他們曾在這附近被人瞧見過。」「好！他們拿走了什麼東西？」「看起來他們並不曾拿去多少。曼勃萊太太曾被麻醉藥迷倒，這屋子又被——唉，曼勃萊太太來了。」

我瞧見昨天的那位女主人，已緩緩兒走進來。她由一個女僕攙扶著，臉色灰白而有病容。勉強帶著微笑說道：「福爾摩斯先生，昨天你給我很好的忠告，可惜我卻沒有接受。我不願去驚擾沙德魯先生，所以我昨夜裡毫無防衛。」

那律師解釋道：「今天早上我才聽到這事的消息。」女主人說道：「福爾摩斯先生勸我請一個朋友在屋子裡保護，我忽視了他的忠告，就付出了這樣的代價。」

福爾摩斯說道：「你的臉色十分難看。你還能把經過的過程告訴我嗎？」那警探拍著一本厚厚的記事簿，說道：「都在這裡。」「雖然——假使這位夫人不會太疲累，我想她自己……」女主人道：「其實沒有什麼話可以報告。我確信刁惡的沙姍，事先計劃好把他們放進來的。這班人對於這屋子內部的一呎一吋都很熟悉。當我被氯仿棉布塞在嘴上時，我的意識只保持一霎那的清醒。接著我不知道我失去知覺究竟有多久。當我醒過來時，我瞧見有一個人站在我的床邊，另一個人正站起來，手拿著從我兒子行李中拿出一卷紙。這一卷紙有一部分散著，遺落在地板上面。我在他走出去以前，跳起來捉住他。」那警署警探說道：「你冒了一次大險。」女主人續道：「我拉住他，但他用力掙脫。那另一個人或許又攻擊了我，因爲後來，我又什麼都不記得了。那小女僕梅里聽到聲音，便在窗口喊叫。這喊叫聲才把警察們叫進來，但強盜們已逃走了。」

福爾摩斯問道：「他們拿走什麼東西？」女主人道：「我想不見得有什麼值錢的東西，我確信我兒子的箱子裡沒有什麼寶物。」「這班人沒有留下什麼線索嗎？」「有一張紙，我從那人的手裡撕下來的。這紙團皺了留在地板上，紙上是我兒子的筆跡。」那警官說道：「這個就沒有多大用處了。假使這是那強盜的筆跡……」福爾摩斯接嘴道：「是啊，這話表現你有充分的常識！雖然如此，我卻仍願意瞧一瞧。」

那警官從他的紀事簿裡抽出一張摺疊的信箋。他帶著誇張的語氣，說道：「無論怎樣細小的東西，我從來都沒有放棄。福爾摩斯先生，這是我對你的忠告。二十五年的經驗，已使我獲得了很好的教訓。這些東西上往往可以找到指紋一類的痕跡的。」福爾摩斯察驗那一張紙，問道：「警官，你看這東西有什麼特殊意義？」「據我看來，好像是一節什麼奇怪小說的結局。」

福爾摩斯說道：「這當然是一本奇怪小說稿的結局部分。你瞧那紙上面的編號，這頁是二百四十五，但還有二百四十四張到那裡去了呢？」「我想已被強盜們拿去了，我希望他們拿去了能有大的用處！」「他們闖進人家的屋子，只爲了偷這些紙，這太奇怪了。警官，這一點可以給你什麼暗示?」「有的,先生。這一點告訴我,這班流氓在匆忙之中,便把離手邊最近的東西抓了去。我希望他們會慶賀他們所得到的東西。」

曼勃萊太太問道:「他們爲什麼要搜我兒子的東西呢?」那警官答道:「唉,他們在樓下找不到值錢的東西,便到樓上來碰碰運氣。這是我所推測的。福爾摩斯先生,你認爲呢?」

「警官,我還得考慮一下。華生,你到窗口來。」於是我們站在一起。他讀著那張碎紙,紙上的字句,是從中段開始的。

「……臉上流了好多血,都是從割傷和擊碎的傷口流出來的,但比起他內心流的血,這實在不算什麼。他瞧見那可愛的臉——他爲了這張臉,準備犧牲他的生命——正在瞧他的呻吟。她微笑著——正是,天啊!她在笑了!當他抬起頭瞧她的時候,她竟像一個殘忍的妖魔。就在這個時候,愛情死亡了,怨恨產生了。男子的生存,總是希望有什麼目標。我的愛人,假使我不能得到你的擁抱,那我自然展開充分的復仇!」

福爾摩斯把那張紙交還給警官時,臉上帶著微笑,說道:「這紙上的文法很奇怪。你有沒有注意到那個『他』字,忽然變成『我』?作者的意識,被他自己的故事控制,所以到了這小說的結局,他便自認是書中的主角了。」

那警官一邊將那張紙放在記事簿裡,一邊答道:「這東西寫得非常拙劣。什麼,福爾摩斯先生,你要走了?」「我想這件案子既然在這樣高明的人的手裡,已用不著我在這裡參與了。我想到了,曼勃萊太太,你是不是說過你想作一次環球旅行?」「福爾摩斯先生,這是我多年來的夢想。」「你想到那裡去——開羅？馬德拉群島？還是里維埃拉？」「唉，假使我有錢，我願意作一次全世界的旅行。」「對！作一次全世界的旅行。好，今天黃昏我會給你一封信。再見！」當我們走過那窗口時，我瞥見那警官的臉上露著微笑，且搖著頭。我揣度那微笑的含意，彷彿說：「這些聰明人，往往有些兒瘋狂。」

我們回到了喧鬧的倫敦中心，福爾摩斯向我說道：「華生，這件事將要告一段落了。我想最好立刻就著手，如果你能和我一塊兒去更好。因爲要和伊賽道萊·克琳這樣的婦人交涉，有一個證人在旁邊更穩妥些。」

我們上了一輛街車，迅速地朝葛洛史文諾廣場駛去。福爾摩斯先生沈迷在默想之中，但一會兒他忽然抬起頭來，道：「華生，我猜你對於這件案子已完全明白了？」「不，我不敢說我已完全明白。我只知道我們此刻要去會晤的一位婦人，就是這事情的幕後指使人。」

「一點也沒錯。但伊賽道萊·克琳的名字，難道不能給你什麼暗示嗎？她就是那個盛名的美女，沒有一個女子可以和她比擬。她是純粹的西班牙人，秉承著康克施丹迪貴族的血統——她的家族在巴西伯南布哥當了好幾代的領袖了。她嫁給年老的德國糖業大王克琳，不久她便做了全世界最富有又最可愛的寡婦。後來她自由自在地度過了一段浪漫時光。她有好幾個戀人，那個倫敦市中最英俊瀟灑的少年道格斯斯·曼勃萊，就是她的戀人之一。但這少年把這些浪漫舉動看得太認眞了，他不是社交場中的浪子，而是一個意志堅強有自尊心的少年。他付出了什麼，便期望收穫什麼。可是這婦人卻是小說中隨處結緣的交際花，等到她的慾望滿足以後，一切便都結束了。到那時候，假使對方還不能領會她的遊戲規則，她自然也有方法應付他。」「那麼，那稿子寫的內容，就是他自己的故事……」

「唉！現在你終於瞭解了。我聽說她要嫁給年輕的洛蒙特公爵，公爵的年齡儘可以做她的兒子了。那公爵的母親，雖也不介意年齡這一點，但假使外面發生了什麼流言，那對她的婚事不免有些危險，所以這件事非常嚴重——我們已到了。」

那屋子在路的轉角上，可算是倫敦西部最美麗的一宅。有一個機器人一樣呆板的僕人，把我們的名片拿進去。一會兒，他回來報告那貴婦人不在裡面。福爾摩斯很高興地說道：「那麼，我們可以在這裡等她回來。」那冷酷的僕人有些兒發窘，道：「不在家的話，只是對你說的。」福爾摩斯答道：「好，這樣，我們就不必等了。請你把這條子送給女主人。」

他從記事簿上撕下了一頁，寫了幾個字，摺好了交給那僕人。我問道：「福爾摩斯，你在那紙上寫些什麼？」「我只寫了『那麼，你要我們叫警察來嗎？』一句話。我想這紙條可以做我們的通行證了。」

這紙條眞有效，而且見效得非常迅速。一分鐘後，我們已進了一間像天方夜譚中所描寫的客廳。這客廳寬敞而布置華麗，有一盞淺紅的電燈，發出暗淡的光線。我覺得那女主人已到了需要暗光的時候了。因爲無論怎樣美麗的女子，到了某一個年齡，都會比較偏好暗淡的光線。我們走進去時，她從一張長椅上站起身來。她身材高䠷接近完美，皇后般的氣質，可我們向門口走去，還沒有走到一半，她忽走過來阻止我們，拉住了福爾摩斯的手臂。一霎那間，她鋼鐵似的態度，已變成綿絨般了。

「先生們，來，請坐。我們該把這件事談一談。福爾摩斯先生，我覺得我應和你開誠布公，你有一種上流紳士的風度。女人也都有馬上瞭解這種情形的本能。我想，我可以將你當做朋友看待。」

「夫人，我卻不能保證也能這樣對待你。我不是執法的人，但憑著我微薄的能力，卻願意代表著公道。現在先聽聽你的說法，然後我再告訴你，我將怎樣處置。」「我想恐嚇像你這樣一個勇敢的人，那無疑地是我的錯誤。」

「夫人，你眞正的錯誤，是你把你自己交在這一群流氓的手裡。這班人儘可以脅詐你或出賣你。」

愛而像面具似的臉。她用那兩隻妖媚的西班牙眼睛，向我們瞧著，彷彿帶著殺氣。

她拿起了那紙條，問道：「你們這樣子貿貿失失跑來，且寫了這張侮辱的紙條，究竟有什麼意思？」福爾摩斯道：「夫人，我想用不著我解釋，我相信你的聰明一定已能瞭解。不過我也承認，最近，人們的智力往往會有驚人的誤用。」「先生，這話怎講？」「就是你竟雇用了那些蠻牛，想嚇退我不要干涉。但你須知道，假使一個人沒有冒險的嗜好，那就決不會幹我這樣的職業。所以我會願意偵辦曼勃萊少年的案子，實際上是你逼迫我如此。」「你說些什麼，我完全不懂。我爲什麼要僱用流氓呢？」

福爾摩斯懶洋洋地轉頭，道：「是的，我低估你的智力了。好，再見。」「且慢，你到那裡去？」「蘇格蘭警場。」

「不，不，我不致於這樣愚蠢。我既已答應誠實以對。我可以告訴你，除了巴瑞史託考爾和他的妻子沙姍以外，沒有其他的人知道誰是他們的僱主。至於這夫婦二人，也不是第一次……」她微笑著點點頭，露出一種嫵媚俏皮的姿態。

福爾摩斯道：「我明白了。你從前已經試驗過他們。」她道：「他們像兩隻不吠叫的獵犬。」「這樣的獵犬，遲早會反咬餵養人的手。他們因為這件盜案要被逮捕了，警察們已在偵緝他們。」「他們會承受一切，這是我付了代價的約定，我決不會被牽涉在這件事情裡面。」「除非我把你牽扯進去。」「不，不，你不會如此的。你是一個上流人，這件事關於一個女子的秘密。」「首先，你必須將稿子交還出來。」

她發出一串鈴般地笑聲，便站起來走到壁爐前面。她用一根撥火棒把一堆紙灰攪動了一下。問道：「我可以用這個交還嗎？」她站在我們的面前，露著微笑的表情，非常頑皮。我覺得福爾摩斯所遇的許多罪徒中，這女子可算是他最難應付的一個了。可是他仍保持著他的情緒，並無影響。他冷冰冰地說道：「你這動作已足夠讓我證實一切了。夫人，你的舉動的確敏捷，但這一次你未免做得過火。」

她鐺的一聲將那撥火棒丟下。大聲道：「你這麼硬心腸啊！你可要我把全部的故事告訴你？」「我想我也能照樣告訴你。」

「福爾摩斯先生，請你為我的立場想一想！你應該明白，一個女子眼看她自己後半生的希望將被人毀滅，挺身保護自己，難道也該受責備嗎？」「那最初的罪是屬於你的。」

「是的，是的！我承認的。道格拉斯眞是

個可愛的孩子。但不幸他不能符合我的計劃——他要和我結婚。福爾摩斯先生，你想我怎能和一個無錢無勢的平民結婚？並且這對他也沒有益處，可是他仍固執著。他以爲因爲我曾愛他，我便能繼續容忍，他以爲我只愛他一個人，這未免太令人難堪了。最後，我不能不讓他明白這一點。」「所以你雇用了流氓，在你的窗口下面把他打一頓。」

「你當眞似乎已瞧破一切了。好，的確是這樣，巴瑞和他的助手們把他趕出去。我也承認他們的手段的確有些兒粗魯。但之後呢？我怎能相信一個上流人會幹得出這種舉動？他寫了一本書，把他自己的故事完全寫在裡面。在這書裡，我好像是一隻狼，他卻是一隻綿羊。經過的事情都在裡面，只是把姓名變換了，全倫敦的人誰瞧不出這裡面的暗示？福爾摩斯先生，你在這一點上有什麼看法？」「這也是他權力範圍內的事。」

「他寫這本書時，彷彿意大利的空氣已進了他的血液，那殘酷的本質完全暴露出來。他寫信給我，又附了這書的副稿，目的在威脅我，讓我不能安寧。他說這本書有兩本稿子：一本給我，一本給他的出版商。」「你怎麼知道另一本稿子還沒有送到出版商那裡去？」

「我知道他的出版商是誰。因爲他寫小說，這已不是第一本。我查明白那出版商還沒有得到意大利方面的消息，接著我又得到道格拉斯暴斃的消息。但我總覺得那另一本稿子留在外面，總是不安全，且這稿子當然仍在他的遺物裡面，而遺物也勢必要送回給他的母親。我就打發這班黨徒們設法去取回，其中有一個人混到他母親家裡去充當僕人。我本來想用合法的方法辦理，所以我準備購買屋子和屋子裡的一切東西——我本願意付給她所需要的任何代價！直到一切方法都失敗，我才用這最後的手段。福爾摩斯先生，你也許會認為我對道格拉斯太狠心了，但上帝知道，我心中是很抱歉的！但我要顧到我自己未來的前程，我還有什麼其他的方法嗎？」

歇洛克・福爾摩斯聳聳肩，說道：「好，好，我想我這次又要幫一個罪徒通融了。請問作一次環球旅行，以頭等費用的標準計算，要多少錢？」那夫人露出不解的眼神向福爾摩斯瞧著。他又問道：「五千鎊大概夠了吧？」「唉，我想夠了。」「很好，我想你可以簽一張支票給我，這支票我要轉給曼勃萊太太。你該讓她換一換環境。」接著他舉起一隻手指頭警告她道：「夫人，你要留心啊！留心啊！」

獅鬣（原名 The Lion’s Mane）

這件案子發生在我退休以後，案情非常奇特，比起我長時間工作所經歷的任何一案，更覺神祕而不可思議。這時我已拋棄了一切，隱居到蘇薩克斯山的別墅，享受著安閒的大自然生活；這種生活是我寄居在煩悶的倫敦市中期望好久的。在這個時候，華生差不多和我完全沒有聯絡。我和他很少見面，只有在星期天他會偶然到海濱來探望我一下。因此，記錄的工作只能由我自己擔任了。唉！假使他仍和我在一起，那麼，他對於這樣一件奇突的事情，和我克勝了一切困惑而得到的勝利，不知要寫得怎樣動人了！現在我只能用我自己平淡的筆法敘述我的故事，我只能把我偵查獅鬣祕案上所遇到的艱難的過程，按部就班地寫出來。

我的小別墅位在蘇薩克斯兵陵南面的山坡上，可以瞭望到海灣的全景。整個海岸線全都是白堊岩，如果要到海邊，只有一條曲折而陡滑的長徑。在這條通岩的小徑腳下有一片約一百碼寬的淺灘，灘上都是些沙礫和卵石，就算是漲潮，這卵石灘也不會被淹沒。在這海灘有不少彎線和凹陷處，每一次潮水的沖激便把這些凹處的積水更換一次，故而便做成了天然的游泳池。這一條向兩邊延長數英哩之遠的海岸，僅有一個小海灣，即伏爾渥斯村，打斷了這條直線。

我的屋子很靜僻，屋中只有我和我的老管家，還有我的蜜蜂，這就是我所有的全部的財產。但在半英哩外，有一間著名的哈樂·施恰克斯職業學校。此校佔地很廣，校中有不少青年學生準備接受各種不同的職業訓練，並有好幾個教師。施恰克斯本人年輕時頗具盛譽，他是一個博學的學者。自從我遷到海濱以後，我們的友誼發展的很快，也是唯一可以不經邀請，彼此就能隨性訪談的熟朋友。

一九〇三年七月底，忽然刮起一陣颶風。波濤洶湧一波又一波地推向海岸，海水沖積到峭壁底，潮退之後便留下了一個大鹹水湖。這一天早晨，那颶風停止了，自然界的一切現象彷彿經過了洗刷而顯得清新乾淨。在這樣可愛的日子，當然不能悶在屋子裡工作。故而我在一大清早，便跑出去呼吸鮮美的空氣。我沿著岩石峭壁的通徑走去，正在這時，我聽得後面有人呼叫，回頭一瞧，哈樂·施恰克斯正揮著手，愉快地我招呼：「福爾摩斯，這是一個多麼美麗的早晨啊！我早就猜到我一定會瞧見你出外散步的。」我道：「我猜你是去游泳？」他拍著他臃腫的袋子，笑道：「是啊！你又在玩弄你的老把戲了。梅茀遜比我先出來，我想我也許能在那邊遇到他。」

菲查洛·梅茀遜是一個教科學的老師。他是一個健美的年輕人，可惜他久患風濕、心臟病。雖然如此，他仍是一個天生的運動家，各種運動只要他不感覺到過度劇烈難受，他總是堅持而持續著，所以冬天、夏天他都不曾間斷地游泳。我自己也很喜歡游泳，故而常和他在一塊兒游泳。

這時候我們已望見他了，他的頭從岩石後面露出來——那地方就是那條通海灘小徑的盡頭。那時他也正從海灘走過來，可是他的身子忽像醉漢一樣地向左右搖擺，更在一剎那間，他忽舉起兩手，發出了一聲慘叫，隨即倒在地上。施恰克斯和我，距離他約有五十碼遠，於是我們急奔上前去將他抱起來。他快要死了！一雙呆滯而深陷的眼睛，和可怕的鐵青色的臉，都表示他的生命已到了最後的終點。這時他的臉上忽像回光返照似地露出一絲生氣，以警告地語氣吐出兩三個字。那聲音微弱而含糊，但我的耳朵捉住了最後的幾個字，那就是「獅子的鬣！」這幾個字完全沒有意義，又解釋不出。但這是我的耳朵所聽到的聲音，我實在想不出還有其他意思的諧聲。接著，他身子一挺，舉起手臂在空中舞動了一陣便又倒下——他已經死了。

我的同伴因著這突來的恐慌意外，幾乎全身僵木。但讀者們應該都很清楚，儘管再怎麼緊急混亂，我的意識是絕對不會昏亂的。這時，我已明白我們的面前擺著一件棘手的案子。這人只穿了一件外衣，一條褲子，和一雙沒有扣帶的帆布鞋。當他倒地的時候，他的外衣便掉落下來，露出了他赤裸的身體。原來那外衣只是披在他的肩上，我們瞧著出神，因爲他的背上布滿了一條條深紅色的血痕，彷彿他曾被一條柔軟的細鐵絲鞭子慘酷地鞭打過。那長而可怕的傷痕，遍及他的肩膀和肋骨上。他的下頷一直流血，應是在慘酷的痛苦中，咬碎他的下嘴唇。他那扭曲而變形的臉，足以顯出他的痛苦是多麼深啊！

我跪在屍體的旁邊，施恰克斯依舊站著。我感覺到有一個人影映在我們的身上，這時伊恩·默多克已走到我們的面前。默多克是那間職業學校的數學老師，是一個黝黑高瘦的人。他平日孤高而沈默寡言，故而沒有人和他做朋友。他似乎獨自生活在一種高尙而抽象的境界中，與一般平常的生活絕少有關係。他被學生們看成是奇異的人，他煤黑的眼睛和黝暗的臉顯露出異邦流浪的氣息，有時更是脾氣蠻橫地令人不敢接近。有一次他被梅苐遜的小狗咬了一口，他竟捉住了那狗，把牠從窗口丟出去。施恰克斯對於他這種擧動非常不滿，假使他不是一個很能幹的老師，早將他辭退了。這個奇怪而深沉的人，這時竟出現在我們的旁邊——由於「狗」的那一件事他對死者應該是沒有什麼好感的。但這時候他瞧了此狀，似乎眞地很驚訝。他喃喃地說道：「可憐的人！可憐的人！我能做些什麼？有什麼需要我幫忙的？」我道：「你和他在一起嗎？你告訴我們他遭遇了什麼事情？」「不，不，今天早晨我出來得遲些，我還不曾到沙灘上去。我此刻才剛從學校出來，我能做些什麼？」「你快到伏爾渥斯派出所去報案。」

他不發一言便急步奔去；我也立即開始偵查的工作。施恰克斯因著這件慘劇而呆昏，依舊呆木木地留在屍體旁邊。我的第一步工作，是看誰在海灘上。我站在通徑的高處，以便可以瞧見那海灘的全部。灘上完全沒有人影，只見遠遠地有兩三個黑色的人形，向伏爾渥斯方向行進。這一點查明以後，便尋著那通徑從岩石上下去。這通徑是軟泥和白堊粉混合的，我瞧見到處都有相同的腳印，向上向下的都有。這一點可以證明這天早晨除了死者以外，沒有其他的人經過這條通徑。有一個地方有一隻張開的手印，手指向上，這可以推想那可憐的梅苐遜於走上來時曾經跌倒。此外還有幾處圓形的痕跡，又可以顯示當他想爬上岩石時，曾屈膝跪地好幾次。在這通徑的下盡頭，還留著一個退潮時所遺留的大水潭。在這水潭旁邊的一塊石上，留著一條梅茀遜的毛巾，可見他曾在這地方脫衣服。這毛巾仍舊摺疊著，而且是乾的，表示他應該還沒有下水。在一處的沙灘上，我又發現了他的帆布鞋和他赤腳的腳印。這腳印可以證明他已準備到水裡去游泳，而那乾毛巾再度證明他未下水。

現在這問題已清楚地擺在眼前了——問題錯綜複雜，實前所未見。這人在海灘上的時間至多還不到十五分鐘。因爲施恰克斯緊跟著就從學校出來，故而這一點並無疑問。從那赤裸的腳印上推測，他曾經脫光了預備下水，但是爲了什麼忽然披上衣服，沒有下水就趕緊回轉？還是下水了但來不及用毛巾抹乾他的身體就慌忙到地上來？而他突然改變的原因，是不是因爲受到殘酷的非人道的鞭打？且那鞭打的痛竟使他咬破嘴唇，僅剩些殘餘的氣力勉強爬到沙灘。這種野蠻的舉動到底是什麼人幹的呢？在大岩石下有不少小小的洞穴可以藏身，但清晨剛升起的太陽，把這些洞穴照得非常明亮，人實在無法藏匿。我又瞧見有幾個人在遠遠的海灘上走動，但這幾個人距離太遠了，似不會和這兇案產生任何的牽連關係；並且還隔著那個梅茀遜準備下水的大水潭。海上則有兩三艘漁船，距離不是很遠，這船上的人我們當然會加以調查。此外還有幾條線索，但都沒有完全。

最後，我回到了屍體旁邊，這時已有不少閒人圍集在旁邊。施恰克斯當然仍舊留著，那默多克也已陪同警察到來。這警察名艾特森，是一個魁梧而有金色鬍鬚的人。他是在蘇薩克斯土生土長的。他沈默而冷酷的外貌，似乎有著相當的智識和膽量。他留心聽每一個人的話，又將我們所說的完全記錄下來，最後，又把我拉到旁邊，道：「福爾摩斯先生，我很樂意接受你的指示。這件事我實在有些吃力。假使我幹錯了什麼，那一定會受到我的上司利維史的訓斥。」

我指示他立刻去找他的上司，同時請一個醫生來，並且不要移動屍體，也不要讓閒人踏亂足印。當時我搜索了死者的衣袋，有一條毛巾，一把美工刀，和一個摺疊的小名片匣。在這匣子裡，發現一張紙條。我將紙條展開來，交給那警察。紙上有一行字，是女子寫：「你放心我一定準時到。——瑪笛」這兩句話好像是一對情人的約會，不過什麼時候，什麼地點，卻都無從知道。那警察將這紙條重新放在名片匣，連同其他東西一起放在大衣袋裡。接著，我覺得那地方已沒有可以提供偵查的線索，就回到我自己的寓所吃早餐。但在未離開以前，曾指示岩石下應徹底搜索一番。

一兩個小時以後，施恰克斯到我寓所來，告訴我屍體已被移送到學校，檢察官的檢驗將在那邊舉行。他又帶來了幾個重要的消息：他們在岩石下的洞穴中仔細搜察，果真不出我所料毫無結果；之後又在梅茀遜的書桌上檢查他的文件，發現好幾封信——得知死者和一個住在伏爾渥斯的瑪笛・貝拉曼小姐密切地通信。故而我們已查明了那個寫字條的女子是何人。

施恰克斯解釋道：「這幾封信已被警察拿去，我不能帶給你瞧。但這裡面是否牽扯感情糾紛，我也不確定。不過惟一可確定就是那女子曾經約他。」我說道：「但約會的地點似不會選擇大家都用慣的這個浴場吧！」施恰克斯又說道：「今天碰巧那幾個學生沒有和梅苐遜一塊兒出來。」我道：「這眞是碰巧嗎？」「伊恩・默多克曾阻止那幾個學生。他不讓他們出來，因爲他堅持著要在早餐以前做幾個代數的實驗。可憐的人，他此刻正因著這件事傷心呢！」「但我知道他們中間並無好感。」「在某一段時間，他們倆眞的有些怨嫌。但這一年多以來，默多克對梅苐遜又恢復了友善。他關懷梅苐遜，並不遜於他對其他人。雖然他的性格本就不是怎樣富於同情心的。」

我道：「我知道了。我似乎記得你曾告訴我，他們倆爲了一隻狗的事情爭吵。」施恰克斯道：「這一回事早過去了。」「但也許留下了什麼怨恨。」「不，不，我確信他們此刻又成了眞實的朋友。」「既然如此，我們應得朝這女子方面偵查了。你認識她嗎？」「大家都認識的。她是這附近的美女。福爾摩斯，她美麗的容態到處吸引人們的眼光。我知道梅苐遜爲她著迷。但我沒想到他們已進展到那幾封信裡所寫的程度。」「她是誰？」「她是老湯姆・貝拉曼的女兒。這老人在伏爾渥斯擁有一切船隻和游泳的棚舍。他起初只是一個漁夫，但此刻已是一個有些產業的人了。他和他的兒子威廉一起經營他的事業。」「我們可以去伏爾渥斯村瞧瞧他們嗎？」「以什麼名義呢？」「很容易的，這可憐的人決不會自己造成這可怕的傷痕。假使這傷痕眞是被鞭子所傷，那麼總得有個人執鞭行兇。這是個冷僻的地方，他交往的人一定有限。我們依照著各方面的線路進行，或許可以查明這兇案的動機；更進一步，便可從動機上查明那個兇手。」

在充滿著麝香草氣味的草原上步行本來是很愉快的，可惜那時候我們的腦子被目擊的慘案盤踞著，減少了欣賞風景的雅興。那伏爾渥斯村位在海灣的凹處，形成一個半圓形。在這舊式的村子後面，已有幾宅新式的屋子建築在高地上。施恰克斯帶我走到一宅新式屋子的前面，道：「這宅屋子，貝拉曼稱它做『觀海樓』。你瞧，就是屋頂鋪石板，轉角上有塔樓的那一棟。一個人出身貧窮，現在有了這樣一宅屋子儘可自豪了。唉——你瞧！」

觀海樓花園的門開了，有一個人從裡面出來。這人高大頹喪的樣子，一見便知是那數學老師默多克。不一會兒，我們便和他相遇。

施恰克斯喊了一聲：「哈囉！」那人只點點頭。他用他古怪的黑眼睛向我們斜睨了一下，似打算繼續前進。但他的校長拉住他，問道：「你到這裡來做什麼？」

默多克氣得漲紅了臉：「先生，在學校我是你的下屬，但我不覺得我的私生活也有向你報告的必要。」

施恰克斯受了這種奚落，幾乎要發狂。在平日他也許還可以忍耐，這時他再不能控制他的怒氣，道：「默多克先生，你用這種態度回答實在太過分了！」默多克道：「彼此！彼此！」施恰克斯道：「你這種傲慢的態度已不是第一次了。這一次是最後一次！請你另謀高就，愈快愈好。」默多克道：「我早打算這樣子幹了。學校裡惟一個可以和我作伴的人，今天又不幸死了。」

他很快地繼續前進。施恰克斯睜著發怒的眼睛瞧著他的背影，自言自語地：「你見過這麼蠻橫的人嗎？」

這件事，我惟一的感覺：就是伊恩・默多克想要把握時機離開這兇案的區域。那空泛而模糊的疑點，漸漸在我的腦海裡形成了具體的觀念。我們此刻到貝拉曼家去，也許就可以找出些光明。施恰克斯自己鎮定了一下，便繼續朝那屋子前進。

那貝拉曼先生是一個中年人，留著紅得像火焰般的鬍子。他似乎在盛怒中，他的臉兒也變得像他的頭髮一般赤紅。

他說道：「先生，我不願意多說，我的兒子在這裡。」——他用手指著一個坐在起居室角落，臉色鐵青的強壯青年——「他和我有同樣的見解，認爲梅茀遜先生和我的女兒瑪笛交往實在是一種侮辱。先生，是的，『結婚』這兩個字，從來不曾提起過。但他們竟有私信往來和祕密約會，還有其他我們所不知道的種種事實。她已沒有母親了，我們是她惟一的保護人。我們決意……」

但老人的話因那女子的出現，而中途停住了。她的突然加入，使我們的集會增加了生氣。誰會想得到，這樣一朵稀有的鮮花，會生長在這樣的根株和這樣的空氣中？女子吸引我的注意是難得的事。因爲我的腦子常能控制我的心，但這時候我竟不能不驚異於她這種美麗的面龐，和柔順嬌媚的神態；同時讓我體會到，爲什麼年輕人一接近她，就會無法抗拒深深地被吸引住。這女子推開了門進來，張大眼睛站在哈樂・施恰克斯的面前，說道：「我已知道菲查洛死了。請你們把詳細情形告訴我，用不著顧忌的。」那父親解釋道：「是這一位先生把消息告訴我們的。」那青年從旁嘀咕：「用不著把我妹妹牽扯到這件事情裡去。」

這女子狠狠瞪了他哥哥一眼：「威廉，這是我的事，請你讓我依照我自己的方法處理。我知道這是一件謀殺案，假使我能幫助查明兇手是誰，也算是我為死者略盡的一點心意。」

她仔細聽著我同伴簡短的報告。她專注傾聽，鎮定且認真，讓我折服她不但有美貌更有堅毅地性格。因此，這瑪恩‧貝拉曼這一個完美而出衆的女子便深印在我的記憶。她似乎一瞧見我便認出我，聽完了敍述就對我說：

「福爾摩斯先生，請你儘快破案讓兇手們受到法律的制裁。你可以得到我的同情和助力，無論兇手們是誰，我決不退縮。」我覺得她說話的時候，眼光曾經輕蔑地向她的父親和哥哥瞪了一眼。

我道：「謝謝你。我對於女子在這種事情上的熱忱當然是尊重的。你用『兇手們』的字樣，你認為這裡面不止一個人涉案？」她道：「我深悉梅茀遜先生，知道他是一個勇敢強壯的人。如果只有一個人，決不能將這種殘酷的行為加在他身上。」我道：「我可以單獨地和你談話嗎？」

她的父親惱怒地呼道：「瑪笛，我警告你，你不要攪在這件事情裡面。」她憂鬱地瞧著我道：「我怎麼辦呢？」

我說道：「這件事不久便會在全世界宣揚開來，所以我在這裡討論也不致有什麼壞處。我本來想祕密些談，但如果你父親不允許，那麼，他參加也無妨。」於是我就拿出從死人衣袋裡發現的那張紙條。「這紙條在檢驗時當然一定要提出來，麻煩你在這一點上作些解釋可以嗎？」

她答道：「這本就不需要隱藏。我們已訂

婚約，我們保密的緣故是因爲菲查洛有一個年老將死的伯父，如果他違反了他伯父的意思結婚，老人也許就不讓他承襲遺產。此外並無其他理由。」

老貝拉曼嘰咕道：「那麼，你應早些告訴我們啊！」她道：「父親，假使你能夠表示些同情，我早就告訴你了。」老貝拉曼道：「我反對我女兒選一個外鄉人嫁。」「就因你對於他這的偏見，才使我們不告訴你。至於那張紙條……」——她從衣袋裡摸出一張皺紙——「就是這封信的答覆。」那信寫著：「親愛的：星期二，日落以後，在海濱的原地方相候，這是我惟一能走開的時間。——梅」

她繼續說：「今天就是星期二。我本來答應今夜和他會面。」我把那紙翻過來瞧瞧，說道：「這信不是從郵局送來的，你是如何拿到的呢？」她答道：「這問題我不願意回答。因爲這一點對於你們正在偵查的這一件事毫無關係。」

她的態度果眞非常光明，但對於我們偵查的事仍無助益。她不認爲她的未婚夫有什麼仇敵，但她承認她從前有好幾個熱烈的追求者。我問道：「那麼，伊恩．默多克先生，可是追求者之一？」她漲紅了臉，有些兒昏亂道：「有一段時間是的，但後來他知道我和菲查洛的關係，一切便改變了。」

又再一次加深我對這個怪人的疑慮了。他的行動應加調查，他的臥室應徹底地搜索一下。施恰克斯的腦子裡同樣有這疑團，便樂意地擔任起和我合作的任務。我們從觀海樓回來的時候抱著一個希望，覺得這一團亂絲已有一個線頭落到我們的手中。

一星期過去了。檢察官並沒有搜羅到任何線索；只好暫時延擱著，準備得到了新的證據以後再做定案。施恰克斯對他的下屬進行全盤調查，並且在默多克的臥室仔細地搜索過一次，同樣沒有結果。我也到現場再勘察一次，仍舊沒有任何新發現。讀者們如果讀過我的已往的許多案子，便可以感受到沒有一件案子像這一案那麼令我無措；就是憑我的想像能力，竟也想不出這件祕案的解決方法。可是這時候忽又發生了「狗事件」。

先聽到這消息的是我的老管家婦，一天傍晚，她對我說道：「先生，有件事很淒慘；就是那梅茀遜先生的可憐狗。」我本來不大喜歡這種無聊的話題，但聽到梅茀遜這名字，馬上引起我的注意，問道：「梅茀遜先生的狗怎麼了？」她道：「死了，先生。那狗是因爲悲悼牠的主人而死的。」「誰告訴你這話？」「唉，先生，每一個人都在談這件事啊。這隻狗自從牠的主人死後，已有一個星期不吃東西，今天那學校裡的兩個學生瞧見這狗死在海灘上。先生，牠死的地點就是牠主人遇害的地方。」

最後一句話在我記憶中留下了深刻的印象。有一種莫名的不安全感觸動我的思緒。這眞是一隻知情知義的忠狗，但牠怎麼會死在牠主人遭害的地方？那冷僻的海濱怎麼會致這狗於死命？難道這狗竟也被什麼可惡的魔鬼所犧牲嗎？莫非這竟是——是的，這感覺非常模糊，但我又有了新的想法。數分鐘後，我就到那所學校，我瞧見施恰克斯在他的書房。我請他把那兩個發現死狗的學生叫進來——一個叫瑟伯雷，一個叫白倫特。其中一個學生說道：「是的，那狗的確在水潭邊。牠大概是到那邊去找尋他主人的蹤跡。」

我親自去視瞧那隻忠心的小動物。那是隻艾爾戴兒獵犬，躺在走道中的草蓆上面。狗的身體已僵硬了，眼睛突出，四足扭曲著，處處都顯示牠曾十分的痛苦。

我從那學校走到海濱的水潭邊，太陽已沉落了，那岩石的大影子橫在水面，黑黝黝地彷彿變成了一張鉛皮。這地方沉靜而寂寞，除了兩隻海鷗在空中盤旋慘鳴以外，可說完全沒有其他生物。在這薄暮的光中，我還瞧得出沙灘上這小狗的足跡，這些腳印恰巧就在牠主人放毛巾的大石塊旁。我站在那裡沉思，四周的景物逐漸地越來越黑，而我腦子裡的思想卻起落得像賽跑一般。一個人如果有過夢魘的經驗，便能體會到：夢中確知有什麼重要的東西存在，但實際上卻沒有方法取得或實現。這種狀態，就是那天傍晚我一個人站在那神秘的水潭旁邊所感受到的。後來，我就緩緩兒步行回家。

我才剛走上了這條通往岩石的路徑的上端，忽然閃過一個念頭，我終於想到了我期望好久而無從捉摸的一件事實。讀者們從華生所記述的案子裡，必定知道我的腦子裡儲藏著許多冷僻的智識。這些智識雖然蕪雜而沒有科學的系統，但對於我的工作有時卻會有很大的用處。我的腦子彷彿是一間裝滿了箱匣包件的儲藏室，因為內容繁多，我自己對於裡面究竟藏些什麼也只有依稀的淺薄印象。雖然對於這案件我還是摸不著頭緒，但我知道我現在該去做什麼了。

我的小別墅裡有一間寬大的閣樓，裡面堆滿了書。我花了一個鐘頭終於找到了那本紅色封面燙銀字的小冊子。我憑著我的記憶，急急翻到了我所要的一章。是的，這眞是一個不著邊際天馬行空的想法，但如果我不加以證實，今晚我就睡不著了。這夜我很晚才上床睡覺，內心期待著明天的查證工作。

但我期待中的工作忽被阻擾。隔天早上，我剛喝了一杯牛奶，預備往海濱出發時，蘇薩克斯警局的警察巴特爾趕來見我。他是一個沈靜而壯健的人，一雙靈活的眼睛，瞧著我露出一種困惑的神色。

他說道：「先生，我久聞你的大名。這次自然是非正式的談話，請你不要對外面談起。我感覺這件梅苐遜的案子有點棘手。現在有一個問題就是我應不應當進行逮捕的動作。」

我問道：「你是指伊恩・默多克嗎？」他道：「正是，先生。你仔細想一想，除了他以外，實在沒有其他可疑的人——這個就是小地方的好處。我們儘量把這件事收縮到一個很小的範圍。假使不是他幹的，那麼是什麼人幹的呢？」我道：「你有什麼證據捉他？」

他懷疑默多克的理由和我先前所根據的疑點完全相同。默多克陰沈的性格，彷彿深藏著什麼祕密。他兇狠的脾氣，就可從丟狗的事情上暴露出來，他從前又曾和梅苐遜爭吵過。還有一點，他對於梅苐遜獲得貝拉曼小姐的愛，也同樣有引起嫉妒的可能。這種種理由，都是我從前推想過的。但那警察也提不出新的證據，只補充了一點，就是默多克似乎已準備離開了。那固執的警察鬱鬱地作結論道：「現在既然有這種種指向他的證據，假使我讓他溜走了，我的地位豈不尷尬？」

我答道：「你姑且再把你的假設重整一次。案發的早晨，他提出了時地證人——因爲那時候他和他的學生們在一起。等到我們瞧見了梅茀遜以後，他才在我們後面走來。還有一點：若說只有他一個人，要將這樣殘暴的行爲加在一個壯健的人的身上，那是絕對不可能的。再來，那致死命的兇器也須好好研究。」

那警察道：「這東西除了是一條柔軟的鞭子以外，還會是什麼呢？」

我問道：「你可曾察驗死者身上的傷痕？」

那警察道：「我瞧過的，那法醫也瞧過了。」

「我更曾用放大鏡仔細瞧過。這傷痕有幾個特殊點。」「福爾摩斯先生，什麼特殊點呀？」

我走到一個盤子前面，拿出一張放大的照片，解釋道：「處理這種案子，我總利用這樣的方法。」「唉，福爾摩斯先生，你做事多麼徹底啊！」

我道：「若不如此，我也不能幹這行。現在我們先把這條延長到右肩上的傷痕仔細瞧一瞧，你有瞧出什麼不一樣嗎？」「沒有。」「這傷痕的深淺度是顯明地不同的。這裡有一點深濃的血點，那裡也有，下面另一條鞭痕也有同樣的情形。你認爲這種血點有什麼深層意思？」

「我沒有想法。你有嗎？」「我也許有，也許沒有，或者不久我就能解釋明白。只要對於這血點有了確切的解釋，那便能把我們引到那兇手藏匿的地方了。」

那警察說道：「我有一種不合情理的假設。也許是兇手用一種燒紅的鐵絲網加在他的背上，這幾處較深的斑點，也就是那網線交疊的地方。」我道：「這是一種很有意思的想法。假使我們假定那兇器是一種由硬貓腸做成的鞭子，鞭上打著許多小的硬結。這個假設也可以成立嗎？」「唉，福爾摩斯先生，我想你已找到目標了。」「巴特爾先生，這還很難說，或許還有其他的原因。但你所提出的理由不很充分，還不能就此採取拘捕行動。除此以外，我們還聽到他臨終時說的『獅子的鬣』」「我懷疑他或許是說伊恩……」（按：英語獅子 Lion 和伊恩的發音近似。）「是的。我也有想到這點。但第二個字，卻絕對不像默多克這個音。他說這字時，聲音非常尖銳，但我的確是聽到「鬣痕」（Mane 鬣毛）。」「福爾摩斯先生,你確定這兩個字不能被當其他字的諧聲嗎？」「也許可以有別的諧聲，但我還不願意討論。我必須等到證實了才能下定論。」「那麼，要等多久？」「一個鐘頭以內——也許不用。」

那警察摸著他的下巴，用一種懷疑的眼光瞧著我，道：「福爾摩斯先生，我猜想是不是那幾艘漁船？」「不，不，他們距離太遠了。」「那麼，是貝拉曼和他的大兒子嗎？他們對於梅茀遜並沒有好感。莫非他們對他有什麼陰謀的舉動？」

我帶著微笑說道：「不是，不是。在我還沒準備宣布之前，你不能夠引我說出來的，警察先生，此刻我們大家都有應幹的工作，我想你可以在今天中午到這裡來找我……」

我們談到這裡，忽又發生一件大事，於是這案子便急轉直下地趨向最後的終點。

我的前門突然被推開，跟著有一陣雜亂腳步聲音——伊恩·默多克搖搖擺擺地走進來。他的臉色慘白，頭髮披散，衣服也參差不齊。他露骨的手抓住了椅子的背，方才把身子支住。他喘息道：「白蘭地酒！白蘭地酒！」接著，他便倒在一張沙發上，嘴裡不住地呻吟。

他不是單獨來的，他的後面跟著施恰克

斯，搖著頭一直歎息，那種驚亂的狀態簡直和他的同伴不相上下。他也呼道：「是的，是的，白蘭地酒！這人已剩最後一口氣了。我拼著全力才將他送到這裡，他在路上暈了兩次。」

半杯白蘭地酒灌進了默多克的嘴，果然有效。他用一隻手把他的外套從肩上脫下，他哀叫道：「瞧上帝的分上，酒！鴉片！嗎啡！只要能停止這要命的痛苦，什麼東西都給我弄些來啊！」

那警察和我瞧見了那人的身體，不禁都驚呼起來。在他赤裸的肩上，露出一條條交叉像網一般紅赤的傷痕。這傷痕和菲查洛．梅苐遜身上的一模一樣。

很顯然默多克是十分痛苦的，因爲他的呼吸幾乎停止。他的臉色發黑，額角上汗珠如雨。在任何時間，他都有氣絕而死的可能。一杯一杯的白蘭地酒連續地傾注到他的咽喉裡去，每一杯，都使他的生機增加了些。浸生菜油的棉花片，覆在那奇怪的傷痕上面，似乎減輕了些他的痛苦。最後，他的頭沉重地靠在椅墊上，他的疲乏的生命，似已得到了最後的挽救。他的模樣兒一半像睡，一半像暈，但他的痛楚至少是暫時停止了。

在這種狀態之下要問他，當然是不可能了。但就在我們遲疑的時候，施恰克斯忽然轉過來瞧我，呼道：「我的上帝！這是怎麼一回事？福爾摩斯，這是怎麼一回事？」

「你在什麼地方瞧見他的？」「就在岩石下面的沙灘上，那裡恰巧是可憐的梅苐遜遇害的地點。假使這個人的心臟也像梅苐遜一般脆弱，他也不會到這裡來了。當我扶著他到這裡來時，好幾次他就要斷氣了──實在因爲離學校太遠，所以將他送到這裡來。」

「你在海灘上瞧見他的?」「那時我在峭壁的小徑上走路，忽聽到他站在水潭邊呼救，並像一個醉漢一般地搖擺著。我急忙上奔下去，抓了一件衣裳披在他身上，並將他背上來。福爾摩斯，請你瞧上帝分上，用你一切所有的能力，不要怕艱難，把這地方的禍根拔除了。因爲這裡實在有些兒人人自危了！你是有世界盛譽的，難道不能爲我們盡些兒力嗎?」「施恰克斯，我想我能夠的。現在你跟我來，警察先生，你也一塊兒來，看看能不能把這兇手交到你的手裡。」

我們將那失去知覺的人委託我的管家婦照顧，三個人一塊兒朝那可怖的海灘上的水潭走去。海灘上有一塊大石頭上面放著一小堆衣服和毛巾等物，就是那被害的默多克放在那裡的。我慢慢地沿著水潭邊踱著，我的同伴們跟在我的後面。水潭大部分都是很淺的，但在靠岩石下面的凹處較深，約有四五呎深。會游泳的人，總會游到較深處去。岩石下有一長條石塊恰在這水邊，我踏在這石塊上，仔細地往這水潭深處瞧視。我瞧到了水潭最深最靜之處，我的眼睛終於搜尋到我要找的東西，於是我不禁得意地歡呼起來，道：「水母！水母！你們瞧這獅鬣！」

那個奇怪的東西，模樣兒眞像一叢從獅子身上撕下來的亂鬣。這東西停在水面下三四呎深的一塊石頭上，一條條黃髮似的東西摻雜著銀色的線條，在水中顫動著。那顫動的姿勢，一收一放，遲緩而有次序。我大呼道：「這東西已闖了許多禍，牠的末日到了！施恰克斯幫我一把，我們一起來撲滅這個兇手。」

在這水潭邊有一塊很大的圓石。我們把這塊石頭推移到準確的地點，便用力丟下，水中激起了很大的水花。等到水面的圓紋消滅以後，我們瞧見這塊圓石恰巧落在水中的那塊大石上，石的一邊露出些兒黃色的黏膜，顯然那奇怪的動物已被壓死在圓石底下。同時有一種濃厚的油質黏液從石下透散到水面上，把附近的水弄濁了。

那警察驚呼：「唉，我眞弄不明白！福爾摩斯先生，這是什麼東西？我是生長在這地方的，卻從來沒有瞧見過。這東西不是蘇薩克斯本地的產物。」

我說道：「是的，這東西也許是被西南風吹來的。現在請你們倆到我屋子去，我可以告訴你們一個可怖的經驗——有個人一輩子都忘不了他在海裡曾遭過同樣的危險。」

當我們到了我的書房時，默多克已好多了。他已能坐起來，不過他的腦子還是昏沉沉的，且不時感覺到痛楚。他斷斷續續地陳述他所遭遇的事情，當時，他只覺得突然一陣巨痛，頓時讓他的體力完全消耗。他拼著全力，方才游到水潭邊。

我拿起了一本書，說道：「這裡有一本書，寫著一件我們從來沒有經歷過的奇祕遭遇。這是著名的冒險家胡特著的《戶外》。胡特自己也遭到這陰毒物的毒害，故而他所寫的經歷是非常詳盡的。這東西的全名叫做次氰水母(Cyanea Capillata)。牠能傷害人的性命；牠所給予人的痛苦就像被蟒蛇咬了一口。現在我簡短地引一節給你們聽：『瞧見一團黃褐色的薄膜，如同一把獅鬃毛和銀線，就應小心戒備。因爲這就是可怕會刺人的怪物——次氰水母。』

這奇怪的東西，這裡描寫得非常淸楚，他在這本書中詳細提到他在康德海邊游泳的時候，遭遇到這種怪物的過程。他瞧見這怪物在水中放射幾乎瞧不見的線條，直到五十呎距離之遠。假使有人闖進了牠的線帶的圓徑以內，那麼這人的性命就保不住了。胡特和那怪物雖也保持相當的距離，但也差一點送掉了他的性命。他說：『數不淸的線一觸到人的皮膚，便留下淺紅的條痕。仔細察驗，這些條紋上還有細小的斑點；每一點就像燒得紅燙的針，刺進人體直到神經。』他又說到局部疼痛只是整個難言痛苦中最輕微的一部分。他說：『那痛苦直刺到胸膛，彷彿重了槍彈一般仆倒在地。那時心跳突然停止了；接著心房忽亂跳彷彿要從胸膛裡迸裂出來。』這東西幾乎讓他喪命。還好他遭害的地方，並不是在平靜的淺水潭裡，而是在洶湧的海岸。他說事後他幾乎認不出自己了。他的臉色慘白且布滿皺痕，他狂喝了一瓶白蘭地酒，才救了他自己的性命……。警察先生，我可以把這本書借給你。你一定能從這本書，查明那可憐的梅茀遜遭害的整個情形。」

伊恩·默多克露出勉強的微笑，說道：「這本書還間接地爲我洗刷冤枉。警察先生，我並不怪你，福爾摩斯先生，我也不埋怨你。因爲你們懷疑我是很自然的，我覺得惟一能洗刷我罪名的方法就是追蹤我亡友所走的路。」我答道：「不，默多克先生，我早已知道這祕密了。假使我能照我本來的意思早一步到海濱，那也許可以免除你這一次可怕的經歷。」「福爾摩斯先生，你怎樣知道的呢？」「我是一個無所不容的讀者；我更有一種記住瑣細事實的超強記憶力。我覺得我曾在某本書上瞧見過這個特殊的字眼，大家現在總已明白『獅鬣』的名稱的確可以描述這東西了吧？我相信梅茀遜有瞧見這東西浮在水面上，故而他受害以後，就這樣的名稱爲我們作最後的警告。」

默多克緩緩兒站身來，說道：「那麼我此刻已脫離嫌疑了——我已知道你們偵查的方向。但我還是有一兩句話要澄清，我當眞愛這位姑娘，但自從那天她決意選擇我的朋友梅茀遜以後，我惟一的願望，就是幫助她得到幸福。我樂意站在一旁，做他們之間的聯絡人，所以我時常幫他們通信息。我是他們的知己朋友，而她又是我所寶貝的人，故而在這事發生以後，便急急地把我的朋友的死耗告訴她。因爲我怕別人假使先把這消息告訴她，也許不會顧到她的情緒而突然殘酷地宣布出來。先生，她自然也不會把我們的關係告訴你們，就怕你們會不相信而懷疑我。很抱歉，現在我要回學校去了——我很想立刻。」

施恰克斯伸出了他的手，說道：「這幾天我們都過度神經緊張了。默多克，請你忘記過去一切的誤會。從今以後，我們一定可以有更深度的彼此了解。」

那警察依舊在。他張著雄牛似的眼睛，靜靜地向我呆瞧。最後，他大聲說道：「唉，你太厲害了！我曾讀過你的著作，其實我本來不相信。你眞是太棒了！」

我搖了搖頭。因爲我若接受這樣的讚美，簡直是有損我的地位。我道：「這件事我實在幹得太慢了。假使梅茀遜的身體是在水中發現，那我一定能立刻推想出來。就是那一條乾毛巾把我引到迷途上去。梅茀遜從水裡上來以後，不曾想到要抹乾他的身體，故而沒有用過那條毛巾，我就因此以爲他始終不曾下過水。在這種情形，我怎能想得到他是被水中的動物所毒害的呢？這就是我暫時被迷惘的原因了。

唉，警察先生，過去我常諷刺你們警署裡的警員，但這次的這個『次氰水母』眞是爲蘇格蘭警場報仇了呢！」

幕面客（原名 The Veiled Lodger）

歇洛克．福爾摩斯先生實際上幹了二十三年的偵探職業，其中的十七年我常和他合作，且負責紀錄他的一切案件，很自然地我把握著巨量的探案資料。所以對我來說，難題在於如何選擇，而不在於尋找材料。有一長排的年鑑，佔滿了整個的書架，裡面有許多附帶各種文件的重要案子，這些文字資料儘可以做學者們的完善參考。因爲這其中的紀錄不單是關係罪案，還有許多都是屬於維多利亞時代社會間和宮庭間的祕聞軼事。關於這些祕聞，曾有許多人寫了求情的信來，請我們保全他們家庭的光榮或案中人的名譽。這種事我們當然是接受的，所以這些案中人實在用不著多慮。我的朋友爲著堅守職業的信用，故而對於選擇發表的案子十分小心，所以不致於使妥託人喪失對他的信任。可是最近竟有人企圖劫取和毀滅這些文件，對於這種舉動我嚴重抗議。這不法的動機十分明顯，如果再有這樣的行爲，那麼，只要福爾摩斯允許公開，凡關係著那個政客的一切、燈塔和貪贓官吏的全部事實，將都要被披露在大衆面前了——這一件事至少有一個讀者心理明白。

讀者們若以爲每一件案子，福爾摩斯都表現地像我在紀錄中所敍述的那麼輕鬆地運用他的特殊本能和觀察力的話，那麼，我要說這預期是不合理的。有些案子他費了心力方才成功；有些案子卻又往往毫不費力地瓜熟蒂落。但那些案子裡面，往往更含著許多可怕的悲劇，現在我所要描述的一案，就是屬於這一類的。我在記述的時候，對於人名地點已經略略改變，不過經過的事實卻完全沒有變動。

一八九六年深秋的一個下午，我接到福爾摩斯一封急促的短箋——叫我立刻前去。我到的時候，瞧見他坐在煙霧彌漫的空氣中。他面前的另一張椅子上，有一個年高狀貌像房東太太模樣的婦人。

我的朋友揮一揮手，說那一位是南布利克斯頓區的梅列洛太太。「華生，你如果要放縱你的煙癮，梅列洛太太是不反對的。她有一個很有趣的故事要告訴我，這故事可以引起某種發展，因此，我需要你一同在場。」我答道：「我能有什麼貢獻……」

福爾摩斯向來客說道：「梅列洛太太，你須明白，假使我到朗特太太那邊去，我就需要一個證人，你須在我們到那邊以前讓她知道。」那來客說道：「福爾摩斯先生，上帝祝福你！她此刻渴望見你，故而你就算帶了全教區的人去見她，她也會照樣歡迎的。」「那麼，我們今天下午就去。但我們在動身以前，先應瞭解一下我們所得到的資料內容是否準確。假使我們再說一遍，那就可以使華生醫生明瞭這整件事情。你說朗特太太在你的屋子裡住了七年，你卻只見過她一次面。」

梅列洛太太應道：「我但願我連一次都沒有見過！」福爾摩斯道：「我知道她的臉毀傷得非常可怕。」「唉，福爾摩斯先生，你簡直不能把它當做『臉』了！那臉實在不像是一張臉的樣子。曾有一次，送牛奶的人無意間瞧見她從樓窗上向外探視，竟嚇得失手落掉了他的鉛桶，把牛乳潑翻了滿園。這就是她的臉兒所給人的印象的結果。那一次我瞧見她，是因爲沒有防備，倉惶間才急急將面紗掩住。最後，她向我說道：『梅列洛太太，現在你總該知道，我之所以從不揭去我的面紗的原因了吧！』」

福爾摩斯道：「你還知道些什麼關於她的歷史？」「完全不知。」「她遷入時可有保薦的證書？」「先生，沒有。但她給我現款，並且數目不小，她拿出一季的租金放在桌上，絲毫不跟我計較租金。在那個時候，像我這樣的貧窮婦人，當然不會放棄這樣的好主顧。」「她當時可曾說明她選擇你的屋子的理由？」「我的屋子離街路很遠，又比別的屋子淸靜，我自己只住一間，也沒有親戚。我想她當時曾到別的屋子去看過，覺得我的屋子最讓她滿意。而她所需要的條件，就是隱密和靜僻。所以找到以後，便也不在乎租金。」

福爾摩斯道：「你說除了那一次偶然的機緣以外，自始至終從不曾見過她的臉。這眞是很奇怪，其中或許有什麼離奇曲折的事。我並不詫異你要我偵查的舉動，這是不能怪你的。」「福爾摩斯先生，我沒有叫你偵查的意思。我只要能收到房租，一切便很滿意。因爲實在不容易找到一個比她更安靜或更少煩擾的房客。」「那麼，你爲著什麼事情到我這裡來呢？」「福爾摩斯先生，就爲著她的健康問題。她快要支持不住了，她的腦子裡似乎藏著什麼可怕的事情。她常喊著：『謀殺！謀殺！』有一次我聽到她大聲喊叫：『你這殘酷的野獸！你這怪物！』那時恰好在夜裡，她的咒詛聲充滿了全屋子，聽了眞讓人全身發抖。隔天早晨，我特地去見她。我說道：『朗特太太，你如果覺得心靈上有什麼不安，這裡有牧師，又有警察，你可以向他們求助的。』她答道：『瞧上帝分上，你不要去通報警察！牧師也不能改變已往的事實。不過在我未死之前，假使有什麼人能夠知道這事的眞相，那也許可以使我安慰些。』我又說道：『你既然用不著牧師一類的人，那麼——有我們時常讀到的一個偵探……』唉，福爾摩斯先生，很抱歉，她當時立刻就接受了。她又說道：『唉，這個就是我要找的人了，眞奇怪我爲什麼沒有想到。梅列洛太太，請你把他請到這裡來。要是他不願來的話，你可以告訴他，我就是朗特野獸馬戲團主人的妻子。你和他說明白，再把「愛培史派勃」這地名告訴他。這個人假使是我意想中所期望的人，這個字一定可以把他吸引來。』——這就是她所寫的『愛培史派勃』。」

福爾摩斯說道：「正是，這字的確有這樣的能力。梅列洛太太，好。我現在要和華生醫生談一談，大概要談到中午。今天下午三點鐘，我們一定準時到。」

我們的來客蹣跚地走了出去——我除了蹣跚的字樣，實在沒有別的形容詞可以形容梅列洛太太的走路方式——歇洛克・福爾摩斯急忙站起來走到牆櫃——去翻閱那一堆紀錄檔案及書籍。在這幾分鐘中，我只聽得一陣陣瑟瑟翻書頁的聲音。過了一會兒，他發出一種滿意的呼聲，他已找著了他所要尋求的東西了。他興奮得站不起來，像什麼菩薩似地盤膝坐在地上。他的四周堆滿了巨冊，有一本書攤壓在他的膝蓋上。

「華生，這件案子當時曾困擾過我。我曾在報紙的邊上記下些當時的想法，我承認那時我推想不出，可是我又確信這裡面一定有什麼岔子。你對於愛培史派勃的悲劇，難道沒有任何印象嗎？」「福爾摩斯，我不記得。」

「當時你和我在一塊兒，不過我自己的印象原也很淺薄。因爲這件事並不曾經我的手，兩方面的人也不曾來委託我。我想你此刻把這報紙上的紀載讀一讀吧！」「你不能先舉出幾個要點告訴我嗎？」

「好，這也容易辨的。我想我說的時候，或許可以喚醒你的記憶。「朗特」這姓氏，在當時幾乎成了每一戶人家的談話資料。他是那時候兩個最著名的馬戲團——夏威兒和賽裘——的敵手。當慘劇發生的時候，他和他的馬戲團已漸漸沒落，這是他酗酒的後果。他的馬戲團大隊，在伯克郡的一個小村過夜的時候——愛培史派勃地方——這件恐怖的事情就發生了。當時他們正要往溫布爾頓，所以他們的大隊車輛都在陸地上行進。他們在這村中只搭了蓬帳過宿並沒有有要表演；因爲村子太小，開演起來，還不夠他們的開支。他們有一隻很好的北非獅子，這獅子的名字叫做薩哈拉王。朗特自己和他的妻子兩個人，在每次開演的時候，都是到那獅子的鐵籠裡去表演的。你瞧，這裡有一張表演的照片。你可以從這照上瞧見那朗特是一個魁梧得像豬一般的人，他的妻子卻是一個很美麗的女子。案發的時候，查明那獅子還是充滿了獸性、十分兇暴，但人們總因習慣而往往掉以輕心，故而當時他們並不覺得那獅子有危險性。平日晚上給獅子食料的人，一定是朗特，或他的妻子；有時一個人進籠子去，有時兩個人一塊兒進去。他們從來不讓別人餵食，因爲他們相信他們既常用食物餵那獅子，那獅子一定會把他們當做恩人看待，而不致於傷害他們。但在七年前這一個特殊的晚上，他們夫婦兩個人又一同進獅籠裡去，但卻發生了一件可怖的事。這事的詳細情形至今還不曾明白。那夜，全帳篷裡的人都被獅子的吼聲和女子的尖叫聲所驚醒。班底中的馬夫和雇員們都立刻帶了燈奔過去，在燈光底下，看到了一個可怕的景象：朗特躺在地上，離那獅子籠有十碼遠，他的頭顱後部已經碎裂了，頭皮上露出深深的爪痕。那獅籠的籠門開著，朗特太太仰面倒在地上，那獅子正踏在她的身上吼叫，她的臉兒已被這野獸咬得不成樣子，誰也想不到她還能活命。有幾個團員，在壯漢雷納多和小丑葛利格領導下，用長桿驅趕那獅子。於是那獅子才走回進籠子裡去，那籠門也立刻被鎖上。大家都不知道這獅子怎麼會從籠子裡逃出來，只是猜想，也許這對夫婦倆本要進籠子裡去，但當那籠門拉開的時候，那野獸便向他們撲上來。不過那時並沒有找到任何值得注意的證據，只有那婦人被抬送到他們住宿的車子裡去時，在痛楚的昏迷狀態中，不住地喊著：『懦夫！懦夫！』過了六個月，她才能到法院裡去作證。但那正式的檢驗早已按時舉行，判定朗特的死是意外的災害。」

我說道：「這解釋很合情理。除此以外，還有什麼理由可以推想呢。」「你固然說得很對，但當時那伯克郡警署裡的那個少年艾特蒙次，認為有一兩點解釋不通。他眞是個聰明的孩子！後來他曾被派到阿拉哈巴德去。有一次他來拜訪我，還把這件事提了一提。因此，這件事才引起我的注意。」

「他是不是一個瘦小而髮黃的人？」「對。我早知道你會想起這件事情。」「但他覺得疑惑的地方是什麼呢？」「我和他疑惑的地方相同。因爲這件事有些部分不合邏輯。首先你試從那獅子的立場上出發。牠自由之後怎麼幹呢？牠向前跳了六七步，就到了朗特的面前；朗特轉身逃走，但那獅子終於把他擊倒，故而朗特的顱後才有爪痕。接著，那獅子並不再向前竄逃，卻反而回過來撲那站在籠邊的女子，將她擊倒以後，就咬毀她的臉兒。再來一點就是，那女子口口聲聲的『懦夫』，像是滿含著對她丈夫的不滿。但就當時的情況，這可憐的男子，那還有什麼能力可以幫助她呢？」「當眞如此。」

「我又想起了一件事。據說當時，傳來獅子嘶吼和那女子慘叫聲的時候，還夾雜了一個男子的驚呼聲。」「這無疑地是那個朗特了。」「但假使他的頭顱當時已經碎裂，你當然不能再希望他能大叫。那時有兩個證人，都說有聽到一個男子的呼喊聲，混雜在一個女子的叫聲裡面。」「我想在那個時候全帳篷的人都在尖叫了。至於其他的疑問，我倒可以提供一個解釋。」「好，說來聽聽看。」

「他們夫婦倆站在距離籠子十碼遠的地方，但是那獅子忽然跑了出來。朗特轉身逃走卻被擊倒，那女子便想逃進獅子籠裡去，關上籠門，暫時避匿——這地點是她當時唯一的避難所。但當她快到籠邊的時候，獅子從她背後奔竄過去，將她擊倒。她不滿她的丈夫，是因爲他轉身逃走，才激怒了這野獸；假使他們迎面鎭懾，他們也許可以制服這獅子。因此，她才不斷地叫著『懦夫』。」「華生，華生，高明啊！不過你的鑽石裡面還有一條隙縫。」「福爾摩斯，什麼隙縫？」「假使他們倆距離籠子還有十步，那野獸怎麼會被釋放出來呢？」「莫非他們有什麼仇敵，預先把獅子放開？」

「還有一點，他們倆既然常到籠子裡和獅子一塊兒表演，牠也習慣地和他們玩耍。那麼，牠怎麼會突然兇暴地攻擊他們呢？」「或許就是那個仇敵施了什麼詭計，把那隻獅子激怒了。」

福爾摩斯陷入沈思，沈默了好幾分鐘，道：「華生，關於你的理論，我贊同。朗特是一個有不少仇人的人。艾特蒙次告訴我，他是一個魁梧的蠻漢，酒醉後，任何人觸犯了他，不是被毆打就是遭一頓咒罵。我認爲剛才我們那位來客所說她聽到那女客呼叫『怪物』的字眼，大概就是她對於那已死的丈夫怨恨的回憶。不過我們在得到一切眞象以前，我們的猜度可算是白費心思。華生，桌上有一隻冷山雞，和一瓶白蘭地酒。我們前往拜訪那女客以前，先喝些兒酒，振作精神。」

我們的車輛停在梅列洛太太門前的時候，我們便瞧見那位肥胖的房東太太，把那門口滿滿地堵塞住了。原來她十分擔心害怕會失去這樣一個寶貴的女客，故而她在讓我們進去以前，請求我們不要說或做什麼會造成這樣不幸結果的事。我們向她保證決不如此，她才把我們引導進去。我們隨她走上一個鋪著破地毯的直式樓梯，接著便被引進那神秘女客的房間。

這房間裡的空氣很不流通，有一種陳腐的悶氣。不過這房間的主人難得出去，所以也就不足爲奇的。那女人似乎因爲從前曾把野獸關在籠子裡，故而此刻受了命運的報復，自己也變成了籠子裡的野獸。這時她坐在房間陰暗角落一張破舊的安樂椅上，且因著長時間的靜止不動，身材線條有點臃腫變形了。一塊黑色的紗遮住了她的臉，但那紗只蓋到上嘴唇，故而還露出一個完美的小嘴，和一個圓形的下巴。我一瞧見她，立刻便想到她從前一定是一個十分漂亮的女子，連她的聲音也是很溫和悅耳。她說道：「福爾摩斯先生，我的姓名你應當不生疏。」「夫人，正是。不過我不知道你怎麼會知道我曾注意你的案子。」「我恢復康健以後，警察艾特蒙次先生曾來找我查問，我才知道。當時我曾騙他，假使那時我說了實話，也許是更聰明些。」

福爾摩斯道：「說實話當然是最聰明的辦法，但你那時爲什麼要欺騙他呢？」「因爲牽扯到一個人的性命。我知道他是一個毫無價值的人，但是我的心還是不願使他毀滅。我們本來是非常密切的！」「那麼，這個阻礙此刻已消滅了嗎？」「正是，先生。那個我所掩護的人，現在已經死了。」「既然如此，你爲什麼不將你所知道的一切向警察報告呢？」「因爲我還須顧到另一個人。換一句說，我須顧到我自己。這件事一經警察們的手，自然免不了有種種蜚語傳播出去，我是忍受不住的。我雖知我已活不長久了，但我仍想要安安逸逸地死。同時我還須找一個有判斷力的人，將這恐怖的故事告訴他，等我死了以後，一切事都可以眞象大白了。」「夫人，你抬舉我了。換句話說，我雖是一個能負責有擔當的人，但我並不能向你保證我聽了你的故事以後，一定不會把你移交到警察局去盡我應有的責任。」「福爾摩斯先生，我想不會的，我瞭解你的個性和做事方法。好幾年來，我都十分注意你經歷的案子。我的命運所留給我的惟一的娛樂就是看書。所以很少有出版品能逃過我的眼睛。但無論如何，我還是想要冒一冒險。即使你會造成我的另一種悲劇，也在

「先生們，這兩張照片，可以幫助你們瞭解這個故事。我是一個出身寒微的馴獸班的苦女子。我不到十歲，便開始幹那鑽圈、跳繩等等的工作。當我還是少女的時候，這個人愛上了我——不過像他這樣強的肉慾，能否算做愛我，我卻不知道。後來在一個不幸的時刻，我被他侮辱，成了他的妻子。從那天以後，我彷彿進了地獄，這惡魔似的他給我種種痛苦。馬戲團裡，沒有一個人不知道他待我的方法。他隔絕我和任何人來往，有時我抱怨，他就將我捆縛起來用鞭子鞭打我。團裡的人都哀憐我也怨恨他。但他們有什麼法子呢？這班人沒有一個不怕他的。因爲他平日的態度就很可怕，喝醉了酒更是充滿殺氣。好幾次他還因襲擊團員，虐待動物被警方拘罰。不過他有很多的錢，所以區區罰款並不在意。然而那些優良的演員所不惜。因爲把這件事說出來，才可以安慰我的心靈。」「我和我的朋友，都很樂意聽你的故事。」

那女子站起來，從抽屜裡拿出一張男子的照片，這人很顯然是一個專業的雜技演員。他有健美的肌肉，兩隻粗大的手臂，交叉在他肌肉突出的胸前。他濃厚的短髯鬚下面，還露出些微笑——這微笑好像是一個人在得勝後十分滿意的表情。她說道：「這就是雷納多。」「雷納多？就是那個做見證的壯漢嗎？」「是的。還有一張照片——這就是我的丈夫。」

這照片上的男子有一張可怕的臉，他高大而充滿獸性的姿態彷彿是一隻野熊。他有一雙小小而奸惡的眼睛，似乎他常用兇暴的眼光看世界上的人。蠻橫、強悍和野獸的性格，都可以從他充滿橫肉的臉上表現出來。

卻都受不了，陸續地離去了。於是我們這個馬戲團便開始沒落，最後這團就只有靠我和雷納多，連同那個小丑葛利格三個人支撐著。這可憐的小丑已沒有多少發笑的材料了，但他依舊盡力地幹。那時雷納多一天一天地和我接近，你們可以瞧見他的模樣是怎樣地棒。我後來終於知道他美麗的體格裡面，蘊藏了多麼沒有膽量的卑怯精神。但比起我的丈夫，他彷彿像一個天使了。他哀憐我，幫助我，到了後來，我們相愛了。這一切是非常深切而熱烈的，我曾夢想過，卻又不敢奢望享受。有一天我的丈夫開始懷疑我們的關係，雖然他的外形彪偉，但他只是一個懦夫，並且雷納多是他惟一所畏懼的人，所以他用了他卑鄙的方法來報仇——就是用更嚴酷的手段虐待我。有一天夜裡，我的慘叫聲音，把雷納多吸引到了我們所睡的車輛的門口——就在這一夜慘劇發生了。後來我的戀人和我知道這一回事已沒法避免，我的丈夫再不能活著，於是我們決定讓他死。雷納多有一個善於設計的聰明頭腦。這件事是他計劃的，我並不是抱怨他，因爲我本來準備和他一分一吋地合作著幹，不過我實在不夠聰明，會想得出這一種計策。我們做了一根棍子——這也是雷納多做的。他在這棍子笨重的一端，綁上了五枚長的鋼釘，釘頭向外分散，就像一隻獅子的腳爪。我們準備用這東西擊死我的丈夫，以便留下的痕跡像是被獅子所襲擊的。因爲我們打算在實行的時候，把獅子開放。那是一個沉黑的夜，我丈夫和我照著平日的習慣，一塊兒去餵那獅子。我們把餵獅子的生肉放在一隻鉛桶裡，雷納多等候在大車的轉角——到獅籠以前必須從那裡經過。但雷納多的動作太遲緩，當我們走過了他藏匿的地點，他還沒有動手，但他躡著腳尖跟在我們後面。接著，我就聽到那棍子擊碎我丈夫頭顱的聲音。我一聽這聲音，歡喜得心頭亂跳。我向前一步，拔去了那獅子籠門上的鐵門，於是可怕的事情便發生了！你總聽得過這種野獸如何敏於嗅出人類的血腥味，和這血腥會怎樣地刺激牠們。這動物憑著某種奇怪的本能，立刻知道有一個人被殺死了。當我才剛把鐵門拉開，那獅子便立即跳出撲向我。雷納多本來可以救我，假使他能衝上前來，用他的棍子叩擊牠，牠也許會被懾服。可是這人竟沒有膽量，我聽到他大聲尖叫；接著，我瞧見他轉身逃走。正在這時，那獅子的牙齒撕咬著我的臉。它那熱而汚濁的呼吸，早已使我昏倒，但我竟不覺得痛楚。我用我自己的手掌，用力撐拒那獅子染血的牙床；同時我又呼叫求救。我覺得全部的人都驚醒了。接著我模糊地記得有一群人，雷納多、葛利格和其他的演員，把我從那獅子的爪掌下拉出來。福爾摩斯先生，這是我最後的記憶。之後好幾個月的淒涼生活中，我再不記得什麼。後來我的傷治好了，拿鏡子照，唉，我怎樣咒恨那獅子啊！我並不是咒恨牠毀滅了我的美貌，是恨牠沒有毀滅我的生命！福爾摩斯先生，那時候我只有一個願望，而我也有充分的錢，足以維持我的願望。那就是我應把自己掩藏起來，不讓任何人再瞧見我的臉；並且我願意住在一個地方，讓認識我的人永遠不能再瞧見我，這就是我的願望。直到如今，我還維持著。一隻受傷的野獸，勉強爬到了牠的巢穴裡去，蜷伏著等死——這就是攸琴妮．朗特的結局了！」

我們聽了這不幸的婦人說完了她的故事以

後，都沉默了。接著，福爾摩斯伸出他的手，在那女子的手上撫摸著。他這種同情的表現，我真是難得瞧見。

他說道：「可憐的女子！可憐的女子！命運的安排眞是不容易測度的。假使世上沒有所謂的『報應』，那麼，這世界眞是太殘酷了！這個雷納多後來怎麼樣了呢？」

「從那時候起，沒有再見過他，也不想再聽到他，實在是很恨他。他也許不久又愛上了另一個女子，跟著其餘的團員，往各處去遊行了。但一個女子的愛，卻是不容易放棄的。他曾拋棄我在獅子的爪掌下；又在我困難的時候離開我，可是我還是不忍心讓他上斷頭臺去。我並不擔心我自己未來的生活要如何過，但我考慮到雷納多的性命，故而守著祕密。但命運的變化究竟是不可測的。」

福爾摩斯道：「他已經死了？」「我從報紙上得知，上個月他在馬加特地方游泳，不小心溺死了。」「那麼，你的故事中的最特殊和最巧妙的那根五爪的棍子，他後來又怎樣處置的呢？」「福爾摩斯先生，我不知道。在我們駐紮的地方，有一個堊石礦區，礦底裡匯成了一個深碧的水潭。也許那棍子就丟在潭底，也許……」「好，好，這一點此刻已沒有多大關係。這案子現在已結束了。」那婦人說道：「是的，這案子已結束了。」

我們站起身，但那婦人最後一句話，引起了福爾摩斯的注意。他轉過去瞧她，道：「你的生命不是你自己的，你沒有權利自行解決，快放棄這個念頭。」「我的生命對別人還有什麼用呢？」「你怎麼知道呢？就是這種忍受艱苦的榜樣，對於這個不忍耐的世界，已儘夠做一種最有價值的教訓了。」那女子很久才回答。她揭開了她的面紗，走到陽光下面。她說道：「我不知道你們是否忍受得住。」

這臉兒眞是可怕！皮膚已毀去，只剩下臉的架子，眞的實在沒有字句可以形容。一雙活潑而美麗的棕色眼睛，從那殘毀的臉部，憂鬱地向我們瞧著，使那樣子越發可怕。福爾摩斯舉起了他的手，表示他的憐憫和勸阻。接著，我們便離開那宅屋子。

兩天以後，我去拜訪我的朋友。他帶著一種得意的神氣，指著壁爐簷上的一個藍色的小瓶。我把那瓶子拿起，瓶面上有一張寫明毒藥的紅色標誌。我把那瓶蓋開了以後，有一種淡淡的杏仁臭味揮發出來。我問道：「是氫氰嗎？」「是，這東西是從郵局寄來的。裡面還有兩句話：『我把我意圖嘗試的東西寄給你，我當遵從你的忠告。』華生，我想你一定能夠猜到寄這個東西給我的勇敢婦人的姓名吧！」

老屋中的祕密(原名 The Shoscombe Old Place)

歇洛克．福爾摩斯彎著腰在那一座低倍數的顯微鏡上觀察；經過了好長一段時間，他才站直了身子，用得意的眼光瞧我，說道：「華生，這是膠質，這肯定是膠質。你過來瞧瞧鏡片上這些分散的粒子。」我彎下腰湊到那顯微鏡上。

他說道：「那些絲線是從一件絨衣上撕下來的線條；那些不整齊的灰色塊粒是灰塵；左邊還有些皮膚屑片；在中央的那幾粒棕黃色的細粒，無疑地是膠質。」我笑著應道：「好，我此刻已準備好了要接受你的說法，這些東西有什麼意義嗎？」

他答道：「這是一個非常有趣的實驗。你應該記得『聖約克萊斯』那件案子，在那警察屍體旁邊，曾發現一頂帽子。那個被控的嫌犯，不承認這帽子是他的，但他是一個常用膠水的做鏡框的工匠。」

我道：「這是由你所承辦的案子嗎？」「不是。我的朋友——蘇格蘭警場裡的姆列凡爾請我在這件事上參與一下。自從我從一個人袖口的線縫中發現了白鉛和銅屑，即查明了那是個製造偽幣的人之後，蘇格蘭警場裡的人便開始瞭解到『顯微鏡』的重要。」他不耐煩地瞧瞧他的錶，又說道：「我有一個新委託人要到這裡來會見，但他此刻已遲到了。咦，華生，我想到了，你瞭解賽馬嗎？」「我當然瞭解。我因戰役受傷而得到的撫恤金，大半都花在賽馬上了哩。」

「那麼，我要把你當做我的賽馬顧問看待了。那位勞白爾・諾勃登爵士是個什麼樣子的人？這名字可以讓你想起什麼嗎？」「有一點印象，我記得他住在蕭史克姆老屋。這地方我很熟悉，因爲我曾在那裡避暑。這諾勃登有一次幾乎進入你的職業領域。」「什麼意思？」「他曾毆打一個住在紐馬克特的著名放債人賽姆・白利威，差一點就致這放債人於死命。」

「唉，這倒有趣了。他平日的行爲可是都這樣的放縱？」「他本來就是一個兇橫人物，他可說是全英國最膽大的騎師。數年前，他曾在全國競賽得第二名。他是一個走在時代尖端的人，他是一個擊拳家、一個運動員、一個賽馬場的騎師，又是一個漂亮婦女們的情人。不過到目前爲止，他在交際圈似乎已沒有立足地位了。」「好啊！華生，你說得很簡要，好像我也認識這個人。你能不能再告訴我些關於蕭史克姆老屋的情形？」「我只知道這老屋在蕭史克姆公園中央，有著名的蕭史克姆巨柱和訓馬場。」

福爾摩斯接口道：「那個訓馬場的教練，名叫約翰・曼森。華生，你用不著驚訝的。我這幾句補充的話是從曼森寫給我的一封信上知道的。讓我們再討論些關於蕭史克姆老屋的事——我似乎已接到了一件好買賣。」

我說道：「還有，蕭史克姆的小狗也很有名。每一次賽狗會時，總可以聽得這狗的名稱。這狗是英國最優良的種，也就是蕭史克姆老屋的貴婦特別誇耀的東西。」「我想她就是勞白爾・諾勃登的夫人？」「諾勃登爵士從來沒有結婚過。他的行爲，不結婚反倒好。他和他寡居的姊姊住在一塊。她就是比亞德里施・甫兒特夫人。」「你的意思是說這寡居的姊姊和他住在一起？」「不，不。他其實是依靠著她。因爲這老屋本屬於她的亡夫詹姆斯爵士的，諾勃登在這產業上完全沒有什麼繼承的權利。這屋子只能讓這孀婦享受一生，死後這些屋產的租金便須移轉，由她亡夫的弟弟承襲。」「我猜想這位諾勃登的弟弟，便做了這房租的消費者吧？」「大概如此。他是一個壞人，他常使他的姊姊過著一種不安的生活。可是我聽說她至今對他還是很好。蕭史克姆老屋現在究竟發生了什麼岔子呀？」「唉，這一點就是我要查究的。但我想此刻那位給我們消息的人來了。」

辦公室的門開了，侍者領進一個高大而修剃整潔的人。他有一張嚴肅的面容，這種神氣只有在那些訓練駿馬或馬夫的人的臉上才能瞧見。這位約翰・曼森先生的底下，的確有許多地名馬和馬夫，聽從他的指揮。他以一種嚴冷的態度，鞠了一個躬，接著就坐在福爾摩斯所指示的椅子上。說道：「福爾摩斯先生，你已接到我的信了嗎？」「接到了。但在信上並沒有說些什麼。」「這是一件很神秘的事，我不能在紙上寫明。並且這件事又非常複雜，我只能當面解釋。」「好，我們洗耳恭聽。」「福爾摩斯先生，第一點，我想我的主人諾勃登爵士已經發瘋了。」

福爾摩斯挑起了他的眉毛，說道：「這裡是貝克街，不是哈萊街啊！但你爲什麼有這樣的想法？」「唉，先生，假使一個人幹了一件奇怪的事，或兩三件奇怪的事，那麼，總有原因可查。但假使這個人所幹的一切的事，都奇怪不近情理，那你不能不驚異了。我相信那蕭史克姆王子和賽馬大會，把他的腦子弄壞了。」「這蕭史克姆王子是不是就是你所管的那匹名馬？」「是啊，福爾摩斯先生，這是一匹全英國最棒的馬——假使還有其他的名馬，我當然會知道的。現在我覺得我可以和你開誠布公地談一談，因為我知道你們都是有信用的上流人，這裡所說的話也決不會傳到外面去的。諾勃登爵士必須在這一次賽馬大會上得勝，因為他的地位已經搖搖欲墜，這一次賽馬，就是他最後的機會。他把一切他所有的或所借的，都下注在這馬身上。現在你若在這馬身上下注，已減到四十賭一百；但爵士在開始為這馬捧場的時候，幾乎下注到九十幾賭一百的數目。」

「既然這馬這麼好，為什麼有這樣落差的現象呢？」「因為社會上的一般人並不深悉這馬的優點，爵士又非常狡猾，故意把王子同父異母的兄弟拿出去試賽。這兩匹馬外貌完全一樣，分開了誰也瞧不出來，但只要跑個二百呎，這兩匹馬便有顯明的不同。他現在什麼事都不想，整個腦袋只有那匹馬，和這一次的競賽，全部的生命都在這事上了。他都跟那些放債的猶太人，約在賽馬以後還債，要是王子失敗了，他也就一切都完了。」

「這真是一種危險的賭博。但你所說的發瘋的事，是指那一點呢？」「第一，你只須瞧一瞧他，便可以知道。他每天晚上都沒有睡覺，一天到晚待在馬廄裡面。他的眼神像發了狂，他的精神一定已受不住了。此外還有他對於他的姊姊比亞德里施的行為！」

「喔！他做了什麼事？」「他們的感情本來是非常融洽的。他們有同樣的嗜好，而且愛馬的熱誠，也並不比爵士減色。每天在一定的時刻，她總會驅車到馬廄裡去視察一回，並且她也特別喜歡那一匹王子。這馬一聽得車輛的聲音，便會豎起了耳朵走到馬車前面，領受她給牠的一塊糖。可是這種事此刻已完全變異了。」

「爲什麼呢？」「她似乎失去了對於馬的一切興趣。這一星期以來，她的馬車只從馬廄門前經過，連向王子說『早安』的習慣都取消了。」

「你想他們是不是有過爭吵？」「是啊，我想他們一定是吵的非常劇烈而怨毒的。否則，他怎麼會把那一隻她鍾愛得像自己孩子一般的小狗，贈送給別人呢？在幾天前，他把這小狗送給老巴納史。這老頭兒就是在三英哩以外克倫達爾地方的青龍旅館的老闆。」「這的確是很奇怪的。」「她有水腫和心臟衰弱，理所當然不能常和他同出同進，但每天晚上，他總要在她的房間消磨兩個鐘頭。這是他對於她的一種友愛的表示，因爲她待他實在太好了。但這種情形，此刻也已完全變異了。他已完全不接近她，她因此感受著痛苦。唉，福爾摩斯先生，她從此常鬱鬱不樂地狂飲。她的酒量眞令人害怕！」

「在他們互不往來以前，她也喝酒嗎？」

「她也常喝一小杯酒。但現在每一個黃昏，她總要喝完一瓶。這是那管家史蒂芬告訴我的。福爾摩斯先生，這裡面一切都變了。我料想其中定有什麼可怕的原因。除此以外，我的主人每夜都到那老教堂後面的地窖裡去，不知道是爲了什麼？也不知道他在那邊約了什麼人？」

福爾摩斯搓著他的兩手，道：「曼森先生，請說下去，你越說越有趣了。」「那管家瞧見他到教堂的地窖裡去。那一天是下大雨的夜裡，史蒂芬瞧見他在半夜十二點鐘的時候出去。隔一天晚上，我待在屋中，我的主人當眞又出去。史蒂芬和我於是跟在他的後面，我們的舉動當然是很冒險的。假使他瞧見我們，那一定不得了，他發怒時，拳頭是不認人的。因此，我們不太敢接近他。只敢遠遠地跟蹤他，他當眞是到那有鬼氣的地窖裡去，並且還有一個人在那裡等他。」

「這個有鬼氣的地窖在什麼地方？」「唉，先生，在花園中，一座坍廢的教堂裡。這教堂的年代久遠，已沒有人知道它建造的年月。在這教堂的下面有一個地窖，傳聞常有鬼出沒。這地窖白天就很黑暗濕潮且冷清的，若說要夜間走到地窖裡去，我相信沒有幾個人有這種膽量。但主人是不怕什麼的，他生平從來不曾怕過什麼東西，不過他在深夜時到那邊去幹什麼事呢？」

福爾摩斯說道：「請等一等。你說那邊還有另一個人。這人也許就是你們馬廐裡的一個馬夫，或是你們宅裡的什麼人。你只須查明白這個人是誰，那你就可以向他問清楚了啊。」

「這個人並不是我所認識的人。」

「你怎麼知道呢？」「福爾摩斯先生，我曾親眼瞧見這人。就是在第二天夜裡——有月光，諾勃登爵士出來時，從史蒂芬和我二人面前經過。我們倆伏在樹叢後面，像兩隻受驚的兎子，一會兒，我們聽到另一個人也跟著過來。我們並不怕他，故而等到爵士走遠以後，我們便站起了身子，裝做在月光下散步的樣子。於是我們在不經意的狀態下和那人相見。我說道：『喂，朋友，你是誰？』我料想那人沒有注意到我們是從那裡出來，因此，他突的轉頭，臉上露出一種彷彿他瞧見什麼鬼魔從地獄裡出來的表情。他驚呼了一聲，拼命地向黑暗中逃去。一分鐘後，他已無影無蹤。故而他究竟是誰，或幹什麼事情，我們終究不曾查明。」

「你確定你曾在月光中瞧清楚他？」「正是，我敢發誓，我當眞瞧見他那黃色的臉，我敢說他是一個下流的壞蛋。他和諾勃登爵士會有什麼關係呢？」

福爾摩斯靜坐了一會兒，陷入深思狀態。最後，他說道：「誰和這位比亞德里施．甫兒特夫人作伴呢？」「她有一個女僕，名叫卡利．伊文斯。她和夫人已相處了五年。」「我想她是很忠順的吧？」

曼森先生不安地停頓了一下，答道：「她眞是非常忠順的，但我不願說她對什麼人忠順。」福爾摩斯驚異地道：「唉！」

「我不願意說什麼牽涉隱私的話。」「曼森先生，我完全明白。現在這整個情況已非常明瞭了。從華生醫生所描述關於諾勃登爵士的行徑，我早明白凡女子和爵士接近總是不安全的。那麼，你想他們姊弟之間的爭吵原因，會不會就在這侍女身上？」「唉，這種顯明的蜚語，本來就已流傳好久了。」

「但那夫人以前也許不曾親眼見過。現在我們姑且假設她突然發現了那爵士和侍女間的特別關係，她要斥退那女子，她的弟弟卻不答應。她本是一個病人，以她那麼脆弱的心臟，自然沒有力量實現她的志願。她因著這女僕依舊逗留在她的屋子，因此鬱怒異常，便藉酒發洩她的煩悶。諾勃登爵士既和他的姊姊決裂，便將她的小狗奪過來送人。你想這樣的假設，是不是很合理？」「也許，照情勢上推測，大概如此。」

「是啊，照情勢上說，大概如此。但這種假設，若整合到爵士在夜裡往教堂地窖裡去的事，又怎能合符呢？這一點，我們還不能完

「那麼，你怎麼處置這東西？」「我們仍讓這東西留在那裡。」「這辦法很聰明。你說諾勃登爵士昨天曾到倫敦，他回來了沒有？」「他今天應該會回來。」「諾勃登爵士在什麼時候送掉他姊姊的狗？」「到今天恰好一個星期。那天早晨這狗在屋子外面吠叫，諾勃登爵士在暴怒狀態之下捉住了這狗。我起初料想他也許會把它摔死，但他卻把狗交給那賽馬的騎師山狄倍恩，叫他將這狗送到青龍旅館的老巴納史那邊去。因為他不願意再瞧見這狗。」

福爾摩斯又沈默了一會兒，他點燃了他那隻污黑不潔的舊煙斗，默默地深思。最後，他說道：「曼森先生，我還不明白你要我在這件事上做些什麼，你可以說得更切實些嗎？」我們的來客答道：「福爾摩斯先生，這件東西也許可以讓你得到些更切實的印象。」他從衣袋全貫串。」「先生，當然不能。但說到不能貫串的部分，我還有其他的疑點。諾勃登爵士為什麼要掘起一個屍體來呢？」

福爾摩斯突然坐直了身子，那來客繼續說道：「這一回事是我在昨天寫信給你以後才發現的。昨天諾勃登爵士曾往倫敦去，故而史蒂芬和我就到地窖。先生，那地窖裡並無異狀，不過地窖的一個牆角卻有一小堆人類的肢體。」「我想你已報警了吧？」

曼森先生露出冷冷的微笑，道：「先生，我想這東西引不起警察們的興味的，這只是一個乾屍骷髏，和幾根骨頭，這東西也許已有一千年之久了。不過這骷髏和人骨，以前並不在那裡的，關於這一點，我和史蒂芬都願意宣誓作證。這些骨頭隱藏在地窖的牆角，上面還用一塊木板蓋著。這牆角以前是空無一物的。」

中拿出一個紙包，解開以後，包中有些骨頭的焦屑。

福爾摩斯很仔細地察驗，道：「這東西你從什麼地方得到的？」「在比亞德里施夫人臥室下面的地坑中有一座發熱的爐灶，這爐灶已好久不用了，但諾勃登爵士聲言太冷，便吩咐重新升旺起來。這爐灶是哈凡生負責的——他是我手下的孩子。今天早晨他把這焦骨屑拿來給我，據說這東西是他從爐灰中檢出來的，他不喜歡瞧見這東西。」福爾摩斯說道：「我也不喜歡。華生，你瞧瞧這東西究竟是什麼？」

這東西已燒成黑色的焦炭，但從解剖的眼光觀察卻仍一目瞭然。我說道：「這是一根人類大腿的骨頭。」

「這就對了。」福爾摩斯的眼神突然很嚴肅。「這孩子在什麼時候燒爐灶的？」「每天黃昏時候升起火，之後就讓它過夜。」「那麼，任何人都能到灶邊嗎？」「正是，先生。」「可以從外面進入這裝爐灶的地坑裡嗎？」「可以。外面有一扇門，另有一扇門順著樓梯直達比亞德里施夫人的臥室。」「曼森先生，這件事非常不單純。你不是說昨夜諾勃登爵士不在屋子裡嗎？」「先生，他當眞不在。」「那麼，假使有什麼人到爐灶邊去燒骨，一定不是他了。」「對極了，先生。」「你剛才說起的旅館叫什麼名字？」「青龍。」「那一帶地方可有適宜釣魚的地點？」

這個誠實的馴馬人臉上，又露出一種莫名奇妙的表情。他似乎覺得他不幸的生命中，又遇到了另一個瘋子。一會兒，他答道：「唉，先生，我聽說那河溝裡有魚，霍爾湖有梭魚。」

「這樣太好了，華生和我都是釣魚高手

──華生，對不對？你以後給我們的信，都可寄到青龍旅館，我們今晚就可到那邊。曼森先生，我想我不必叮囑你，那時候我們不願見你，但你可以寫信給我們。我如果需要你，我想我一定可以找到你。等我們在這件事上略略進展一些，我就可以將我的想法報告給你了。」

在一個晴朗的五月的黃昏，福爾摩斯和我坐上了一輛頭等車，向蕭史克姆駛去。我們車座上面的置物架上，擺滿了許多釣竿、捲線車和籃子等物。我們到了目的地以後，走了一小段路，便到了那一家舊式的旅館。那主人巴納史，也很熱誠地參與我們捕魚的計劃。

福爾摩斯說道：「你想，到霍爾湖邊去釣梭魚，有沒有希望？」那旅館主人的臉忽然沈下來，道：「先生，那是不可能的。你到湖邊去釣魚的機會，還不如你自己浸在湖裡的機會來得大。」

「怎麼會如此？」「先生，還不是為了諾勃登爵士的緣故。他對於賓客們很猜忌的。假使你們兩個陌生人走近了他的馴馬場，那麼，他一定會來找你們算帳！諾勃登爵士從來不會通融的。」

「我聽說他有一匹馬要參加比賽。」「正是，那是一匹好馬。他把我們許多人的錢，都下注在這一次的賽馬上。凡諾勃登一切所有的，也都已做了抵押。」他忽然陷入一種深思狀態，又問道：「唉，我想你們兩位也是來參加賽馬的吧？」「不是。我們是兩個疲倦的倫敦客，希望呼吸些鄉村間的新鮮空氣。」

「這樣啊，那麼你們到這裡來實在太適合了。這裡有許多可以消遣的地方，不過你們應留心我告訴你的諾勃登爵士。他是一個先動手後說話的人，你最好不要走近那花園。」「巴納史先生，我們一定照你的話辦。唉，那隻在走道裡吠叫的狗，眞是一隻好狗。」「我承認這是一隻好狗。這是蕭史克姆種，全英國沒有比這更好的狗。」

福爾摩斯道：「我也是一個愛狗的人。像你這隻得獎的狗，可值多少？」「先生，那價値一定是我所購買不起的。這狗是諾勃登爵士送給我的。因此，我至今仍把這狗鎖著。假使我把它放掉，它立刻會回到老屋裡去的。」

那旅館主人走開以後，福爾摩斯對我說道：「華生，我們此刻已得到些線索了。這一件事是不容易應付的。但在一二天內，我們也許可以得到著手的路徑。我聽說諾勃登爵士至今還在倫敦，因此，如果我們今夜到他老屋中的教堂那裡去，料想不致有被襲擊的危險。因爲有一兩個要點，我還須加以證實。」

「福爾摩斯，你有什麼想法？」「華生，我只有一種感覺：就是在一個星期以前發生了一件事情，才使這蕭史克姆老屋起了重大的變化。但發生了什麼事呢？我們完全不知，只能從事實產生的結果上猜想。這件事似乎很複雜，但就是這點，也足以給我們某種助力。因爲只有毫無動靜和毫無線索的案子，才沒有希望。現在我們從過程上推想一下。那弟弟已不再關心他的親愛的生病的姊姊了，且他又將她所心愛的狗送掉。華生，送狗的這一件事，對於你可有什麼提示？」「我想不出什麼。這舉動只能顯示那弟弟的憤怒罷了。」

「是的，也許如此，不過也有另一種解釋。現在我們再繼續推想，假使他們中間眞有一次爭吵，那麼，這變動的局勢就是從爭吵以後產生的。那貴婦終日關閉在她的房間，她的習慣也改變了，她除了和她的女僕駕車出外以外，其他時候不再與任何人接觸。就連出外經過馬房的時候，也不再停下車子探視她那匹心愛的馬，且又顯明地縱酒無度。這種種都是案中的特殊點。」

「還有，教堂後面『地窖』的那一環，也不能不注意。」「那是另一條線索。這案中有兩條線索，請你不要混纏。第一條層，關係比亞德里施夫人，有一種空泛的詭祕意味籠罩著她。對不對？」「我卻想不出什麼。」

「好，現在我們再想想和諾勃登爵士相關的第二條線。他拼了命也要贏這一次馬賽，他現在已被放債的猶太人操縱著。無論何時，他所有的一切和他的賽馬的馬房，都有被他的債主們執管和拍賣的可能。他是一個膽大而不顧一切的人；他的錢完全是從他的姊姊那裡來的；他姊姊的女僕又是他的心腹。以上種種都可以作為我們依循的方向。」

「那地窖裡面到底有什麼祕密呢？」「唉，對了，還有關於地窖的問題，華生，現在我們姑且先成立的一種臆測的假設；就是說諾勃登爵士已謀害了他的姊姊。」「親愛的福爾摩斯，這假設是不可能成立的！」

「華生，你的見解也許對。諾勃登爵士是生長於高貴的家庭。但你在鷹群裡面，有時也可發現一隻啄腐屍的烏鴉。我們姑且從這假設上推測，他在獲得他自己的產業以前，還不能遠走高飛；而他的產業的獲得，得靠著他的蕭史克姆王子在競賽上努力。因此，他勢必要留在這個地方，維持他的計劃。所以首先，他必須處置他所害的人的屍體；其次，他還須找一個人假裝成他的姊姊。因爲那女僕是他的心腹，所以這個動作於事實上未必不可能。那女子的屍體大概曾被運送到那個人跡罕到的地窖裡去；且在夜裡被丟進爐灶，悄悄地滅屍，只剩下些焦骨的證據——我們剛才已見過了。華生，你認爲這些假設怎樣？」「假使你先前可怕的假設成立，那麼，這種種都是可能的。」

「華生，我們若要從這些黑暗中求取些光明，那麼，明天我們可做一個小小的實驗。眼前我們如果要表演我們所喬扮的人的個性，我提議我們應請這位旅館主人進來喝一杯陳酒，討論些關於鱔鰻和黃尾鱗一類的問題。我覺得這些事是引起他談話興味的唯一誘餌。我們在談話時，或許能得到些有用的資料。」

隔天早晨，福爾摩斯發現我們並沒有帶釣魚的餅餌，因此，我們還不能立即去釣魚。到了十一點，我們計劃出外去散步。他在出發以前，曾請求那旅館主人，讓我們把那隻黑小狗帶出去。

我們走到了那高大的花園門口，我見門上雕著兩隻飛鷹的徽幟。福爾摩斯又向我說道：「這地方就是了。巴納史先生告訴我，每天中午，那位貴婦總要乘著馬車出外一次的。在這花園門打開的時候，馬車會收轡緩行。華生，你趁那馬車出了園門還沒有加快速度以前，上前去和那車夫隨便談幾句話。你不必顧慮我，我會匿伏在這冬青樹叢的後面，觀察我所能瞧見的狀況。」

我們並沒有等很久。十五分鐘後，我們便瞧見有一輛敞篷的黃色四輪馬車，從那狹長的樹蔭路上過來。這車輛被兩匹高大而壯麗的灰色馬拖著，瞧去非常顯貴。福爾摩斯早已牽著狗埋伏在樹叢後面。我裝做隨意地站馬路中間，手中揮著一根手杖。有一個僕人奔出來，將那兩扇園門打開。

那馬車慢慢地減緩了速度，兩匹馬一步步地走著，我才有機會瞧清楚車中的乘客。有一個臉色深紅的少女坐在左邊，她有亞麻色的頭髮，妖媚的眼睛。在這少女的右邊，另有一個年高的女子。她有一個圓形的背部，她的臉和肩，都圍著一塊絲巾，這大概就是那患病的貴婦。等到那馬車上了大馬路，我就舉起了手揮舞著。當那車夫把韁繩扣緊的時候，我就上前問他諾勃登爵士是否在蕭史克姆老屋裡。

正在這時，福爾摩斯從匿伏處出來，同時將那小狗釋放。那狗發出了喜悅的吠叫聲，立即朝馬車奔去；且竄上了馬車邊的踏級。但一剎那間，那狗忽變成了憤怒的狂叫；接著又咬住那車中人的黑裙。這時有一個粗低的聲音喊道：「快！快走！」那車夫於是用力鞭馬，車輛就疾馳前進，我們倆便被拋遺在道旁。

福爾摩斯把鍊條重新扣在那隻驚惶的小狗的項圈上，向我說道：「華生，這狗已盡了牠的本分。牠起初以為車中坐的是牠的女主人，後來又發現『他』是一個陌生人。狗從來不會錯的。」我大聲道：「這是一個男子的聲音啊！」「對！我們又增加了一條線索。不過我們仍須小心地應付。」

這一天我的同伴似乎已沒有其他的計劃。因此，我們在空餘的時候一起到磨坊河溝去釣魚；晚餐時就增加了一道美麗的紅燒鱒魚。晚餐以後，福爾摩斯又表示我們將有新的活動。我們又走到了那條通花園的路上，有一個高大的人已在那邊等候我們。這人就是我們的委託人——馴馬師約翰．曼森先生。他道：「先生們，晚安。福爾摩斯先生，我已接到你的信。諾勃登爵士還沒有回來，我聽說他夜裡才要回來的。」

福爾摩斯問道：「那個地窖距離正屋有多遠？」「約有四分之一英哩。」「那麼，他回來不回來，我們可不必顧慮。」「福爾摩斯先生，我卻不能如此。因爲他一到這裡，立刻會叫我進去報告蕭史克姆王子的狀況的。」「我明白了。曼森先生，既然如此，我們工作的時候你可以不必在場。你把我們帶到了那地窖裡以後，你自己儘可以自便。」

這夜沒有月亮。曼森帶領著我們從那亂草地上經過，直到那一宅黑巍巍的教堂橫阻在我們的面前方才停住。我們從那破坍的隙口裡進去，我們的嚮導一高一低地從那亂石碎磚上走過，曲折地到教堂的轉角，轉角上有一道削斜向下的梯級直通下面的地窖。曼森擦亮了一根火柴，更顯得這地窖淒涼可怖。那地窖是粗石砌成的，由於年代久遠的關係，石壁的石屑多已剝落，窖中幽暗可怕，並且充滿了難受的陳臭氣味。有不少鉛質的和石質的棺材，排在一邊，直頂到上面弓形的屋頂。這屋頂部分消沉在黑影裡面，我已瞧不見任何東西。福爾摩斯點亮了他的手燈，射出一道細長的黃光，終於可清晰瞧見這淒暗的景象。當燈光照到那些棺材上，便有些反光，許多棺材上，都雕刻著飛鷹和皇冠，似乎想要讓那閥閱的榮譽，一直誇耀到陰曹。

福爾摩斯說道：「曼森先生，在你離去以前，指給我們瞧瞧你曾說過的那些屍骨。」「那屍首是在這牆角邊的。」那馴馬師說著，便向牆角走去。但當我們的燈光照到那地點時，他站住了，顯得很驚訝。他又說道：「唉，這些骨頭已不見了！」

福爾摩斯乾咳了一聲。「我早料到如此。我想這些骸骨此刻都已變成了灰燼，你可以到那座曾經燒化過一部分骸骨的爐灶裡去找尋。」

約翰・曼森問道：「但那人有什麼企圖，竟把死了一千多年的人的骸骨燒燬？」福爾摩斯說道：「這就是我們到這裡來查究的目的。我們也許要費好一會兒搜索功夫。你現在不必留在這裡了，我想在天明以前，我們也許就可以得到最後的解釋。」

約翰・曼森離開我們以後，福爾摩斯便開始察驗那些古棺。他從最古的一口棺材著手，那似乎是屬於撒克遜時代的。接著察驗的是諾爾費時代的石棺，再來是十八世紀的威廉丹尼斯爵士，和費勒爵士。我們足足費了一個多鐘頭，福爾摩斯方才瞧到一口放在近門門口的鉛棺。我聽到他低促的呼吸聲，便覺得他的舉動是急促而謹慎。他用他的放大鏡細細瞧那棺蓋的邊，接著，他從衣袋中摸出一根短鐵棍和一把開箱的鐵鏟。他用鐵鏟捅進棺蓋的縫，又用那鐵棍把棺材蓋撬開，這蓋似乎只釘了兩枚釘，但當那棺蓋撬開的時候竟發出一種破裂的聲音。但就在這時候，我們遭遇到了阻擾。

有人在上面的教堂中走動。那腳步聲穩而急促，表示那人是有備而來，並且對於他所經歷的地點完全熟悉。一會兒，有一道光線從梯級上照射下來；更一剎那，一個提燈的人已出現在哥德式的拱門門口。他是一個可怕人物，他的體格魁梧，面目猙獰。他手裡提著一盞很大的馬房用燈。在燈光的照射下看清他的臉上留著濃密的短鬍鬚，一雙含怒的眼睛向地窖尋視了一圈，最後，便凝注在我和我同伴的身上。

他喝道：「你們是什麼惡魔？你們在我的地方幹些什麼？」因爲福爾摩斯並不回答，所以他又走前兩步，舉起了他手中的一根粗棍。他吼叫道：「你有沒有聽到我在講話？你是誰？你們在這裡幹什麼？」他的棍子在空中舞動著。

但福爾摩斯不但不退避，反而前進一步，逼近他的面前，發出嚴肅的聲音，道：「諾勃登爵士，我也有一句話問你，這人是誰？她在這裡做什麼？」

他轉身把那棺材蓋用力推開。我順著燈光的照射，瞧見有一個屍體，自頭至腳被一塊白布裹著。那屍體可怕的臉兒露出來，鼻子和下巴向上突出，一雙無神的眼睛，從那慘白無血色的臉向上直視。

爵士驚呼了一聲，向後倒退。他的身體被一口石槨抵住，驚詫道：「你怎會知道我們的事？」接著，他又馬上回復了他的蠻橫態度：「這關你什麼事？」

我的同伴答道：「我的名字叫歇洛克・福爾摩斯。我想你也許熟悉的。我的職務就像每一個好國民一般，在維持國家的法律。我看你得對這事負起嚴重的責任呢！」

諾勃登爵士向前呆視了一會兒。福爾摩斯鎮靜的聲調，和嚴冷酷毅的態度，終於產生了所希望的效果。爵士作屈服聲道：「福爾摩斯先生，我當著上帝的面發誓，這件事並不是出於惡意！我承認這事的表面上，似乎都表示著我的舉動有犯罪的嫌疑，但我實在出於不得已。」「我很高興聽你這樣說。但是恐怕你的解釋，必須到警署裡去發表了。」

諾勃登爵士把他寬厚的肩膀聳了一聳，道：「好，如果必須如此，那也可以照辦。現在請你先到我的屋子裡去，等你明白了這事的情形以後，你再下評判吧。」

一刻鐘以後，我們已到了那老屋中的練槍室。室中佈置得很舒服，諾勃登爵士讓我們坐定以後，又走開了數分鐘。他再進來時，帶了兩個同伴進來，一個就是我們在馬車中見到的那個風騷的少女；還有一個是瘦小而尖臉模樣的男子，表情詭祕一副作賊心虛的樣子。這兩個人都不知所措，從這一點，可以知道那男爵還沒有機會把變動的局勢告訴他們。

諾勃登爵士揮一揮手，說道：「這兩位是拿蘭特先生、夫人。拿蘭特太太憑著她溫柔貼心的好名聲，做我姊姊的心腹女僕好幾年。我此刻把他們領到這裡來，是因爲我覺得最聰明的辦法，就是把實在的情形告訴你們。這兩個人就是能證實我所說的一切的人。」那婦人大聲道：「諾勃登爵士，有必要嗎？你可曾想過，你此刻在幹什麼？」那男子也說道：「關於我的方面，我絕對不負什麼責任。」

諾勃登爵士輕視地朝他看了一眼：「我可以擔負一切責任。福爾摩斯先生，現在請你聽這件事情的簡單的解釋。你應該十分地明瞭我的事情，否則我也不會在那祕密的地點發現你。因此，我料想你早已知道我此刻正準備讓一匹馬參加馬賽；並且一切的一切都繫在這馬的勝利上。假使我得勝了，一切都可以平安過去。假使我失敗——唉，我簡直不敢想！」福爾摩斯說道：「我明白這種局勢。」

「我一切的花費，都是依靠我的姊姊比亞

德里施。大家也都知道她產業的利息，只能享用到她臨終爲止——我自己欠了不少債，我的自由都在猶太人的手中。我也知道我的姊姊一旦去世，那麼，我的債主們一定會像老鷹般地攫奪我的產業。那時一切都要被佔領了——我的馬房、我的馬，和其他一切。唉，福爾摩斯先生，我的姊姊的確是上星期就死了！」「但你卻沒有告訴別人！」

「我怎能告訴別的人呢？我已處於崩潰的狀態。假使我能把我的東西暫時維持三個星期，那就可以換成一種新局面。這一位拿蘭特先生本是一個優伶，他的妻子又是我姊姊的心腹女僕。因此，我們想到——這是我想的——我們可以請他暫時喬扮著我的姊姊。這工作只須每天坐馬車出現一次，此外他便可深居在她的室中；而她的臥室除了這女僕以外，沒有其他人可以進去的。故而這一層在布置上並不困難。我的姊姊的確是因爲患了好久的水腫病死的。」「這問題應當讓檢驗官去決定的。」「她的醫生可以證明，在好幾個月以前，她的病症就有這樣猝斃的威脅。」

「那麼，你幹些什麼事呢？」「那屍體當然不能留在屋子裡。第一天夜裡，拿蘭特和我把屍體抬到外面廢棄的井屋裡去，可是她的那隻小狗跟在我們的後面，兀自在井屋門口吠叫。因此，我覺得我們還是必須另找一個更妥密的地方，所以，我就把那小狗送掉了。接著我們才將屍體送到教堂的地窖裡去。福爾摩斯先生，這裡面並沒有不敬或褻瀆的意味，我絕不認爲我對於死者有什麼虧待的地方。」「諾勃登爵士，在我看來，你的行爲不可輕恕。」

男爵不耐地搖著頭，說道：「坐著批評是

容易的。假使你易地而處，那麼，你的觀念也許會不同了。一個人決不能坐視他的希望和一切的計劃在最後一刹那間歸於失敗，而完全不設法挽救。我認爲我們如果將她放在她丈夫的祖先的一口棺材裡，那決不能算是屈辱她。所以我們就開了這樣一口棺材，把裡面的骸骨拿出來；然後將我的姊姊放在裡面——剛才你已瞧見過了。至於我們拿出來的陳舊的屍骨，當然不能就放在地窖裡的地上。拿蘭特和我又把這屍骨運出來，在一天夜裡，由他把這屍骨送到地下的爐灶裡去燒燬。福爾摩斯先生，這就是我經過的全部事實。你既然強迫我，我也只好據實告訴你了。」

福爾摩斯默默地坐著。最後，他又說道：「諾勃登爵士，你的故事裡面還有一個漏洞。你的未來的希望既然都寄託在賽馬上，那麼，即使你的債主們據有了你的產業，你仍舊可以有希望啊！」

「那馬也是我產業的一部分。他們誰肯顧到我的賽馬的下注？他們決不會再讓這馬參加競賽的。最不幸的，我的最大的債主就是我的仇人——那個流氓賽姆·白利威。有一次我曾在紐馬克特因著被逼急而毆打過他，你想他會顧慮我的失敗而伸出援手嗎？」

福爾摩斯站起來，說道：「好了，諾勃登爵士，這件事當然要移交給警察的。我的職務就在查明事實的眞相，現在我應當放手了。至於你的行爲和道德問題，我此刻也不便發表什麼意見。華生，此刻已近半夜了，我想我們應回我們的寓所裡了。」

這件奇怪事情的結果，竟是讓諾勃登爵士得到便宜的處分。這件事後來大家都知道了，而那匹蕭史克姆王子果眞勝了這一次賽馬，那馬主人也贏得八萬鎊的鉅資。他的債主們等到賽馬過後，就執行他們的債權。後來爵士把債款淸償以後，還餘下一筆錢，足夠做他另換一種新生活的基礎。警察和檢察官對於這件事情都取寬容態度，關於他遲報他姊姊的死亡消息，只給予一種輕微的懲罰，故而這僥倖的馬主人，在這件奇怪的事情上竟未曾受到什麼損害。此刻他已脫離了黑暗的生活，正安享著安逸的晚年呢！

棋國手的故事(原名 The Retired Colourman)

這天早上福爾摩斯心情憂鬱，陷入低潮，原本朝氣蓬勃的他卻變得消極頹喪。他問我道：「你瞧見他沒有？」我答道：「你是說那個剛才出去的老頭兒嗎？」「對。」「瞧見的，我在門口碰到他。」「你想他是一個怎麼樣的人？」「他是一個可憐、一事無成、潦倒的傢伙。」「華生，你說得很對。但一般的生命，不都是可憐、一事無成的嗎？他的故事，不就是這整個世界的一種縮影嗎？我們努力，我們爭取，但到了最後，在我們手中存留的是些什麼？一個影子罷了！或許比一個影子還壞——只剩下愁苦！」

「這人是你的委託人？」「是的，我也許可以用這個名義稱呼他。他是透過蘇格蘭警場引薦。這眞像醫生們往往把沒有辦法治療的病人，轉診到那些庸醫那裡去。因他們既宣告他們已沒法可治，那病人即使因庸醫誤診而發生些什麼變故，也不會比他的現狀更壞。」「這是件什麼事？」

福爾摩斯從桌子上拿起了一張略帶汚穢的名片，道：「他叫喬賽・恩白萊。他說他本是勃列克福和恩白萊公司的股東。他們是製造美術品的商人——你可以從顏料盒和漆桶上瞧見他們的姓氏。他略有些資產，六十一歲的時候退休，他在流易薩姆買了一宅屋子，準備安享他經過艱苦生活的晚年。他想他未來的生活，一定可以安寧無慮了。」「是啊，我也料想如此。」

福爾摩斯把眼光投注到他面前的一個信封

背面，在這信封背面，寫著幾個字。他道：「華生，他是在一八九六年退休的。一八九七年的春天，他娶了一個比他小二十歲的女子。如果那照片夠寫實，這女子應是很美麗。豐足的資產、美麗的妻子，和安逸的閒居生活，看起來他的未來一定是很舒服了。可是在這兩年之中，竟把他折磨成了你剛才瞧見的那種淒慘可憐的模樣！」

「但他遭遇了什麼事呢？」「華生，還不是那些老故事啊！一個奸詐的朋友，和一個風騷的妻子，就構成了這樣的故事。恩白萊生平只有一個娛樂，就是下棋。在離他家不遠，住著一個年輕醫生，也同樣是一個棋手。我記得他的名字叫雷・歐瑞斯特。這歐瑞斯特常在恩白萊家裡出進，因此，這年輕人和歐瑞斯特太太關係越來越密切，這原是很自然的結果。你也瞧見我們這位不幸的委託人，外貌上的確沒有什麼優點；至於他內心的品德怎樣，又是另一個問題了。這一對戀人在上星期私奔了，至今毫無下落。更不幸的一點，那不忠貞的妻子，還把老人的一隻箱子當做她個人的行李帶走了——她拿去了這老人一生積蓄的大部分。我們找得到這女子嗎？我們有可能追回那些錢嗎？這種事在社會上原是一種很平凡的問題；但對於喬賽・恩白萊卻是十二分嚴重。」

「你打算怎麼進行？」「唉，我親愛的華生，假使你是我，對於這問題，你打算怎樣幹？你知道我此刻正在著手那兩位科普特主教的案子，今天是最重要的關卡。我實在沒有工夫到流易薩姆，可是實地察看又十分重要，勢不能放棄不顧。那老頭兒堅持要我到那邊去走一趟，我已向他解釋我不能分身的困難，他也已準備好接待我的代表。」我答道：「那也可以。我承認我自己在這件事上，未必有什麼把握，但我願意盡我的力量去試一試。」

於是幾天後的一個下午，我就出發往流易薩姆。當時我絲毫沒想到，這一件我所擔任調查的事情，一個星期後竟會變成全英國熱烈討論的話題。

那天黃昏我回到貝克街去回報我的任務的時候，福爾摩斯瘦長的軀幹躺在他的椅子上。他閉著眼睛邊抽著煙斗，如果不是在敍述過程中，他有時或會睜開他那雙灰色、明亮、銳利的眼睛，我眞的會以爲他睡著了。

我道：「喬賽・恩白萊先生的住屋，叫做安樂窩。福爾摩斯，我想這屋子定能引起你的興趣。它就像一個淪落到下層社會的富貴人家。你應該還熟悉那個特殊的地帶，那裡到處是單調的磚街，和蜿蜒的大道。這一宅有古趣而安適的老屋就在這區域的中心，這屋子四周被高圍牆圍著。牆壁受了風雨日光的浸潤生出許多青苔，這種圍牆正像……」福爾摩斯嚴肅地揷嘴道：「華生，請你減少這種詩意的描述。我已明白這是一片高的磚牆。」

「好。我從街上的一個吸煙的閒漢那裡得知這一宅屋子就是安樂窩。我提起這個人是有理由的，他是一個高大的漢子，臉色黝黑而有濃密的短鬍鬚，模樣兒很像一個軍人。他回答我的問題的時候，只點了點頭，同時用一種好奇而疑惑的眼光向我瞧。我事後想起來，覺得他很值得注意。我還沒有走進大門以前，便瞧見恩白萊先生正從車道上過來。今天早晨我只匆匆地瞧了他一眼，便覺得他是一個奇怪的人，等我在充足光線下見到他時，更覺得他的狀貌異常。」

福爾摩斯說道：「我對於他的狀貌當然已研究過了。但我很樂意聽聽你所得到的印象是什麼？」「我覺得他像是一個正在小心地向人鞠躬的人。他的背部彎曲得像肩負著什麼重擔，可是他又並不是像我先前所想像的那麼文弱。因爲他的肩膀和胸膛明明是一個高大漢的骨架。不過他的軀幹裝在兩條細長的腿上，下部便顯得削瘦。」「他左腳的鞋子有許多皺折，右腳的鞋子卻是光滑的。」「我倒不曾注意這個。」「你當然不會注意的，不過我已發現他有一隻義足。現在你繼續說下去。」「還有幾點引起我的注意，就是他的舊草帽下面灰色的捲髮，慘白的臉，和深刻的皺紋，都讓我印象深刻。」

「華生，很好。他說些什麼話呢？」

「他開始陳述他痛苦的故事。我們一塊兒沿著那車道走著。我自然地向四周觀察，我覺得這地方實在很糟，花園裡長滿了亂草。讓我有一種感覺，就是因著主人的忽視，一切植物都是自生自滅，而沒有經過人工的整理。我不知道一個有教育的女子，怎麼會容忍家庭有這種狀態。那屋子裡面的景狀，也汚穢敝舊到不堪的狀態。但那老人似乎也覺察到這點，正想粉刷修理，因爲有一大桶綠色的漆，放在走道的中央；他左手還拿著一支厚厚的刷帚，分明他剛才還正在漆門窗上的木框。他領我到他那間小小的密室裡去，做了一次長時間的談話。他因爲你不能親自去，而有些失望。他說道：

「『我本來就不敢奢望像我這樣一個平凡的人，尤其是在經濟損失以後，會得到像歇洛克・福爾摩斯先生這樣的名人的注意。』我告訴他，你辦事絕不談錢。他又說道：『他當然可以不注重金錢，我知道他是爲藝術而藝術的。但就從罪案的藝術方面而論，他也可以到這裡來得些研究資料。唉，華生醫生，人類的本性實在大多是忘恩負義的！我對於她的請求，幾時拒絕過呢？世界上竟有這樣一個放浪的婦人？還有那個少年——他可以做我的兒子。他常在這裡出進，像我的親人一般。可是你瞧他們竟這樣待我！唉，華生醫生，這是一個多麼可怕的世界啊！』在一小時多的時間中，他兀自反覆地說些怨語。看起來他從未想到他們竟會私通。他們家裡除了夫婦二人，只有一個僕婦。她白天到他們屋子裡去工作，傍晚六點鐘回去。出事那天晚上，老恩白萊想要討好他的妻子，預先在格拉斯戲院裡購了兩張樓上的廂座票。可是到了快開場的時候，他的妻子假託頭痛，不願意去看戲，故而恩白萊只好一個人前去。這一點似乎並無疑問。因爲他曾把那張沒有用過的戲票拿出來給我瞧。」

福爾摩斯對於這案子的興味，似乎越發增加了。他忙著應道：「這事非常奇妙！華生，請繼續下去，我覺得你的故事十分動人。你可有親眼瞧見那張戲票？你有沒有注意那戲票上的號數？」

我帶著得意的神氣，答道：「我恰巧有注意到這點。因爲這戲票上的號碼是三十一，正和我在學校的學號相同。因此，這號數我牢牢的記著。」「華生，好啊！這三十一號既然是他爲他的妻子預定的座位，那麼，他自己的座位，若不是三十，定是三十二了。」

我帶些疑遲的口氣，答道：「當然如此。我還記得那戲票的座位，屬於『B』字排。」

「這樣啊，實在太圓滿了。他還對你說些什麼話？」「他領我瞧他的保險庫，那眞像銀行中的保險庫一般，有鐵門和鐵百頁窗。據他說這是防盜用的。但那女子似乎有一串備用的鎖鑰，故而他們從這裡面拿去了七千鎊價值的現款和債券。」「債券嗎？他們如何才能出售債券呢？」「他說他已將債券的號碼告知警察，希望阻止這些遺失的債券的賣買。那夜，他從戲院回到家的時候，覺得屋子好像被盜的樣子，門窗都開著，歹徒們卻已跑了。屋子裡並沒有留下信或字條，直到如今，也不曾接過任何信息。當時他立刻到警察局去報案。」

福爾摩斯沈默了幾分鐘，道：「你說他正在刷油漆，他在漆什麼呢？」「他在漆那條通道。但我剛才說過的，那間密室的門和窗框，他都已經漆過了。」「你試想在這樣地心情，會幹這種工作，不是有些奇怪嗎？」「他曾向我解釋道：『我要治療我受傷的心，必須弄些事情做。』這固然有些古怪——且他眞是一個怪人。他當著我的面，在盛怒之下，撕碎他妻子的一張照片。他大聲道：『我永遠不願再瞧見她可憎的臉了！』」「華生，還有其他的事嗎？」「有的。有一件事曾引起我特別的注意。我辭別以後，乘馬車到布萊希恩車站搭車回來。火車快要開駛的時候，我瞧見有一個人竄上了緊連我的一節車箱裡去。福爾摩斯，你知道我對於辨別面貌的眼光是很敏銳的。我認識這人，他就是我在街上問路的那個高大而黑臉的閒漢。在倫敦橋上，我又一度瞧見他，後來他走進了人叢裡去，不見了。但我確信他在跟蹤我。」

福爾摩斯說道：「那是無疑的！那是無疑的！那是不是一個高大黑臉有濃密短髭子，戴灰色太陽眼鏡的人？」「福爾摩斯，你眞是一個巫婆！我還沒有告訴你，你就知道！那人的確是戴灰色的太陽眼鏡的。」「那人還戴著一枚共濟會的領帶夾？」「福爾摩斯！」「我親愛的華生，那是很簡單的。但現在我們且討論實際問題。我承認這案子起初我認爲太簡單不值得我注意，但此刻卻已不同了。老實說，你這一次的任務，錯過了重要之點，但就這些引起你注意的事情，也已產生了嚴重的後果。」

我道：「我錯過了什麼？」「我親愛的朋友，你不必動氣。你知道我是素來不講私人感情的，我並不是說你無用；別人也決不會幹得比你更好，有些人也許還不及你。但你實在是遺漏了幾個要點：第一那些鄰居們對於恩白萊和他的妻子，有什麼看法呢？這當然是重要的。還有，那歐瑞司特醫生爲人怎麼樣？他是不是一個勾引婦女的年輕人？華生，只要你肯用些心思，每一個女子都可以做你的助手和提供你一些可用的材料。譬如郵局裡的那個女子，還有那雜貨鋪主人的妻子，不是都可以給你消息嗎？我可以想像你若向那藍錨酒鋪裡的那些少女隨便搭訕幾句，就可以換到某些消息。這種種你都遺漏了啊！」「那麼，現在還來得及去重新調查。」「已經調查過了。這要謝謝電話和蘇格蘭警場的幫助，讓我能不離開此室就得到我所在意的重要報告。我從所得的報告上，證實了一些事。他在當地是出了名的吝嗇；同時他又是一個嚴格的丈夫。他說他有大宗的款項藏在他的保險庫裡，這話是確實的。還有那個未婚的年輕醫生歐瑞司特，的確也常和恩白萊下棋；並且進一步調戲他的妻子。這種種都是顯明的事實。在一般人看來，當然不會有什麼其他的疑問。可是——可是……」「你覺得有什麼可疑的地方嗎？」「在我的想像之中，還有幾點值得再探討。罷了，華生，我們就擱一擱吧。我們姑且從這困倦煩悶的世界中暫時逃避，用音樂來調劑一下。卡列娜今夜在愛伯特音樂廳演唱。我們還來得及更換禮服，吃了晚飯去樂一樂呢！」

隔天早上，我照著慣常的時候起身。但桌子上的一些麵包屑和兩個空雞蛋殼，已告訴我，我的同伴比我起身得更早。我又在桌子上發現一張草寫的字條。

「親愛的華生：有一兩個要點我須親往喬賽・恩白萊先生家去查一查。等我查過以後，我們就可把這件事放棄了——或是採取另一種態度。請你在三點鐘時不要走開，因爲那時我或許需要你。——S.H.。」

這大半天我都沒有瞧見福爾摩斯。但到了約定的時候，他回來了。他的神氣嚴冷而像藏著什麼心事。我覺得在這種狀態之下，最好先聽他說。他問道：「恩白萊來了嗎？」我答道：「沒有。」「唉，我正在等他呢。」

他並沒有失望。過一會兒，那老人來了。他黯淡的臉上，露出一種憂慮且困惑的表情，說道：「福爾摩斯先生，我接到一張電報，但我卻不明白。」他拿出一張電報，交給福爾摩斯。福爾摩斯大聲唸出來：

「請你立刻到這裡來，不可失約。我能告訴你關於你最近損失的消息。——愛爾門，牧師家宅。」

福爾摩斯又說道：「這電報是二點十分從小帕林頓拍發的。這小帕林頓是在伊賽克司，距離弗林頓不遠，你當然應立刻動身去瞧瞧他。他是那地方的牧師，當然是一個值得信賴的人。我的人名錄呢？唉，我們已查到他了。瓊斯・愛爾門，文學碩士，住在小帕林頓。華生，請你查一查火車時刻表。」「五點二十分有一班火車，從利物浦開行。」「太好了。華生，你最好陪他一塊兒去，他也許需要助力或商量。這件事分明已找到頭緒了。」

但我們的委託人並沒有急於出發的樣子。他說道：「福爾摩斯，這眞是莫名其妙。這個人對於我所遭遇的事情，會知道些什麼呢？我到那邊，只是費去些時間和金錢罷了。」「假使他不知道些什麼，他也不會打電報給你了。你應立刻答覆他隨後就到。」「我想我不準備去。」

福爾摩斯露出事態嚴重的表情，道：「恩白萊先生，假使有了這樣顯明的線索，你卻拒絕不受，那麼，在我和警察方面，會產生同樣不良的印象——我們會覺得你並不是當眞要偵查這件事哩。」

我們的委託人聽了這兩句話，似乎有些吃驚，道：「唉，你既然有這樣看法，我自然願意去的。從表面上看，若說這牧師會知道什麼，實在不近情理。不過假使你認爲……」福爾摩斯鄭重地接嘴道：「我的確這樣子想。」

於是我們就準備動身。我們尙未出門之前，福爾摩斯把我拉到一邊，暗暗叮囑我一句。從他的態度，讓我覺得他把這一件事看得非常重要。

他說道：「你惟一的任務，就是瞧他是否當眞到那邊去。假使他半途走開或回來，你應就近打一個長途電話，或說『逃走』兩個字就夠了。我還要在這裡繼續搜查線索，無論我到那裡，這電話都會傳達給我。」

小帕林頓屬於鐵路的支線小站，交通雖不

方便，但並不難找尋。在我的印象中這一次路程非常無趣，既熱，火車又慢，我的同伴又悻悻不樂地保持沈默。他不講話，只偶爾吐出幾句譏諷的批評，認爲我們的路程十分無聊。後來，我們到了這小車站，又經過了兩英哩的馬車路程，才找到那牧師的住宅。有一個身材碩大而神氣莊嚴的牧師，把我們接到他的書房。我們把那張電報放在他的面前。

他問道：「唉，先生們有什麼見教？」我解釋道：「我們是爲了答覆你的電報來的。」「我的電報，我不曾發什麼電報啊！」「就是你發給喬賽·恩白萊先生，那個關於他的妻子和錢的事情的電報。」「先生，假使這是一個玩笑，這玩笑未免太無聊了。我從不曾聽過你所說的人和姓名，也不曾發過電報給任何人。」那牧師說話的時候顯得非常惱怒。

我們的委託人和我，互相驚異地瞧來瞧去。我說道：「這裡面也許有什麼誤會。這地方會不會有兩個牧師的家？這就是那張電報下面署名是愛爾門，地點是牧師家宅。」「先生，這裡只有一個牧師的住宅，且只有一個牧師。這電報很顯然是僞造的。這電報的來源，當然要請警察們偵查。現在，我覺得應該要結束話題了。」

恩白萊先生和我不得不辭別出來。我覺得那地方，彷彿是英國最冷的村落。我們走向電報局，局門卻早已關閉了。幸虧那裡有一個小小的鐵路旅館，裡面裝著電話。我借了這電話和福爾摩斯通話，他聽了我們的結果，也同樣地驚異。

電話中遠遠的聲音說道：「眞奇怪！眞奇怪！我親愛的華生，恐怕今夜已沒有火車回來了。我很抱歉，竟沒有計算準確，使你不得不在鄉村旅館中耽擱一夜了。既然如此，有喬賽·恩白萊陪行，還有大自然的美景，華生，你就休息放鬆一下吧！」我聽到他在電話那端傳來咳嗽聲。

過了不久，我便領教到我的同伴吝嗇的名聲，的確是名副其實。他起初曾對車費抱怨，堅持乘三等車；此刻又呶呶地咕著，不願意付旅館費用。隔天早上，我們回到了倫敦以後，我們兩個人的神情，幾乎同樣地鬱鬱不歡。

我說道：「我們經過貝克街的時候，你最好也順道過去。福爾摩斯也許有什麼新的指示。」恩白萊悻悻地嘟嚷：「假使他的指示並不能比上一次有價值，那麼，也沒有什麼好去請教的。」

他雖這樣說，還是跟我走。我早已打電報給福爾摩斯，告訴他我們到的時刻。但我們在他的辦公室中，發現一張字條，說他在流易薩姆，叫我們到那邊去找他。這實在是出乎我的意料。更奇怪的，當我們趕到流易薩姆我們委託人的屋中時，發現恩白萊的起居室不止福爾摩斯一個人。他旁邊另坐著一個面容嚴肅的人。那人的皮膚很黑，戴一副灰色的眼鏡，還有一枚共濟會的扣針，突然在他的領帶上！

福爾摩斯說道：「這位是我的朋友白克。喬賽·恩白萊先生，他也注意到你的案子，不過我們進行的路線是彼此獨立的。但我們現在有一個相同的問題要問你。」

恩白萊先生沉重地坐下。從他緊張的眼神和扭曲的五官上瞧來，他似乎有燃眉之危。他道：「福爾摩斯先生，什麼問題？」「只有一個——你如何處置這兩個屍體？」

那老人寬大的軀幹，本有獅子般的氣力。可是這時候他落在兩個有經驗的偵探的手中，竟絲毫沒有抵抗的能力。他被拖到外面的車上，我一個人孤單單地留在這不祥的屋子。幸而福爾摩斯不到半小時便回來，他還帶來了一個靈活的年輕警探。

福爾摩斯說道：「關於法律程序我已交給白克去辦了。華生，你從前不曾瞧過白克。他是薩里海濱一帶唯一的高手。當你先前告訴我，你瞧見一個高大而臉黑的人，那我就不難猜想到他全部的模樣了。他已辦過了好幾件有名的案子。警探先生，對不對？」那年輕警探謹愼地答道：「他的確曾好幾次從中干涉。」

「他的方法也像我一般地不規則。但你總也贊成不規則的方法，有時候卻很有用。假如你威脅那個老頭兒，要他將他所做的一切說出來，他決不肯說。」

那人尖叫了一聲，突然跳起來。他兩隻露骨的手像鷹爪似地在空中揮舞，他的嘴巴張開；一霎那間他彷彿變成了某種尋食的怪鳥。在這當兒，我們才瞧見了喬賽·恩白萊的眞相。他是一個可怕的怪物，他的靈魂正像他的身體一般地畸形殘缺。當他重新倒到椅子上去時，他用一隻手摀著他的嘴，像是要阻止咳嗽的樣子。福爾摩斯竄到他的面前，像猛虎一般抓住了他的咽喉催吐。有一粒白色的小藥丸，從他喘息的嘴唇間落出來。

福爾摩斯說道：「喬賽·恩白萊，你不能抄近路，這事情應照程序辦理的。白克，你打算怎樣？」那靜默寡言的同伴答道：「我有一輛馬車停在門口。」「這裡離火車站不遠，我們可以一塊兒去。華生，你留在這裡，半小時之後我就會回來。」

來，當作指控他的根據，那是絕對不可能。」

「也許不能。但我們同樣可以達到終點。福爾摩斯先生，你不要以爲我們在這件案上沒有我們自己的見解；也不要以爲我們不能捉住我們的犯人。請你原諒我們的抱怨。你突然地加入，又用一種我們所不能採納的方法奪取了我們的功績，我們的確有些不滿的。」

「梅根農，你放心，我不會奪功的。我向你保證，等會兒，我就會抽手離開這件案子。至於那位白克，除了我吩咐他幹的以外，他自己實在不曾做些什麼事。」

那警探露出放心的神情，道：「福爾摩斯先生，你眞是乾脆。毀和譽，對你原不算什麼，但對於我們卻不同。當報紙開始攻擊和懷疑的時候，我們是招架不住的。」

「也對。但他們總會發問的，故而你最好早早預備著答案。舉一個例，假使那些聰明而有幹勁的記者問你，那一點引起你的疑心；又在那一點上使你確信這件事的眞相。那你將要怎樣回答呢？」

那警探露出困惑的表情，道：「福爾摩斯先生，我們似乎還沒有得到什麼事實的證據。你說那犯人當著三個證人的面，從他企圖自殺的舉動上，間接地承認了他曾謀殺他的妻子和她的戀人。此外你還有什麼別的證據嗎？」「你開始做搜索的準備了嗎？」「有三個警察已在途中，快要到這裡來了。」

「那麼，你不久便可以得到一切事實的內幕。那屍體決不會藏在遠處的。那地窖和花園，應得先找一找，我料想用不著花多少時間就可挖掘到的。這屋子比那水管更舊；因此，這屋子裡也許有一口廢棄的井。你可以從這方面試一試。」

「但你如何知道這件事的呢?並且這事情的經過情形又是怎樣?」「我可以先告訴你這件事的經過,然後再給你幾個淸楚地解釋。不只是你急於要知道,我這位可愛的朋友也許比你更悶得難受。首先,我把這個人的內心狀態分析給你聽。他的精神狀況是很特殊的。因此,我覺得最適合的處置,就是送他到精神病院去,這也許會比上斷頭臺更恰當些。他有一種中世紀意大利人的性格,不像是近代的英國人。他是一個冷酷的守財奴,他的吝嗇行爲,使他的妻子感到非常的痛苦,所以他的妻子無論遇到那個調情漢,總會立刻陷入情網。於是那個下棋的醫生一登場,便演出這幕慘劇。華生,有一點你須記著:恩白萊旣是擅長下棋,就必有一個善於設計的頭腦。他也像一切守財奴一般,是一個善嫉妒的人,他的嫉妒心更演化成一種瘋狂。他懷疑他的妻子和那情人有奸情,故而他就決意報復。他報復的計劃眞是很巧妙的。你們到這裡來!」

福爾摩斯領我們走到一條通道。他非常熟悉,彷彿他就是住在這屋子裡的。他在那保險庫開著的門口站住。那警探喊叫:「唔!這臭味多麼刺鼻!」

福爾摩斯說道:「這是我們第一個線索。你應謝謝華生醫生的觀察力。不過他雖然注意到這點,可惜當時還不明白這裡面的關係。這一點是使我開始踏上軌道的引子,這個人爲什麼在這個兒幹起油漆的工作,致使屋子裡充滿了濃厚的漆臭?分明是他想掩藏某種臭味——就是足以引起疑心有犯罪事實的臭味。此外我又想到這是一間有鐵門和鐵百葉窗的保險庫。你若把這兩件事連合在一起，那你將產生怎樣的見解？於是我就決定親自到這屋子裡來視察一下。那時，我早覺得這案情特殊。因爲我曾到格拉斯戲院裡去查過出事當天的座位表——這又是華生醫生的觀察功績——查明那夜樓上『B』字排的三十號和三十二號，都沒有觀客。這樣，可見恩白萊並沒有到戲院裡去。他的不在場證明，便被推翻。當時他讓我聰明的朋友瞧那張他給他妻子預購的戲票，實在是一個嚴重的失策。於是我就繼續推想要用什麼方法來視察這宅屋子？我打發一個助手，到我能想得到的一個最冷僻的村子去，發一個電報給恩白萊，叫他到那邊去，並且算準他所要花時間，勢必讓他不能當日回來。且我爲了防有什麼岔子，特地請華生醫生陪著他去。至於我借用的那個好牧師的姓名，當然是從我的人名錄中查出來的。這種種你現在都明白了嗎？」

那警探發出一種敬佩的聲音，說道：「我眞五體佩服！」

福爾摩斯繼續說道：「有了這樣的佈置，我偷溜進這屋子察勘的時候，就不怕別人來阻擾。假使我願意，偷盜的勾當，就是我的偵探職務以外的另一種選擇；並且我如果眞幹起來，我相信我也一定會成爲此道中的老手。你瞧我發現了些什麼？這裡靠牆邊線有一根煤氣管，你瞧見了嗎？好，這煤氣管從那牆角引出；那牆角有一個啓閉的機關。你可以瞧見這煤氣管穿進保險庫裡，直到天花板中央有泥塑的玫瑰花形的地方終止。因著這灰泥的點綴品，便把這管子掩住了——這房間是那煤氣管的終點。在任何時間，若把牆角的機關打開，這保險庫中便會充滿煤氣。那時若把鐵門和百葉窗關閉，煤氣管的機關又打開，我敢說這小室中如果關閉了什麼人，不到兩分鐘工夫，便會失去知覺。他用什麼方法把這一男一女引進這保險庫裡，我不知道。但只要他們一到了裡面，那麼，他們的性命便完全在他掌握中了。」

那警探很仔細地把煤氣管查驗了一遍，說道：「有一個警察曾提到有煤氣臭味。但那時候門窗都開著，並且那漆的臭味也已混在空氣裡面。據他自己所說，他在前一天就開始刷油漆了。福爾摩斯先生，以後又是怎樣呢？」

「唉，後來有一件事情，竟也出乎我的意料。到天快要亮的時候，我從那廚房的窗口爬出去，忽覺得有一隻手抓住我的硬領；又有一個聲音喝問道：『你這流氓！在這裡幹什麼？』我把我的頭轉過去的時候，瞧見一副灰色的眼鏡；那就是我的朋友和我的敵手白克先生，於是我們倆都不禁大笑起來。原來他受了歐瑞司特家屬的委託，也來偵查這件案子，而且同樣地下了『謀殺』的結論。他監視這宅屋子已好幾天，本也認為華生醫生是一個嫌疑人物。他雖然不便貿然地逮捕華生，但當他瞧見了一個人從餐廳窗戶爬出來時，自然再不能不動手了。後來我把經過的事情告訴了他，我們就一塊兒繼續偵查。」

「為什麼和他合作，而不和我們合作呢？」

「因為我想要把這一件小小的測驗，表演得更有趣一些。我怕你也許不容許我這樣子自由行動。」

那警探微微笑了一笑，道：「不錯，也許不能。福爾摩斯先生，我剛剛聽你說，此刻你已準備脫手這件案子，並把你所得的一切結果移轉給我們。」「沒錯，這就是我一貫的態度。」

「太好了，我代表警署同人向你致謝。現在，你已經把這件案情描述地非常清楚。至於屍體的部分，我想沒有多大困難。」

福爾摩斯說道：「我還要給你瞧些證據。我確信恩白萊自己也還不曾瞧見。警探，假使你把你自己換成對方的處境，並且再想一想你將有怎樣的反應，那你就可得到你所尋求的結果。這固然需要些想像力，但這樣用些兒腦力是有報酬的。現在我們姑且假定你已被關在這小室中，只有兩分鐘可活，同時你或許聽得那個害你的仇人正在室外譏笑，你打算報復。那時你將怎麼辦呢？」「寫字條。」

「對，你當然要告訴別人你是怎麼死的。但你用不著寫在紙上，那是會被瞧見的。我向你保證如果寫在牆上，那麼也許有什麼細心的人會發現。現在你來瞧瞧這裡！就在這片牆上，有不易消滅的紫色鉛筆寫的三個字：『我們是……』其他沒有別的字了。」

「你對於這三個字有什麼看法？」「這寫字的地方離地面只有一呎高，那可憐的被害人寫這字時，分明已是倒在地上將要死了。他在寫完這一句以前，便失去知覺了。」「他似乎要寫『我們是被謀殺的。』」「正是，我也覺得如此。假使你能在屍體上發現一支紫色鉛筆……」「你放心，我們當然會找到這東西。但那些債券是怎麼一回事呢？這裡明明沒有盜劫的事。且我們也查明了這老頭兒的確有這些債券。」「我向你保證，他必已把債券藏在什麼安全的地方。等到這件事經過了一段相當的時間，變成了歷史以後，他一定會再讓這些債券突然地出現。他會聲明這兩個潛逃的男女後來後悔，故而把債券寄回給他，或者他也可說，他們在逃走時遺落在路上。」

那警探說道：「你對於每一個疑點都有合理的解釋。還有一點，他幹了這件事，在表面上當然不能不報警，但我不知道他為什麼會來請教你。」

福爾摩斯答道：「那完全是一種幌子作用！他覺得他的計謀非常聰明而穩妥，深信沒有一個人會瞧出破綻。他可以向任何懷疑的鄰居們說：『你們瞧我所採取的步驟。我不但曾請教過警察，甚至還請教歇洛克·福爾摩斯！』」

那警探大聲笑道：「福爾摩斯先生，你所用的『甚至』兩個字，我們十分能體會。這一回事，的確是我記憶中少有的。」

兩天以後，我的朋友拿一份『北薩里觀察家』雙周刊雜誌給我瞧，我瞧見雜誌上有幾行引人注目的標題，大標題是「兇宅」，副標題是「光榮的警察們的偵查工作」，下面便記述這件事情發生的經過。但結束的一節最有興味，那新聞說道：

「這驚人成績的成就，是因警探梅根農嗅得了漆臭，便推測到一定有什麼其他像煤氣一類的臭味被掩蔽著。他又推想到那一間保險庫也許就是陰謀實施的地方。經過了一連串的調查，終於查出了那一男一女的屍體被藏在上面有狗棚掩護的一口廢井裡。他這種精敏的成績，當然要留存在罪案史裡做為我們職業偵探界的傑出模範。」

福爾摩斯露出很勉強的微笑，說道：「唉，這梅根農真是一個好傢伙！華生，這案子你可要記在我們的輝煌記錄裡。總有一天，這故事的眞相會被宣布出來的。」

眞相大白

附錄一

眞實與虛幻之間——柯南・道爾與福爾摩斯

「倫敦的貝克街上，一個肩掛照相機的遊客在抬頭找尋門牌。商業大厦管理員白拉斯見了便說：『又來了一個。』果然那遊客在門外止步，略一猶豫，然後推門而入，走到擺在大堂的辦公桌前，面帶困惑的神情向白拉斯問路：『我想找二百二十一號B座福爾摩斯的住宅。』」

這已是當天的第十二次，白拉斯重複解釋二一九號到二三三號歷來是阿比國民房屋協會的會址，並非福爾摩斯和華生住宅……每星期都有大堆信件寄給二百二十一號B座福爾摩斯收。郵局總是負責地把這些信件交給阿比國民房屋協會，由協會客氣地簡覆：『收信人已遷，現址不詳。』」（註一）

福爾摩斯這個角色誕生至今已有一百一十年。對於全世界無數的福爾摩斯迷來說，他們絲毫不會懷疑他存在的眞實性。自從柯南・道爾一八八七年賦予他生命之後，這個身材瘦削、有著鷹鉤鼻、頭戴獵帽、肩披風衣、口啣煙斗的人就永遠活在人們的心中。

這個角色創造之初，其實並沒受到太多的關注。一八八六年，柯南・道爾完成了《血字的研究》(A Study in Scarlet)之後，曾寄給「康希爾」雜誌，可是該雜誌並沒有意願刊登。之後，又轉寄了幾家出版社，仍不被採用。最後才由渥德·洛克公司買下，在一八八六年「比頓雜誌耶誕特刊」上發表，並於第二年出版單行本。全世界的福爾摩斯迷大概很難想像，他們心目中的大英雄的問世竟是如此一波三折。

柯南·道爾到底有什麼本事能夠創造出一個這樣活靈活現、家喻戶曉的大偵探呢？要瞭解這一點，必須從他的生長背景講起。

柯南·道爾(Arthur Conan Doyle, 1859~1930)出生於蘇格蘭的愛丁堡。從小就對文學有濃厚的興趣。一八七〇年進入隸屬耶穌會的史東尼赫斯特(Stonyhurst)學院就讀（該校是全英國最著名的耶穌會學校）。一八七六年（十七歲）進入愛丁堡大學醫學院就讀。這些求學的過程，對他日後的創作影響深遠。尤其是醫學院強調歸納分析的方法，以及辨識疾病細微差異的臨床訓練，成就他塑造一個以科學方法辦案的偵探。在這段求學期間，他也遇到了一個對他影響至深的人——約瑟夫·貝爾教授(Dr. Joseph Bell)。這位教授在愛丁堡醫學院相當有名，很受學生的喜愛。他有一種特殊的能力，能立刻對一個素未謀面的病人斷出病症，並說出問診病人的職業、個性、生活習慣，以及曾在那裡服役，隸屬什麼兵團等。柯南·道爾對他這種「神奇」的能力相當著迷。而這位貝爾教授也就成了福爾摩斯的原型。柯南·道爾曾回憶到：

加博里歐(Gaboriau)（註二）的作品在處理情節的轉折處不留痕跡，相當吸引我。愛倫．坡筆下那位能幹的杜賓偵探從小就是我的偶像。但是，我是否可能來點特別的呢？我想到了我的老師貝爾。想到他瘦削如鷹的臉龐，他那奇妙的方法，以及對於事情細節一語道破的驚人能力。如果他是一名偵探，一定能將這個迷人，卻欠缺章法的事業導入精確的科學之路。我想試試看是否能夠達到這種效果。在現實生活中都有可能的事，我為何不將它帶入小說中呢？（註三）

在《血字的研究》中，貝爾教授的影像清晰地浮現。當福爾摩斯初次見到華生時就說：「我瞧你到過阿富汗。」這點著實讓華生感到驚訝。華生也形容福爾摩斯：「……身高在六呎以上，因為過分瘦削，顯得頎長無比……他那細長如鷹喙般的鼻子，顯示他機警果斷……。」

一八八一年，柯南．道爾取得了醫師的資格，在一艘貨輪上擔任隨船醫生。次年，開始自己執業。雖然從事醫務工作，但是他仍對文學創作充滿熱情。此時他開始嘗試偵探小說的創作。除了以貝爾為原型創作出福爾摩斯之外，為了推動劇情的發展，他也安排了一個福爾摩斯的最佳拍檔——華生醫生。這個角色的塑造具有相當的意義。他不僅發揮了綠葉陪襯紅花的效用，也似乎產生了一些非預期的結果。這位醫生是福爾摩斯的好友，也可以說是他的助手，他與福爾摩斯經歷相同的事情，卻不像福爾摩斯具有敏銳的觀察與推斷能力（甚至有些遲鈍），因此福爾摩斯得以透過與華生的對話，將他的觀察與推理過程告知讀者，然後由華生以第一人稱的方式講述出來（除了「獅鬣」（The Lion's Mane）、「爲祖國」（His Last Bow）……等篇外）。這種第一人稱的敘述方法，讓讀者很容易地就進入了作者所鋪陳出的情境中。此外，華生這個醫生的身份與柯南・道爾具有高度的重疊性，讀者在閱讀的過程中很容易就把華生等同於柯南・道爾。如此一來就增加了故事的可讀性與可信度。因爲在讀者看來，柯南・道爾是在向大家講述一個「他」與「他的朋友」所共同經歷的眞實故事。再加上他們就住在倫敦貝克街二百二十一號B座（眞有此住址），也過著典型的維多利亞女王時代的生活：坐著大家熟悉的兩輪或四輪馬車出沒於倫敦街頭，有一個女房東兼管家婦負責幫他們傳遞來訪者的名片並引見客人，每天都閱讀「每日電訊報」，有時會去劇院欣賞音樂或看賽馬，遇到急事則去電報局發電報……。凡此種種，難怪讀者會這麼相信福爾摩斯與華生是眞有其人，彷彿走在倫敦的街道上，隨時都可能與他們擦身而過。

由於角色塑造的成功，故事情節懸疑緊湊，使得福爾摩斯探案受到了大家的肯定。一八八九年柯南・道爾繼續發表了第二個長篇《四簽名》（The Sign of Four），獲得了熱烈的迴響。不過他的醫生生涯卻不像他的文學生涯一般順利。他在倫敦的眼科診所門可羅雀，許多作品是他在診療室中完成的。這種窘境促使他在一八九一年決定棄醫從文，專心從事文學創作。

貝爾雖是福爾摩斯的原形，但他決非福爾摩斯的全部。因爲柯南・道爾本身的部分特質也融入其中。由於醫學院的訓練，使得他具備敏銳的分析推理能力，因此對於劇情的鋪陳與推理毫無困難。再加上從小母親就教育他要守法，尊重正義，培養他具備騎士的精神，所以他自然也會把這些精神注入他所創作的角色當中，福爾摩斯和華生都分享了這些特質。他們兩人在劇中協助警方打擊不法，幫助弱小與婦女，或者基於榮譽感與愛國心爲政府效命（例如在「爲祖國」一劇中幫助英國政府破獲德國間諜一案）等，這些正是騎士精神（或者可說是英國紳士精神）的具體展現。

福爾摩斯探案的成功，使得柯南・道爾名利雙收，約稿源源不斷。然而他開始厭倦不停地寫福爾摩斯，他抱怨福爾摩斯佔據他太多的時間，甚至把他的心靈從美好的事物中攫走。因爲柯南・道爾其實更喜歡寫歷史小說（註四）。一八九三年，他寫了「最後問題」（The Final Problem），讓福爾摩斯與他的死對頭莫理亞提教授（Professor Moriarty）雙雙墜落瑞士的萊亨巴哈瀑布（Reichenbach Falls）中。柯南・道爾覺得鬆了一口氣，終於可以擺脫這個麻煩的公衆英雄，全心投入自己更喜歡的文學創作。不過福爾摩斯的死訊一宣布之後卻引發了讀者的錯愕與抗議（就連作者的母親也提出了抗議）。超過兩萬人取消訂閱連載福爾摩斯的「河濱」雜誌（Strand），許多人傷心地爲福爾摩斯服喪以示哀悼，甚至有位女士還非常沒禮貌地寫信去指責他，劈頭就罵：「你這個殘忍的畜生！」這種種激烈的反應恐怕連作者都始料未及。儘管如此，柯南・道爾仍不爲所動。直到一九〇三年柯南・道爾才又讓他在「空屋」(The Empty House) 一案中戲劇性地復活，重新展開他驚險、刺激的偵探生涯。

柯南・道爾傾畢生之力創作福爾摩斯的系列故事，總共寫了四個長篇，五十六個短篇。在故事的終了，他並沒有明確地交待福爾摩斯的最後去處，只是從故事中我們可以知道，福爾摩斯後來歸隱蘇薩克斯做「養蜂學」的研究。這樣的安排，對於廣大的福爾摩斯迷來說當然是很難接受的。許多人自圓其說地認爲，福爾摩斯明的是去做研究，暗地裡則是轉而爲英國情報局效命了。所以在「爲祖國」一案中可以發現福爾摩斯又重現江湖了！這種說法究竟是讀者一廂情願的解釋，或者果眞如此，其實已沒有深究的必要了。因爲誰會願意殘忍地去戳破心目中的夢想呢？不論如何，可以肯定的是，自從「空屋」一案奇蹟似地復活之後，福爾摩斯與華生就永遠地生活在濃霧彌漫的倫敦城中了。因爲就如一位研究福爾摩斯的學者史塔列特所言：「在烏有之鄉，在幻想的心裡，福爾摩斯和華生兩人，爲了愛他們的人永生不死。」

註釋

一　摘錄自一九七三年四月號的《讀者文摘》，頁一〇三—一〇四。

二　加博里歐(Gaboriau, Emile, 1823?～1873)，法國的小說家，有法國的愛倫·坡之稱。

三　本段文字摘譯自 Hodgson, John A., (eds.) *Sherlock Holmes: The Major Stories with Contemporary Critical Essays.* Boston: Bedford Books, 1994 (p.4)

四　柯南·道爾的一部歷史小說《白衣團》(The White Company)，曾有人讚美它是自《艾凡侯》(亦有譯為《薩克遜英雄傳》) (Ivanhoe) 以來最好的歷史小說。

附錄二

柯南·道爾(Arthur Conan Doyle)年譜

一八五九年　五月二十二日生於蘇格蘭的愛丁堡。

一八七〇年　進入隸屬於耶穌會的史東尼赫斯特(Stonyhurst)學院就讀。該校是全英國最著名的耶穌會學校。

一八七五年　完成史東尼赫斯特學院的學業，至奧地利的耶穌會學校留學一年。

一八七六年　進入愛丁堡大學的醫學院就讀，在那裡他遇到了對他影響深遠的約瑟夫·貝爾(Dr. Joseph Bell)老師——他就是福爾摩斯的原型。

一八八一年　大學畢業後，在一艘非洲西岸航線的客貨輪上擔任隨船醫生。

一八八二年　開始執業。

一八八五年　與露薏絲·霍金斯(Louise Hawkins)小姐結婚。

一八八六年　完成福爾摩斯探案的第一個長篇《血字的研究》。寄給「康希爾」雜誌，可是該雜誌沒有意願刊登。最後由渥德·洛克公司買下，在「比頓雜誌耶誕特刊」上發表。

一八八七年　《血字的研究》單行本發行。

一八八九年　發表福爾摩斯探案的第二個長篇《四簽名》。

一八九〇年　發表歷史小說《白衣團》(The White Company)。曾有人讚美這部作品是自《艾凡侯》(Ivanhoe)以來最好的歷史小說。

一八九一年　去維也納研讀眼科學。隨後在倫敦開設眼科診所，但生意清淡。決定棄醫從文，專心從事文學創作。

一八九二年　將發表的十二個福爾摩斯探案短篇故事，集結成第一個短篇《冒險史》。

一八九三年　妻子露薏絲罹患肺結核。

在「最後問題」一篇中宣布了福爾摩斯的死訊。暫時結束有關福爾摩斯的創作。

一八九四年　將之前陸續發表的十一個短篇故事，集結成第二個短篇《回憶錄》。

一八九七年　認識琴・賴基(Jean Leckie)小姐，並墜入情網。

一九〇〇年　赴南非，以軍醫的身分參加布爾戰爭(Boer War)。並發表作品《大布爾戰爭》。

一九〇二年　受封騎士爵位。

發表福爾摩斯探案的第三個長篇故事《古邸之怪》。

一九〇三年　由於廣大讀者的要求，福爾摩斯在「空屋」一案中復活了！

一九〇五年　出版福爾摩斯探案的第三個短篇故事集《歸來記》。

一九〇六年　妻子露薏絲去世。

一九〇七年　與琴・賴基小姐結婚。

一九一五年　出版福爾摩斯探案的最後一個長篇《恐怖谷》。

一九一六年　宣布轉向性靈學的研究。

一九一七年　出版福爾摩斯探案的另一個短篇故事集《爲祖國》。

一九一八年　出版《新啓示錄》（The New Revelation）一書。此書是柯南・道爾轉向研究形而上學之後，有關這方面的第一本著作。

一九二七年　出版福爾摩斯探案的最後一個短篇故事集《福爾摩斯個案紀錄》。（編者案：本局將最後的兩個短篇故事集合併成本系列故事的最後一個短篇《新探案》。）

一九三〇年　七月七日與世長辭。

參考書目

中文部分

呂美玉　〈永生不死的福爾摩斯〉，中國時報四十三版，一九九七年二月十六日。

黃永林　《中西通俗小說比較研究》，臺北：文津，一九九五年。

彼德．布朗恩(Peter Browne)　〈福爾摩斯永在人間〉，《讀者文摘》四月號，一九七三年。

林　瀅　〈「偵探小說迷」倫敦朝聖（上）〉，《推理雜誌》一五一期，一九九七年。

范伯群　《偵探泰斗——程小青》，臺北：業強，一九九三年。

　　　　《民國通俗小說鴛鴦蝴蝶派》，臺北：國文天地，一九八九年。

徐淑卿　〈推理小說重現江湖〉，中國時報四一版，一九九七年九月十八日。

程盤銘　〈福爾摩斯是如何創造出來的？〉，《推理雜誌》一四六期，一九九六年。

　　　　〈福爾摩斯探案中的社會背景〉，《推理雜誌》一四七期，一九九七年。

　　　　〈福爾摩斯之前應用推理法的前輩們〉，《推理雜誌》一四八期，一九九七年。

　　　　〈福爾摩斯探案與偵探小說的定型〉，《推理雜誌》一四九期，一九九七年。

〈福爾摩斯的行業：私家偵探〉，《推理雜誌》一五〇期，一九九七年。
〈福爾摩斯探案在偵探小說中的地位〉，《推理雜誌》一五一期，一九九七年。
〈福爾摩斯年譜〉，《推理雜誌》一五二期，一九九七年。
〈福爾摩斯偵探術〉，《推理雜誌》一五三期，一九九七年。
〈福爾摩斯的俠義精神和越權行爲〉，《推理雜誌》一五四期，一九九七年。
〈福爾摩斯與公家警察〉，《推理雜誌》一五五期，一九九七年。
〈抬舉福爾摩斯成名的選手們〉，《推理雜誌》一五六期，一九九七年。
〈福爾摩斯探案的「眞經」與「僞經」〉，《推理雜誌》一五七期，一九九七年。
〈福爾摩斯探案中的「中國」〉，《推理雜誌》一五八期，一九九七年。
新潮推理編輯室　〈偵探小說的開拓者……柯南．道爾〉，臺北：志文，一九九五年。
〈柯南．道爾的生平與其作品〉，臺北：志文，一九九五年。
〈家喻戶曉的福爾摩斯〉，臺北：志文，一九九五年。
〈柯南．道爾年譜〉，臺北：志文，一九九五年。
鄭麗園　〈貝克街二二一號〉，《英國女王有請！》，臺北：聯經，一九九六年。
盧郁佳　〈百分百死亡遊戲〉，聯合報四五版，一九九七年十月二十七日。
魏紹昌　《我看鴛鴦蝴蝶派》，臺北：商務，一九九五年。

英文部分

Doyle, Arthur Conan　Great Works of Sir Arthur Conan Doyle. New York: Chatham River Press, 1984.

Hodgson, John A., Editor　Sherlock Holmes: The Major Stories with Contemporary Critical Essays. Boston: Bedford Books of St. Martin's Press, 1994.

國家圖書館出版品預行編目資料

新探案 / 柯南・道爾原著；程小青等譯.
-- 修訂一版 . -- 臺北市：世界，1997〔民 86〕
面； 公分 -- (福爾摩斯探案全集)

ISBN 957-06-0175-2 (平裝)

873.57　　86015782

福爾摩斯探案全集

新探案

722 - 2924

作　者／柯南・道爾
譯　者／程小青等
修訂整理／世界書局編輯部
發行人／閻　初
發行者／世界書局
登記證／行政院新聞局局版臺業字第〇九三一號
地　址／台北市重慶南路一段九十九號
電　話／(〇二)二三一一〇一八三
傳　真／(〇二)二三三一七九六三
郵撥帳號／〇〇〇五八四三—七　世界書局
印刷者／世界書局
出版日期／一九二七年初版一刷
一九九七年十二月修訂一版一刷
定　價／二七〇元

◎版權所有・翻印必究
◎本書若有缺頁、破損、倒裝請寄回更換